Lienhard Wawrzyn

Der Blaue
Das Spitzelsystem der DDR

Verlag Klaus Wagenbach   Berlin

Wagenbach: Taschenbuch 180

©1990 Verlag Klaus Wagenbach, Ahornstraße 4, 1000 Berlin 30
Gesetzt aus der Borgis Sabon durch Mega-Satz-Service, Berlin
Gedruckt und gebunden von der Druckerei Wagner, Nördlingen
Umschlaggestaltung Rainer Groothuis
Das Karnickel, das 180., zeichnete wie stets Horst Rudolph
Printed in Germany. Alle Rechte vorbehalten
ISBN 3 8031 2180 9

Inhalt

Getarnt hinter dem Schloß dieser Aktentasche befanden sich in einer massiven kleinen vergoldeten Messingplatte, die Schlitze für heimliche Tonaufnahmen. Hinter den Schlitzen saß ein japanischer Kassettenrecorder.

▍Wie dieses Buch entstand

Als ich Anfang 1990 Freunde in Ost-Berlin besuchte, kam ein Nachbar zu Besuch, lieh sich Mehl für einen Kuchen, er stellte keine Fragen, sondern erzählte Witze und trank dazu ein Glas Wein. Nachdem der Nachbar wieder gegangen war, flüsterte mein Gastgeber: »Das war auch einer.« Er verdächtigte ihn, Spitzel gewesen zu sein: »Heute hat er sich wieder so komisch benommen.« Ich habe miterlebt, *wie Bürger einander grundlos verdächtigt haben.*

Einige Tage später bin ich bei Dresden Zeuge geworden, *wie die alten Seilschaften von SED/PDS und Stasi immer noch funktionieren.* Wir haben gefeiert. Mein Freund hat darum sein Auto vor dem ehemaligen Bürgermeisteramt stehen gelassen: ein deutliches Zeichen, daß er am nächsten Morgen später zur Arbeit kommen würde. Er arbeitet dort. Das Bürgermeisteramt beherbergt heute eine kulturelle Einrichtung. In den Räumen stand aber noch ein Schrank mit belastenden Dokumenten, der nur im Beisein der Bürgerbewegung geöffnet werden sollte. Am nächsten Morgen stand der Schrank weit offen und war leer, der Inhalt verschwunden. Es stellte sich raus, der Hausmeister hatte telefoniert und seinen alten Herren von Stasi und PDS das Signal gegeben: An diesem Morgen ist die Luft rein. Die beteiligten Ex-Funktionäre gaben sich harm- und ahnungslos, aber der Inhalt des Schrankes blieb verschwunden. Inzwischen kenne ich den Decknamen des Hausmeisters.

Diese beiden Erlebnisse, der *grundlose* und der *begründete* Verdacht, haben mir gezeigt:

● *Wer begreifen will, was die DDR tief im Innersten zusammengehalten hat,* muß sich mit ihrem Spitzelsystem auseinandersetzen. Von hier aus läßt sich der DDR-Staat verstehen. Darum habe ich angefangen, zu recherchieren, um die einmalige Chance zu nutzen, hinter die Kulissen eines modernen Geheimdienstes zu blicken, der noch kurze Zeit zuvor Menschen in Angst, Schrecken oder kritische Distanz zu ihrem Staat versetzt hat.

Die Stasi-Offiziere bezeichneten ihre Spitzel intern als *Blaue,* nach den blauen Deckeln der Spitzel-Akten. Später wurden die Aktendeckel braun, aber es blieb – aus begreiflichen politischen Gründen – bei der alten Bezeichnung. Den Spitzeln selbst war dieser Ausdruck nicht bekannt.

Bei über Hunderttausend *aktiven* Spitzeln im Herbst 1989 errechnet sich im Laufe von vierzig Jahren weit über *eine halbe Million Menschen*, die für die Stasi gespitzelt haben. Etwa jeder dreißigste DDR-

Bürger, Kinder und Greise eingerechnet, war ein Spitzel. Vielfach wissen nicht einmal ihre Ehepartner, daß sie mit einem Spitzel verheiratet sind. Wer sich mit dem Spitzelsystem der Stasi auseinandersetzt, wühlt in den Eingeweiden der Macht in der ehemaligen DDR.

● Jeder konnte von jedem denken, der da könnte ein Spitzel sein. Das hat den Staat gekittet und ein ganzes Volk geprägt. Ich habe angefangen zu recherchieren und mir *entlang von Spitzel-Lebensläufen einen Zugang ins Zentrum der DDR-Mentalität* gebahnt. Im Mittelpunkt stehen die Menschen, nicht die Struktur.

Ich habe mich für die Arbeit der Stasi und ihrer Spitzel interessiert, um daraus dieses Buch und das Drehbuch für einen Spielfilm zu entwikkeln. Ich wollte wissen:

1. *Wer* waren die Spitzel, und was haben sie bei ihrer Arbeit empfunden?

2. *Was* hat sie dazu gebracht, mit der Stasi zusammenzuarbeiten?

3. Wer waren ihre *Führungsoffiziere*, was haben sie gedacht, gefühlt?

Als jemand, der in West-Berlin aufgewachsen ist, bin ich ein Außenstehender. Darum habe ich eine Chance gesehen, die Diskussion um die Stasi zu *versachlichen*. Die Beteiligten sollten weitgehend selber zu Wort kommen. Alle wichtigen Angaben habe ich nachrecherchiert. Bei meinen Nachforschungen habe ich mich bewußt nicht konspirativ oder geheimnistuerisch verhalten. Jeder meiner Gesprächspartner wußte, wer ich *bin*, was ich *mache* und was ich *vorhabe*. Jedem habe ich zugesagt, seinen Namen ebenso wie bestimmte Einzelheiten seines Lebenslaufes zu ändern. An diese Absprachen habe ich mich gehalten. Aus den Protokollen sind also *keine Rückschlüsse auf die Identität meiner Gesprächspartner möglich*.

Ich bin froh, daß mir die Konflikte erspart geblieben sind, die in diesem Buch sichtbar werden. Mein Interesse ist nicht, mich zum Richter aufzuspielen.

Meine *Arbeitsmethode* bestand darin, daß ich, ähnlich wie ein Psychoanalytiker, ein neugieriger, einfühlsamer Zuhörer war. Meine Gesprächspartner haben mich weiterempfohlen. Dadurch ergaben sich thematische und personelle Zusammenhänge, die mir erlaubten, ihre Angaben zu überprüfen.

Die Arbeit am Buch hat mir *drei wichtige Erkenntnisse* gebracht:

● Geheimdienste halte ich inzwischen überwiegend für Dinosaurier aus vordemoratischen Zeiten: teuer, ineffektiv und unzeitgemäß. Innen- wie außenpolitisch sind sie schädlicher Politik-Ersatz.

● Ich habe bislang gedacht, ich kenne Menschen gut. Seit ich in der ehemaligen DDR recherchiert habe, ist es damit vorbei. Ich habe – insbesondere unter den vielen Spitzeln – Menschen kennengelernt, die *die Kunst der aufrichtigen Lüge* beherrschen: Während ich belogen wurde, hat kein falscher Zungenschlag sie verraten. *Sie waren Meister und haben mich in einen Abgrund blicken lassen, in dem Wahrheit und Lüge für mich nicht mehr zu unterscheiden waren.* Alle Angaben mußte ich durch Zeugenbefragungen und weitere Recherchen überprüfen. Selbst als ich meine Tonbänder zum zweiten und dritten Mal durchhörte und die Lügen kannte: genauso bescheiden oder liebenswürdig oder warmherzig wie die Wahrheit trat die Lüge auf.

● Die Bevölkerung der ehemaligen DDR wird keine wirkliche Chance bekommen, ihre Akten einzusehen. In der politischen Praxis der Bundesrepublik wird (trotz aller entgegengesetzten Reden) genau wie nach 1945 *Täterschutz vor Opferschutz* gehen.

In einem Gespräch im August 1990 hat mir ein hochrangiger Mitarbeiter des ehemaligen Ministeriums für Staatssicherheit klargemacht, warum:

»Ihre Politiker können nur bis vier zählen, dann fängt für sie eine neue Legislaturperiode an. Daher gilt: Keine bundesdeutsche Partei will sich jetzt bekleckern mit roter Soße. Zu viele unserer Inoffiziellen (Inoffizielle = Stasi-Spitzel; L. W.) hängen schon mit drin bei denen. Schließlich ist gerade die gesamte Führungselite der DDR durchsetzt mit unseren Blauen (Spitzeln; L. W.); besonders die Blockparteien haben wir systematisch gespickt mit Inoffiziellen wie einen Hasenbraten, die CDU genauso wie die Liberalen.

Ich könnte ihnen selber mehrere Abgeordnete nennen samt ihren Decknamen. Wir haben sie ja geführt. *Diese Leute sind konspirativ geschult und bestimmen jetzt, was hochkommt von damals und was nicht.* Und entscheidend ist: *dabei decken sich ihre Interessen besonders mit denen der bundesdeutschen CDU und der bundesdeutschen Liberalen.* Beide Parteien haben die Wendehälse ja gleich *blockweise* übernommen samt unseren Inoffiziellen. Lauter kleine Guillaumes sitzen bei denen mit im Boot (Günter Guillaume, ehemaliger Stasi-Spitzel im Bundeskanzleramt; L. W.). Eine Zeitbombe tickt. Und sie wissen es.

Daher müssen diese Parteien jetzt Negativschlagzeilen verhüten: lächeln, loben, leugnen. Ich habe dieses Geschäft der Legendierung (Täuschung; L. W.) selber betrieben und weiß: Alle werden schöne ausgleichende Reden absondern, aber in Wirklichkeit immer sorgfältig den Deckel zuhalten. Ich nenne das Bauchmietzeln: *Man wird viel von Datenschutz reden und Quellenschutz (also Täterschutz; L. W.) meinen.*

Das ist Dialektik: *Ihre* Leute, ihre Abgeordneten, Regierungsmitglieder, Ministerialbeamte, Geheimdienstler, sichern gemeinsam mit *unseren* Blauen unsere Akten vor unserer Bevölkerung.

Ich erinnere an den Fall des Rostocker Rechtsanwaltes Wolfgang

Schnur, den Mitbegründer des Demokratischen Aufbruchs. *Leute wie Schnur hatten wir viele, und die müßten ja Selbstmörder sein, wenn sie zulassen wollten, daß die Akten zugänglich werden.* Ich wette mit ihnen: die Bevölkerung kommt an unsere Akten nicht ran. Eher wird alles vernichtet und unsere Blauen amnestiert.

Aus meiner Sicht sage ich: vielleicht ist das sogar gut so. Was nützt es einem Mann zu wissen, wen wir auf ihn angesetzt hatten? Was ändert es noch? Nichts. *Aber es stört den sozialen Frieden. Es macht ihn bitter, er verliert einen Kollegen oder sogar einen Freund.* Das muß doch nicht sein.

Noch eine Kraft wird verhindern, daß die sogenannten Opfer – plötzlich sind ja alle Opfer – ihre Akten in die Finger bekommen: Wenn hier das Prinzip des Quellenschutzes verletzt wird, *erschwert das auch die Arbeit der westlichen Geheimdienste.* Auch Verfassungsschutz und MAD brauchen Inoffizielle, die ihnen vertrauen. Sie *werden das Prinzip des Quellenschutzes in aller Stille am Beispiel unserer Akten verteidigen.*

Außerdem: Die Menschen haben jetzt andere Sorgen. Die wollen das in Wirklichkeit auch gar nicht. Wir reden viel von Vergangenheitsbewältigung, aber es ist eine stammesgeschichtliche Tatsache: unser Gehirn will Unangenehmes vergessen. Lassen wir es dabei.«

Aus alten Seilschaften entstehen also neue. Die Täter sitzen so lange am längeren Hebel, wie sich nicht eine breite Mehrheit wehrt und *die Führungseliten auswechselt.* Danach sieht es heute so wenig aus wie 1945. Die Menschen sorgen sich um ihre Zukunft. Die Gefahr besteht, daß sich über die Vergangenheit der Mantel des Verschweigens und Vergessens senkt.

Das Thema Stasi ist für mich mit diesem Buch nicht erledigt. Wenn Sie dazu aus Ihrem eigenen Erleben etwas zu erzählen haben, ohne damit ein kommerzielles Interesse zu verbinden, würde mich Ihr Bericht interessieren. Bitte schreiben Sie mir unter folgender Adresse:

Lienhard Wawrzyn
c/o Verlag Klaus Wagenbach
Ahornstraße 4
1000 Berlin 30

▌Zur Psychologie des Spitzels

Kein Geheimdienst der Welt hätte die DDR gründlicher destabilisieren können, als die Staatssicherheit es getan hat. Die Stasi hat ein Klima des gegenseitigen Mißtrauens unter die Menschen getragen.

Wie das Monster in einem Horrorfilm saß die Stasi in jeder Gesprächsrunde mit am Tisch. Sie hat das Vertrauen der Menschen in ihren Staat zersetzt und wesentlich zu seinem Zusammenbruch beigetragen. Die Stasi bespitzelte und verfolgte. Und Millionen Bürger fühlten sich bespitzelt und verfolgt. Beide zusammen bildeten eine Horrorpartnerschaft von Verfolger und Verfolgtem, von Täter und echtem oder vermeintlichem Opfer.

Einige Bürger waren unerschrocken oder genossen Vorrechte, brachen aus dem Raster aus und sagten *unbefangen und öffentlich*, was sie dachten. Mit *Zivilcourage* weigerten sie sich, ihre Verkehrsformen sich ausgerechnet von einem Geheimdienst diktieren zu lassen.

Nichts fürchtet ein Geheimdienst so wie die Öffentlichkeit. Denn ein Geheimdienstler, der zum Beispiel in der Kreuzkirche in Dresden mit einem getarnten Tonbandgerät die Predigt des Pfarrers mitschnitt oder durch die Löcher eines Jackenknopfes das Publikum fotografierte, war eine lächerliche Figur, vor der die Kirchenbesucher und ihr Pfarrer ebenso wenig Achtung hatten wie vor ihrem Auftraggeber.

Ein Geheimdienst ist nur so gut wie seine Spitzel. Ohne das Heer von großen und kleinen Zuträgern läuft nichts. Die Stasi durchschnüffelte die Post, zapfte Telefone an, durchforstete Zeitungen und Zeitschriften. Aber die beste Informationsquelle blieb der *Mensch*. Spitzel brauchte das Land.

Judas war der Freund, der Jesus den Tod brachte.

Sie heißen »Inoffizielle Mitarbeiter«, »V-Leute«, »Hinweisgeber«, »Informanten«, »Zuträger«, »geheime Kundschafter«: Der Volksmund hat dafür ein zweisilbiges Wort. Um das Wort »Spitzel« deutlich aussprechen zu können, müssen wir unsere Lippen schürzen und spitzen, als wollten wir unserem Gegenüber mitten ins Gesicht spukken. Die Zischlaute sagen uns: wir mögen Spitzel nicht. Das Wort bezeichnet jemanden, der die Ohren spitzt und eine »inoffizielle«, eine geheime Existenz führt.

Denn der Spitzel ist ein Freund, der hinterrücks unser Feind ist. Je besser er arbeitet, desto weniger trauen wir es ihm zu; er beherrscht die Kunst, zwei Herren zu dienen. Im wörtlichen und übertragenen Sinne ist der Spitzel ein Doppelverdiener.

Jesus hatte zwölf Jünger, zwölf Freunde, denen er vertraute. Einer davon war »*Judas Ischariot,* welcher ihn verriet.« (Mt. 10.4) »Da ging hin der Zwölf einer, mit Namen Judas Ischariot, zu den Hohenpriestern und sprach: Was wollt ihr mir geben? Ich will ihn euch *verraten.* Und sie boten ihm dreißig Silberlinge.« (Mt. 26. 14–15). Dreißig Silberlinge waren sein Judaslohn. Er verriet »des Menschen Sohn mit einem Kuß.« (Lk 22.48)

Judas Ischariot war ein Spitzel, der Freund, der Jesus verraten hat und ihm den Tod brachte. Aber warum hat er ihn verraten? Für das Geld? Wir wissen es nicht. Jesus mußte mit dem Gedanken leben, daß einer seiner Freunde und Weggefährten, mit denen er abends gemeinsam am Tisch saß und aß und trank, ein Spitzel war: »›Wahrlich, wahrlich ich sage euch: Einer unter euch wird mich verraten.‹ Da sahen sich die Jünger untereinander an, und ward ihnen bange von welchem er redete.« (Joh. 13.21) Das Gefühl des Zweifels und Mißtrauens lief um, jeder in der Freundesrunde konnte der Verräter sein.

In der Bibel ist Jesus allwissend und weiß, wer ihn verraten wird: »Der ist's, dem ich den Bissen eintauche und gebe. Und er tauchte den Bissen ein und gab ihn Judas, Simons Sohn, dem Ischariot« (Joh. 13.26). Dem gewöhnlichen Sterblichen bleibt nur der Verdacht. Dieser Verdacht nagt und verändert.

Es gibt seitdem wohl kaum Eltern, die bereit wären, ihrem Kind den Namen Judas zu geben. Kein Vater und keine Mutter möchte, daß aus seinem Kind einmal ein Spitzel wird.

Berufsverbote haben unser Land verändert.

Was es für die *Mentalität* der Menschen eines Landes bedeutet, in einem Spitzelstaat zu leben, davon haben wir in der *Bundesrepublik Deutschland und Westberlin* seit 1972 eine Ahnung bekommen. Damals führten deutsche Sozialdemokraten den *Radikalenerlaß* ein. Jeder Bewerber für den öffentlichen Dienst wurde als potentieller Staatsfeind angesehen und einer geheimdienstlichen »Sicherheitsüberprüfung« unterzogen. Ausschüsse führten peinliche Befragungen durch. Die Sozialdemokraten hatten das Gespenst der *Berufsverbote* losgelassen. Konservativ regierte Bundesländer folgten bereitwillig. Der Verfassungsschutz warb Spitzel (»V-Leute«) und schnüffelte. Viele Studenten und Lehramtskandidaten ließen sich dadurch einschüchtern. Angst und Unsicherheit gingen um. Selbst eine Unterschrift für *Amnesty International* konnte gefährlich sein. Der Verfassungsschutz blähte sich auf, brach die Verfassung (z. B. Affäre um das Celler Loch) und erschütterte das Vertrauen in sie, ähnlich wie die Stasi in der DDR. Noch im September 1987 belegte ein Urteil des Bundesverwaltungsgerichts einen Postschaffner mit Berufsverbot, weil er als Mitglied der Splitterpartei DKP in Marburg seit 1974 sein Wahlmandat ausübte und Stadtverordneter war. Erst 1985 entschloß sich der saarländische Ministerpräsident Lafontaine als erster, den Radikalenerlaß wieder abzuschaffen. CDU-Politiker warfen ihm damals Verfassungsbruch vor.

Die Zeit der Berufsverbote in der Bundesrepublik kann uns helfen, besser zu verstehen, wie das Spitzelwesen in der DDR Menschen und ihre Mentalität verändert hat.

Vierzig Jahre Schnüffelei haben die Mentalität der Menschen der DDR geprägt.

Die Menschen der DDR haben, alles in allem, fast sechzig Jahre lang nur in Diktaturen gelebt. Sie haben Jahrzehnte umfassender geheimdienstlicher Schnüffelei hinter sich.

Das Spitzelsystem prägt die Menschen, die sich bespitzelt fühlen müssen. Jeder wußte, selbst harmlose Hobbies können geheimdienstliche Aktivitäten auslösen. Schon wer sich einen Neoprenanzug beschaffte, konnte ein potentieller Republikflüchtling sein, der sich unter Wasser aus dem Land entfernen wollte.

Das Ministerium für Staatssicherheit als Schwert der SED und Partner der ihr verbundenen Blockparteien nötigte die Bürger der DDR, ihre Mitmenschen, Freunde, Kollegen, immer wieder *heimlich* abzutasten und sich zu fragen: Wie weit kann ich ihm vertrauen? Kann ich ihm sagen, daß ich mich mit dem Gedanken trage, einen Ausreiseantrag zu stellen? *Ist er ein Spitzel oder ist er ein Freund? Oder ist mein Freund ein Spitzel?* Hinter freundlichen Gesichtern wohnte wachsam das berechtigte Mißtrauen.

Viele Menschen in der DDR redeten, wenn auch notgedrungen, *sehr überzeugend* in zwei Sprachen: einer offiziellen, in der sie die gewünschte Loyalität gegenüber dem DDR-Staat an den Tag legten, und in einer privaten, in der sie ihre wirkliche Meinung sagten. Sogar Kinder hatten gelernt, sich zu fragen: Meinen meine Eltern das, was sie jetzt gerade sagen? Oder ist es bloß ihre offizielle Meinung?

Alle hat das *vorsichtig* gemacht und mißtrauisch: *Vorsichtig* wurden die DDR-Bürger in dem, *was* sie sich zu sagen trauten, und *wem* sie es sagten. Die alltägliche Vorsicht ist eine *aktive Anpassungsleistung*, die dahin führt, vieles nicht zu sagen. Sie bindet den Bürger eng an den Staat: Er weiß, mit seiner Überlebensstrategie trägt er bei zum Weiterbestand des Systems, schützt es vor Widerspruch, Kritik und Veränderung.

Insbesondere die *Angehörigen der Führungselite* des gesamten Landes mußten sich krümmen: Tausende Professoren, Lehrer, Erzieher, Staatsanwälte, Richter, Ärzte, Betriebsleiter. Selbst in einem Buch über Schweinezucht finden sich Ergebenheitsadressen an den SED-Sozialismus. Nur im Zentrum der Macht selber – wie dem ZK und dem Politbüro – und an den Rändern der Gesellschaft war die Freiheit größer, die Wahrheit zu sagen, ohne karriereschädliche Folgen zu erleiden. Wer Heizer war und Öfen mit Braukohle belud, dem konnte nicht mehr viel passieren. Von hier kamen die Witze, die den Staat lächerlich machten.

Mißtrauisch wurden die DDR-Bürger, weil sie nicht sicher sein konnten, meint mein Kollege das, was er da sagt? Oder macht er sich auf Kosten der Wahrheit das Leben bequem? Wich das, was er sagte, von der geforderten offiziellen loyalen Meinung ab, dann konnte es sein, daß hier ein Spitzel im Auftrage der Stasi provozierte (Spitzel Petra berichtet von so einem Provokateur, vgl. S. 103 ff.). Auch dann konnte man ihm also nicht einfach glauben. Eine Situation ähnlich wie beim Pokerspiel, wo der Gesichtsausdruck meines Partners nichts darüber verrät, was er für ein Blatt spielt. Der SED-Staat mutete den Menschen Konflikte zu, denen ein Westbürger nie ausgesetzt war.

Hinzu kamen zahlreiche Massenveranstaltungen. Sie verlangten den Bürgern ab, *aktiv* ihre Verbundenheit mit dem System zu bekunden. Dazu dienten Aufmärsche, gemeinsame Hochrufe, Fähnchenschwenken, Fahnenappelle, der Pioniergruß, landesweite Geldsammlungen für wohltätige Zwecke, das Falten der Stimmzettel. Solche Kundgebungen sind *Ergebenheitskontrollen* für den Staat, für den Bürger, der nicht überzeugt ist, sind sie *Anschläge auf sein Selbstwertgefühl*. Wer Regimetreue bekundet, ohne sie zu fühlen, erniedrigt sich selbst. Es steht Westbürgern nicht zu, das zu verurteilen. Aber jetzt besteht die Gelegenheit und Veranlassung, darüber öffentlich nachzudenken.

Das Spitzelsystem verändert die Mentalität der Bürger. Denn es *verletzt tief das Selbstbewußtsein* und trennt die Welt unscharf in Freund und Feind, oben und unten. Wenn heute in der ehemaligen DDR die Neigung zum Rassismus hochkommt, Fremdenfeindlichkeit sich ausbreitet, Polen, Vietnamesen, Russen angepöbelt werden und sich feindselige Gefühle gegen Schwache austoben, so steckt dahinter auch eine gehörige Portion Selbsthaß der DDR-Bürger. Wer sich selber nicht achtet, verschafft sich Linderung, indem er andere verachtet. Die Folgen können wir nur ahnen. Sie sind nicht mit dem Tag verschwunden, an dem die Menschen der ehemaligen DDR frei wählen konnten.

Der Spitzel ist zwei Personen.

Wenn ein DDR-Bürger zum Stasi-Spitzel wurde, bekam er einen neuen Namen. Ähnlich wie die Nonnen im Kloster. Der neue Name diente nicht nur der Konspiration, sondern drückte auch aus, daß derjenige, der ihn trug, von jetzt ab zwei Personen war, ein doppeltes Leben führte.

Eine Frau berichtet: »Ich habe mir den Namen Loretta ausgesucht. Es fiel mir auch kein anderer ein. Es war ein alter Traum von mir, Loretta zu heißen. Loretta hat für mich etwas Spanisches, etwas Temperamentvolles. Er klingt abenteuerlich und geheimnisumwittert. Jetzt konnte ich praktisch noch einmal die werden, die ich schon immer sein wollte. Es sollte ja auch ein Name sein, der sich leicht merken läßt.«

Wenn vor der Wende ein Stasi-Offizier seinen Spitzel anrief, so meldete er sich mit dem Decknamen seines Spitzels, z. B. Altmärker. *Der Deckname ist, anders als andere Namen, kein fester Besitz seines Trägers, sondern wie eine Spielmarke, die der Firma gehört*, vergleichbar einem Autokennzeichen oder einer Telefonnummer oder der Nummer eines Schweizer Nummernkontos. Der Deckname bahnte die Verbindung zwischen Spitzel und Offizier in beiden Richtungen. Er war aber auch so etwas wie ein Schlüssel, der es gestattete, den Spitzel abzuschöpfen. Wenn ich Spitzel in ihren Wohnungen aufgespürt habe, fingen sie an zu reden, als ich mich mit ihrem *Decknamen* vorstellte. Sie wußten dann, daß ich wirklich hinter ihr Doppelleben gekommen war.

Andere Spitzel haben aus freien Stücken das Gespräch mit mir gesucht; sie haben sich geschämt für das, was sie getan hatten. Wieder andere wollten ein letztes Mal als Spitzel Geld kassieren.

Während der Bürger sich im Gespräch dem Kollegen anvertraut, wechselt dieser die Loyalität und formuliert kopfnickend insgeheim schon den Bericht für seinen Führungsoffizier. Was er erlauscht, reicht er hinterrücks weiter an eine fremde Macht.

Ein Spitzel berichtet, wie er sich im Kollegenkreis verhielt: »Ich habe mir Stichpunkte gemacht, weil ich mir nicht alles merken kann. Nur durch irgendwelche Fehler die Kollegen und Freunde in die Pfanne hauen, das wollte ich auch nicht. Also habe ich mir Worte gemerkt und *auf der Toilette einen Zettel gemacht.*«

Warum aber wurde er Spitzel und hat »ja« gesagt zu dem unsittlichen Antrag des Staates?

Was empfindet ein Spitzel in dem Augenblick, wo er seine Freunde aushorcht?

Der Spitzellohn stellte die Welt auf den Kopf: das Verbotene

Bei den meisten Spitzeln hat das *Geld*, das sie für ihre geheimen Dienste am Geheimdienst bekamen, angeblich nur eine untergeordnete Rolle gespielt. Sie wurden in unregelmäßigen Abständen mit Hundertmarkbeträgen prämiert, großzügig für Unkosten (Getränkerechnungen usw.) entschädigt und zu Jahrestagen beschenkt.

Diese »Entschädigung« war psychologisch sehr wichtig. Mit ihr drückte das Ministerium für Staatssicherheit dem Spitzel gegenüber aus: Du bist unser Mitarbeiter, das, was du tust, ist *erlaubt*. Wenn du deine Freunde verrätst, uns sagst, was deine Kollegen denken und dein Nachbar macht, tust du etwas Gutes. Darum bekommst du von uns sogar Geld dafür.

Der Lohn, den die Stasi für die Spitzeldienste zahlte und den der Spitzel mit seinem Decknamen quittierte, stellte ihn vor allem *moralisch* auf seinen Verrat ein: Geld und Geschenke drückten aus: Das Verbotene ist *etwas Erlaubtes. Wir*, der Staat, erlauben es dir. Du tust es *für uns*, indem du es für uns tust, wirst du ein Teil von uns. Wir sind mächtig, du bist Teil dieser Macht, fühle dich mächtig.

Trotz Geld, Belohnungen und gemeinsamem Gelächter: jeder Geheimdienst verachtet seine Spitzel ebenso wie er sie braucht. Die Stasi bildete da keine Ausnahme. Der Fall des Stasi-Offiziers Jurek, der seinen weiblichen Spitzel Petra heiraten wollte und den die Stasi dafür degradierte und strafversetzte, ist ein Beispiel für diese Verachtung (vgl. S. 103 ff.).

Ich habe einen hochkarätigen Spitzel kennengelernt, der die Stasi regelrecht gemolken hat. Er hat weit über 1000 Mark monatlich kassiert. Sogar die Präsentkörbe, die er seiner Mutter zu Weihnachten schenkte, ließ er sich von der Stasi bezahlen. Als er krank wurde, hat er, wie mir seine Führungsoffiziere erzählten, die Stasi dazu gebracht, ihm die Rente zu finanzieren. Dieser Mann ist eine Ausnahme (vgl. »Ich bin eigentlich doch irgendwo ehrlich gewesen«, S. 91 ff.).

Waren die meisten Spitzel also nur Überzeugungstäter? Nein. Aber die Überzeugung hilft dem Spitzel immer wieder, *seinen inneren Widerspruch, den Zwiespalt, in dem er sich befindet, zu überbrücken*. Spitzel haben sich allzu gerne überzeugen lassen, sie dienten einer nützlichen Sache. Diese Überzeugung entlastete ihr Gewissen. *In jedem Fall* verstecken sich hinter der Überzeugung geheime Beweggründe, aus denen heraus er oder sie spitzelt.

Das Selbstbild des Dieners zweier Herren ist gefährdet.

Der Diener zweier Herren muß ständig aufpassen, daß das Bild, das er von sich selbst hat, einigermaßen einheitlich bleibt. Sonst gerät er in eine Krise oder wird sogar wahnsinnig. Ich habe mehrere Spitzel gesprochen, die zeitweise in psychiatrischer Behandlung waren, weil sie an chronischer Schlaflosigkeit litten, mehr und mehr Alkohol tranken oder sogar Wahnvorstellungen entwickelten und sich verfolgt fühlten. Irgendwie muß der Spitzel darum vor sich selbst rechtfertigen, daß er seine Freunde verrät und das, was sie ihm anvertrauen, an eine fremde Macht verkauft. Wenigstens oberflächlich muß er mit sich ins Reine gelangen, um eine einheitliche Person zu bleiben.

Dazu wenden die Spitzel, je nach ihrem Temperament und ihrer psychologischen Struktur, *unterschiedliche Strategien der Selbstrechtfertigung* an.

Ich teile die Spitzel nach ihren *persönlichen geheimen Motiven* ein, aus denen heraus sie das Vertrauen anderer Menschen mißbrauchen und sie an den Geheimdienst verraten. Natürlich gibt es Übergänge, Mischformen. Interessant an dieser psychologischen Einteilung ist, daß sie sich streckenweise deckt mit einem System, nach dem die Stasi ihre Spitzel kategorisierte. Dieses Stasi-System reicht vom hochkarätigen IMB (B wie Blickfeld oder Berührung) über den IME (E wie Ermittler oder Experte) bis zum einfachen IMS (S wie Sicherheit). Wir werden es im Folgenden näher kennenlernen.

1. DER ABENTEURER

Er sucht die *Berührung mit dem Feind*. Ihn reizt das prickelnde Gefühl, etwas Gewagtes zu tun. Er ist hilfsbereit, ohne dafür eine Gegenleistung zu erwarten. Insgeheim hält er sich für etwas Besseres. Durch die Gefahr steigert er sein Lebensgefühl. Ja, er fühlt sich in ihr erst richtig lebendig. Er braucht den Streß als Lebenselexier.

Er kann rücksichtsvoll und einfühlsam sein, hört aufmerksam zu, hakt nach. Sein Verstand ist flink und seine Interessen breit gestreut. Er widmet dem Partner seine volle Aufmerksamkeit. Prototyp: Günter Guillaume.

Spitzel mit dieser psychischen Disposition wurden gern »unmittelbar und direkt an feindlich tätigen Personen« eingesetzt. Die Stasi nannte sie IMB. Von Spitzeln dieser Art wurde insbesondere verlangt, »sich unauffällig ins Blickfeld der zu bearbeitenden Personen zu bringen, zu ihnen Kontakt herzustellen und ihr Vertrauen zu erwerben« (Zitate aus der geheimen »Richtlinie 1/79 für die Arbeit mit Inoffiziellen Mitarbeitern«).

Diese Spitzel sollten die »Arbeit mit operativen *Legenden* und die richtige Reaktion auf Überprüfungsmaßnahmen des Feindes« beherrschen. Der IMB mußte also glaubwürdige Lügen und Halbwahrheiten benutzen, um sein Opfer zu täuschen.

Sie mußten einen Beruf ausüben und eine soziale Stellung einnehmen, »die für die zu bearbeitenden Personen von Interesse sind«. So ließ man auf einen anerkannten Spezialisten für Apfelanbau zum Beispiel einen Tierarzt mit Doktortitel los, der ihn bespitzelte (vgl. Der Fall Kaminski, S. 55 ff.).

Solange dieser Spitzel seine Opfer als seine Feinde betrachtet (vgl. »Ich bin eigentlich doch irgendwo ehrlich gewesen«, S. 91 ff.), kann er den Verrat, den er an den Menschen begeht, die er ausspioniert, ohne große Anstrengung vor sich rechtfertigen. Es geht ihm gut.

Schwierig wird es, wenn er – wie in der DDR oft vorgekommen – mehr und mehr mit den Opfern fühlt und sich schließlich als einer von ihnen empfindet. Er teilt ihre Ansichten, Hoffnungen, Pläne. Er freut sich über das Ansehen, das er in ihrem Kreis genießt.

Durch seinen Anpassungsprozeß an die Menschengruppe, die er ausspionieren soll, zum Beispiel Künstler mit regimefeindlichen Neigungen, wird dieser Spitzel für die Stasi eher noch wertvoller. Denn er bekommt mehr Informationen, weil er unter den Opfern als glaubwürdig akzeptiert ist. Je mehr der Spitzel raus will, desto tiefer kommt er rein, solange er nicht einfach aufhört.

Viele Spitzel reden sich darum ein: Ich habe niemanden von meinen Freunden, von meinen Bekannten oder Arbeitskollegen verraten. Denn ich habe der Stasi *nichts* gesagt, was sie nicht wissen durfte oder später ohnehin erfahren hätte. Ich habe sogar manches verschwiegen, was ich hätte sagen müssen. So jemand malt fleißig das Bild von sich selbst als gutem Freund.

Aber das ist eine *Selbstlüge*, die er braucht. Sie hilft dem Spitzel, seine Spitzeltätigkeit zu rechtfertigen und die *Einheit seines Selbst* zu wahren, damit er morgens selbstverständlich in den Spiegel blicken kann. Insgeheim weiß er natürlich, daß er sich belügt:

1. Ob ich jemanden verrate, hängt nicht davon ab, ob ich ihm Schaden zufüge, sondern davon, ob ich sein Vertrauen mißbrauche. Nur das Opfer selbst hat das Recht, sich seinem Henker auszuliefern.

Wenn zum Beispiel eine Mutter heimlich das Tagebuch ihrer Tochter liest, bespitzelt sie ihre Tochter, obwohl sie ihr keinen Schaden zufügt, sondern nur ihr Bestes will. Sie mißachtet das Recht ihrer Tochter, selbst zu bestimmen, was sie sagt und was sie nicht sagt.

2. Die Spitzel gaben ihre Informationen an den Geheimdienst, ohne zu wissen, was die Stasi damit macht. Jedes Wort konnte Schaden anrichten. Es war wie beim russischen Roulette. Die Spitzel wußten nicht, welche ihrer zahlreichen Informationen für die Stasi wichtig oder unwichtig waren, denn sie wurden so weit wie möglich »verdeckt abgeschöpft«. Der Führungsoffizier fragte bei den Treffgesprächen eine Fülle von Informationen ab. Die Spitzel ahnten aber nicht, daß es irgendwo in ihren Berichten eine zentrale Information gab, die die Stasi herausarbeiten wollte.

Wenn also der Spitzel behauptet, mit seinen Informationen niemandem geschadet zu haben, dann redet er so sorglos wie eine Mutter, die ihr Kind zum Spielen auf die Autobahn schickt. Nicht er war Herr des Verfahrens, sondern die Stasi.

Wenn die Selbstlüge brüchig wird, mit der der Spitzel seine Schwächen und sein Versagen schönt, kann er in tiefe Krisen geraten. Viele Spitzel erniedrigten sich darum versteckt selber, indem sie sich körperlich vernachlässigten oder zu trinken anfingen. So wurden sie unbrauchbar oder krank, und die Stasi mußte sie »ablegen«, ein Ausdruck, der den Spitzel mit seiner Akte gleichsetzt. So stand dem Heer von aktiven Spitzeln ein noch größeres von abgelegten ehemaligen Spitzeln gegenüber.

2. DER EXPERTE

Er sucht *Bestätigung*. Wenn er vom Geheimdienst befragt wird, hebt das seinen Stolz und sein Selbstwertgefühl. Prototyp: der Fachidiot. Die IME saßen »in verantwortlichen Positionen in staatlichen und wirtschaftsleitenden Organen.« (Richtlinie 1/79, S. 19).

Er ist ein Mensch von oft zwanghaftem Eifer. Er hat gelernt, daß er dort Anerkennung gewinnen kann, wo er fachlich kompetent ist. Er ist in einer kleinen Welt zuhause, die er überblickt und beherrscht.

Er wurde eingesetzt »zum *Einschätzen und Begutachten* komplizierter Sachverhalte, zum *Erarbeiten und Beurteilen von Beweisen*, zur Klärung der Ursachen operativ bedeutsamer Vorkommnisse, des Umfangs der schädigenden Auswirkungen, des Kausalzusammenhanges zwischen Handlungen und Folgen, der Qualifikation Verdächtiger« (ebd., S. 20).

So wurde zum Beispiel ein Arzt als IME herangezogen, der beurteilen mußte, wie lange ein alkoholkranker Stasi-Führungsoffizier bei ständigem Weitersaufen noch zu leben hätte. Statt den Mann zu einer Entziehungskur zu veranlassen, wurde ohne sein Wissen sein Gesundheitszustand taxiert.

Viele Ärzte und Wissenschaftler gehörten zu dieser Sorte Spitzel. Wollte die Stasi eine Wohnung durchsuchen und benötigte dazu einen Schlüsselabdruck, so bestellte z. B. ein IME-Röntgenologe die Frau des Verdächtigen zum Röntgen; während die Frau halbnackt vor dem Röntgengerät stand und eine schädliche Strahlendosis empfing, kam das Ministerium für Staatssicherheit in der Umkleidekabine der Poliklinik bequem an den Wohnungsschlüssel der Patientin heran.

Der Experte hatte wenig Konflikte mit seinem Selbstbild auszufechten. Als Fachidiot stand er in keiner näheren Beziehung zu seinem Opfer.

3. DER LISTIGE

Er kommt dem klassischen Bild, das wir uns vom Spitzel machen, am weitesten entgegen (vgl. Stasi-Offizier Werner, S. 59 ff.). Er ist bei der Stasi ebenfalls zum großen Teil unter den IME zu finden, jedoch nicht als Experte, sondern als *Ermittler* mit »operativen Fähigkeiten«.

Er diente »ausschließlich oder überwiegend zur Durchführung operativer *Beobachtungen* und operativer *Ermittlungen*.« Er wurde gezielt auf Leute angesetzt und sollte »operativ bedeutsame Informationen herausarbeiten« sowie operative Kräfte, Mittel und Methoden legendieren. Wie von einem deutschen Schäferhund verlangte die mächtige Staatssicherheit von ihm »Treue und Ergebenheit« (Richtlinie 1/79, S. 20). Nach oben buckelt er, nach unten beißt er.

Er ist skrupellos. Es macht ihm Spaß, *jemanden richtig aufs Kreuz zu legen* und sich listig den Folgen seines Handelns zu entziehen. Dazu gehört auch, immer rechtzeitig auf der richtigen Seite zu stehen.

Er ist sehr ehrgeizig, kontaktfreudig, intelligent und schlagfertig. Auch der Hochstapler gehört zu der Sorte. Er hat gelernt, daß Lügen lange Beine haben, wenn man schamlos und schnell ist. Wichtig ist ihm, oben auf der gesellschaftlichen Leiter zu stehen, egal auf welcher.

Er hat keine festen Überzeugungen, die er verraten kann, auch wenn die Stasi es gerne sah, wenn er »gefestigte ideologische Positionen« hatte. Schon der Plural »Positionen«, den die geheime Richtlinie hier gebraucht, ist verräterisch.

Er braucht keine echten Freunde, aber dafür viele Beziehungen und Leute, die sich für seine Freunde halten. Oft erlaubt ihm sein Charme, wirklich empörende Dinge zu sagen.

Häufig ist er weltläufig, geistig sehr beweglich. Er hat gelernt, daß es nicht wichtig ist, zu lieben, um geliebt zu werden, sondern daß man sich holen muß, was man haben will. Wenn andere in seiner Gegenwart von der Stasi oder Spitzeln reden, verhält er sich leicht amüsiert und freundlich, keinesfalls durchfährt ihn ein Schreck.

Er bevorzugt ein bestimmtes Muster, nach dem er Kontakte knüpft. Oft kann er zum Beispiel gut Witze erzählen. Er kann vielen Herren dienen, wenn es nur von Vorteil für ihn ist. Er liebt es, wenn der Geheimdienst seine Wertschätzung in barer Münze ausdrückt. Denn eine Hand wäscht die andere.

Häufig hat dieser Typ eine schwache Bindung an sein Elternhaus. Internatsschüler bilden ein gutes Reservoir für diese Art Karriererismus.

Prototyp: der DDR-Rechtsanwalt Sch., der sich schnell wendete, als die Uhr der alten Macht abgelaufen war. Er wurde als Spitzel enttarnt. Der Listige ist ein Abspaltungskünstler. Das Problem, als Diener zweier Herren die Einheit seines Selbst zu wahren, existiert für ihn kaum. Er kann sich mühelos *aufspalten* in den Freund und in den Feind. Das Gewissen drückt ihn nicht, weil er kaum eines hat.

Wenn er mit uns zusammen ist, empfindet er wie unser Freund. Trotzdem kann er uns lachend im nächsten Augenblick verraten und damit die Freundschaft entwerten. Scham und Schuldgefühl sind ihm fremd.

Der Listige gehörte oft zur *Führungselite des Landes* und heute zu den Wendehälsen. Die geheime Richtlinie des Ministeriums für Staatssicherheit stellt ausdrücklich fest, daß dieser Typ des Spitzels »vor allem« zu finden ist »in *verantwortlichen Positionen* in staatlichen und wirtschaftsleitenden Organen, Betrieben, Kombinaten und Einrichtungen sowie gesellschaftlichen Organisationen«. Dort sitzt er auch heute noch.

4. DER ANGEPASSTE

Er ist der ameisenhafte Zuträger, der mit dem Ministerium für Staatssicherheit paktierte, um seinen kleinen Frieden zu retten. Häufig ist er sehr *hilfsbereit*, der echte *nette Kumpel*, dem man »so etwas« nie zutrauen würde. Er muß wie aus innerem Zwang mit den Herren der Macht ebenso paktieren, wie mit seinesgleichen. Er möchte aus tiefstem Herzen anerkannt werden.

Er ist der ewige Mitläufer, dem die Zivilcourage fehlt, »nein« zu sagen zu dem unsittlichen Antrag der Stasi. Er gehörte im Stasi-Jargon zu den kleinen »roten Lampen« der Macht, die überall im Lande aufleuchteten, wenn es etwas zu melden gab, konnte aber auch »aufsteigen«, wenn er an wichtiges »Material« herankam.

Er hat eine diffuse Angst, sich der staatlichen Macht nicht widersetzen zu können. Diese Angst ist nicht immer da. Sie kommt und geht. Aber sie begleitet ihn.

Häufig wurde er zunächst unter Druck geworben, d. h. »gekrümmt«, wie es im Stasi-Jargon hieß. Er hat überwiegend das Gefühl, etwas zu tun, was ihm wesensfremd ist. Aber er tut es trotzdem.

Er läßt sich überzeugen, ohne sich selbst davon zu überzeugen. Eigentlich findet er nichts Schlimmes dabei, seine Freunde zu bespitzeln, und er macht es ordentlich. Schon früh hat er gelernt, blind Vorschriften zu akzeptieren. Darum erscheint er pünktlich und gut vorbereitet zu den Treffs mit seinem Führungsoffizier.

Er will nicht so sehr für eine individuelle Leistung anerkannt werden, sondern dafür, daß er genau das macht, was man ihm sagt.

Verrücktheiten machen ihm Angst, weil er damit außer Ordnung geraten könnte. Seine Leistung besteht in seiner Anpassung, die er mit dem Herzen vorantreibt.

Unter den Angepaßten taugen als Spitzel am besten die gutmütigen, großzügigen, hilfsbereiten Kumpeltypen mit vielen Kontakten. Also Menschen, die sich schnell als Freunde anbieten.

Der DDR-Staat hatte für einen Menschen dieses Typs die Bezeichnung IMS »Inoffizieller Mitarbeiter Sicherheit«. Der Stasi diente er zum »Erarbeiten von Informationen, um jene Bereiche, Prozesse, Personen und Personenkreise im Verantwortungsbereich zu erkennen und zu sichern, die für die *allseitige Erfüllung der sicherheitspolitischen Aufgaben*« von der Stasi als wichtig angesehen wurden.

Der Spitzel ohne Auftrag, der Denunziant aus Leidenschaft.

Unter den Angepaßten gab es aber auch den Typ des leidenschaftlichen Denunzianten, der geradezu darauf brannte, seinem Führungsoffizier jede Kleinigkeit zu berichten. In denen, die er bespitzelt und verrät, erkennt er sich selbst. Wenn er den Freund verriet, der aus der DDR raus und türmen wollte, spielte er seine eigenen Ängste durch, diesmal nicht als hilfloses Opfer, sondern als Verbündeter der mächtigen Verfolger.

Zum Teil arbeitete die Stasi mit diesen »Blockwarttypen« nur noch zum Schein zusammen. Ein Führungsoffizier berichtet: »Ich hatte einen, der schon vor Jahren mal geworben wurde. Damals brachte er wertvolle Informationen. Er hat in Berlin im Reichsbahnausbesserungswerk gearbeitet. Damals gab es zahlreiche Fehler bei neuen Achsen. Er hatte das Fachwissen und wir führten ihn als IME.

Nachdem sich herausstellte, daß hier lediglich Materialfehler vorlagen, wollten wir diesen IM ablegen, d. h. nicht mehr mit ihm zusammenarbeiten. Aber aufgrund seines während der Zusammenarbeit gewonnenen Selbstwertgefühls, uns etwas mitteilen zu können, wollte Michael D. auf den Kontakt mit der Stasi nicht mehr verzichten.

Für kleine *Personeneinschätzungen*, wenn zufällig was in seinem Radar war, ging es ja auch noch. Wir haben ihn einmal im Monat getroffen. Er erschien regelmäßig schriftlich vorbereitet. Von sich aus, ohne Auftrag. Die Berichte waren mit Akribie geschrieben. Die Handschrift wie gestochen.

Er brachte sich selbst immer mit Klarnamen in seine eigenen Spitzelberichte rein und stellte sich positiv dar: der Kollege Michael D. hat das und das gesagt. Er hat zum Beispiel meistens seinen Vorgesetzten beschrieben und dann hinzugefügt: der Kollege Michael D. hat sogleich geantwortet... Ich glaube, der hätte geheult, wenn wir nichts mehr von ihm hätten wissen wollen. Der brauchte das. Der war ein echter Selbstläufer. Für uns war das Statistik, wieder ein Strich auf der Habenseite gegenüber den Vorgesetzten. Das hängt auch mit der Ideologie zusammen: das Referat muß 100 IMs haben, und unter 100 durfte man nicht gehen. Wenn ich 19 Treffs hatte und brauchte den 20. noch, dann rief ich den an, dann kam der, und ich hatte meinen 20. Strich und damit mein Soll erfüllt.«

Ein Spitzel berichtet über das Hochgefühl, das die Arbeit für die Stasi in ihm auslöste: »Im Stillen habe ich das *Machtgefühl* genossen und mir gesagt: Mensch, hier läufst du durch wie eine Leuchtdiode, die zwar funktioniert, aber nicht aufleuchtet, und *keiner weiß es.*

Kellner ist ein ehrbarer, harter Beruf. Aber Spitzel zu sein, das war für mich ein Gefühl, *als hätte ich irgendwo einen großen Geldraub gemacht, und keiner kommt dahinter.* Ich war nicht euphorisch, aber ich ging wie ein roter Punkt durchs Geschehen.

Oftmals haben Gäste mich verdächtigt, ein Stasi-Spitzel zu sein. Denn alles, was im Publikumsverkehr arbeitet, ist verdächtig. Kellner, Taxichauffeure, Friseure, Kosmetiker, Physiotherapeuten, Ärzte. Menschen in diesen Berufen können *ihre Arbeitszeit* dazu nutzen, andere zu bespitzeln.«

Wo die Spitzel gemacht wurden.

Schule und Kindergarten waren in der DDR, wie ein Stasi-Offizier der Abteilung Kader und Schulung mir sagte, »*die Drehbänke, auf denen unsere IMs gefräst*« wurden. Lehrer und Kindergärtner waren demnach die indirekten Wegbreiter der Spitzel. Sie haben *die Spitzel-Mentalität* gezüchtet. Sie haben *Anpasser* erzogen. Der Rassismus, der jetzt in der ehemaligen DDR hochkommt, die Neigung, feindselige Gefühle an Schwachen auszutoben, hat etwas damit zu tun.

Wer in einer Demokratie aufwächst, lernt frühzeitig, *Konflikte auszutragen. Toleranz* verdankt sich dieser Fähigkeit. Sein beruflicher Erfolg hängt nicht daran, daß er Anhänger einer Staatsdoktrin ist, die viele Widersprüche leugnet, glättet oder für alle verbindlich auslegt.

Genau das aber haben die Erziehungseinrichtungen in der DDR und die Menschen, die in ihnen arbeiteten, getan. Sie haben sehr oft ihren Spielraum als Vermittler staatlicher Anweisungen bis zum äußersten genutzt, ihren persönlichen Spielraum aber weitgehend verleugnet.

Das Ministerium für Volksbildung hatte die »Erziehungsarbeit« im Kindergarten minutiös vordiktiert. Sogar wie die Kinder sich die Hände zu waschen hatten, wurde bis ins einzelne vorgeschrieben und befolgt. Auch nach der Wende funktionierten die Kindergärten weiter, als hätte sich nichts geändert.

Wenn die »Spielphase« laut Plan zu Ende war, brachen die Kinder sofort ihr Spiel ab und räumten auf. Minuten später war der Raum von allen Spielspuren gereinigt, und die Spielzeugautos standen wieder alle in Reih und Glied in einer Richtung im Schrank. Die gleiche kleinkarierte Ordnung hatten die Häftlinge in ihren Gefängniszellen einzuhalten.

Sogar »gepullert« wurde kollektiv. Wer zwischendurch urinieren mußte, mußte um Erlaubnis fragen. Die Erzieherin ließ nur saubere, ordentliche und gekämmte Kinder in den Gruppenraum. Achtmal und mehr am Tage wuschen sich die Kinder die Hände. Eltern durften den Gruppenraum nicht betreten, »aus hygienischen Gründen«.

Schon im Kindergarten lernten die DDR-Kinder, daß hier für niemanden eine Extrawurst gebraten wurde. Wenn »gespielt wurde«, hatten sich alle daran zu beteiligen. Wollte ein Kind zum Abschied der Mutter nachwinken, durfte es das nicht. »Sonst wollen alle anderen auch winken.«

Die DDR-Erzieher arbeiteten mit Lob und Tadel, mit Liebesentzug und Drohungen. Wenn ein Kind sitzenblieb, obwohl es aufstehen sollte, sagte die Erzieherin zu ihm: »Ich bin ganz enttäuscht von dir.« Oder: »Wir werden sehen, wer mir eine riesengroße Freude macht und als erster einschläft.«

Da wurden keine Höhlen gebaut, sich nicht mit Körperfarbe bemalt, keine Doktorspiele gemacht. Das war nicht die Welt, in der Menschen lernen, abweichende Überzeugungen zu vertreten. Die Mehrzahl der Lehrer und Erzieher in der DDR haben Kindern eine unterwürfige, masochistische Haltung anerzogen. Die feindseligen Gefühle, die solche Kinder entwickeln müssen, können sie als Spitzel straffrei ausleben.

Im Kindergarten lernten die Kinder, daß es sich nicht lohnte, zu protestieren oder aus der Reihe zu tanzen. Aber genau das hätte derjenige können müssen, der von der Stasi angesprochen wurde mit der Erwartung, für das Ministerium als Spitzel zu arbeiten. Er hätte »nein« sagen müssen, wo er »ja« sagen sollte. Aber er hatte es nicht gelernt.

Der durchschnittliche Spitzel vom Typ des »Angepaßten« verhielt sich so, wie er es schon im Kindergarten und in der Schule gelernt hatte: er paßte sich den Erwartungen an, die der Stasi-Staat an ihn herantrug. Das spricht ihn heute nicht frei von persönlicher Schuld. Aber seine persönliche Schuld ist auch die seiner Umwelt, der Menschen, des Systems.

Mir ist aufgefallen, daß die männlichen Spitzel beinahe durchweg eine enge Beziehung zu ihren Müttern hatten. Häufig waren die Mütter ordentlich, sauber und kontrollierend. Leicht »setzte es mal was«. In der Schule hatten die Lehrer ebenfalls ihr erprobtes System, widersprüchliches Denken bei ihren Schülern auszumerzen. Sie isolierten Schüler mit unbequemen Meinungen, indem sie ihnen als moralische Instanz das »Klassenkollektiv« (also die Mitschüler) gegenüberstellten. Darüber hinaus wurde jedes persönliche Vergehen oder Versagen des Schülers hochstilisiert zu einem Vergehen an der sozialistischen Menschengemeinschaft. Wer seine Hausaufgaben nicht machte, hatte den politischen Kampfauftrag der Klasse nicht erfüllt. Jede Lebensäußerung wurde mit einer politischen Dimension ausgestattet.

Das Klassenkollektiv schlug als verlängerter Arm der Lehrer gegen den einzelnen. Das ging so weit, daß der FDJ-Rat gemeinsam mit dem

Lehrer beriet, wie der Schüler zu bestrafen sei. Ein Hauch von Macht wehte durch die Klasse. Das war bequem. Eine Demokratie aber braucht einen Erziehungsstil, der auf Heuchelei und Doppelzüngigkeit verzichtet. Allerdings: das selbstbewußte Kind ist unbequem.

Bei meinen Gesprächen mit Spitzeln ist mir ferner aufgefallen, daß viele ihre *Mutter* als *herrisch* und eher *kühl* beschrieben und erzählten, daß sie zu Hause der *dominante* Teil der Familie war und die Hosen an hatte. Sie waren eng an diese herrische Mutter gebunden (vgl. z. B. den Spitzel mit festem Gehalt und Rente, S. 91 ff.). Von ihren Führungsoffizieren werden die besten von dieser Sorte Spitzel durchweg als raffiniert, skrupellos und gespenstisch gerissen bezeichnet (vgl. z. B. Stasi-Offizier Werner über Skrodt). Die Kunst, mit zwei Gesichtern in zwei Welten zu leben, haben sie besonders verfeinert.

Das »Krümmen« eines Spitzels.

Dieses Wort steht im Stasi-Jargon für das *Gefügigmachen* eines Spitzels durch *Verlockungen* oder durch *Drohungen*. Je nach Psyche und geistigem Zustand reichte ein einfaches Antippen eines *wunden Punktes* oder einer *Hoffnung*, um den Spitzel zu krümmen. Der Spitzel leistete einen Teil der psychischen Arbeit selber, um sich an die Stasi zu binden.

Spitzel wußten zum Beispiel, daß sie nur mit Zustimmung der Stasi ins westliche Ausland reisen durften. Ein wissenschaftlicher Assistent mußte nicht nur fachlich gut sein, er mußte auch ins Regime passen. Er ließ sich krümmen, um seine Karriere voranzutreiben. Denn die Stasi konnte jeden »totmachen«, d. h. Gründe finden, um dessen Pläne zu blockieren.

Ein Stasi-Offizier erzählt: »Ich hätte bei jedem Bürger, der beruflich reisen wollte, zum Kaderleiter seines Betriebes sagen können, der Choynowski ist ein Unsicherheitsfaktor. Keiner hätte die Aussage überprüfen können. Der Kaderleiter mußte mir die Begründung ›Unsicherheitsfaktor‹ abnehmen. Wenn er gefragt hätte: warum Ablehnung der Reise?, hätte ich gesagt, daß ich meine *Quellen*, die mir diese Informationen preisgegeben haben, nicht darlegen kann. Er hätte mir diese Aussage glauben müssen. Außerdem: Die Reisekaderverordnung ließ für jede Art von Ablehnung herrlich viel Spielraum. Wann ich das gemacht habe? Da gab es den Choynowski, der wollte sich nicht krümmen, also nicht mein IM werden. Der ist erst nach dem 9. November gereist.«

Dem Spitzel wurde das Gefühl vermittelt, er sei abhängig. Er sollte zu der Erkenntnis gelangen, ohne die geht nichts mehr, auch wenn das nicht den Tatsachen entsprach.

Der Genuß, ein Spitzel zu sein.

Wenn der Spitzel irgendwo zufällig seinem Führungsoffizier über den Weg lief, war er gehalten, grußlos an ihm vorbeizugehen. Denn offiziell kannten sie einander ja nicht. Sie sprachen miteinander nur in einer konspirativen Wohnung, die zum Beispiel alte Kommunisten für die Treffs zur Verfügung stellten.

Trotzdem hatte der Spitzel häufig ein merkwürdig enges, fast freundschaftliches Verhältnis zu seinem Führungsoffizier. Das galt auch für Spitzel, die anfänglich unter Druck geworben wurden. Bald änderte sich das Verhältnis zu ihrem Führungsoffizier. Er war nicht mehr der Vertreter der verhaßten Stasi, sondern der nette Kumpel. Ich habe viele Spitzel getroffen, die sich gerne jetzt noch mit ihrem Führungsoffizier treffen würden. Woher diese Intimität? Woher diese Kumpanei mit dem Unterdrücker?

Spitzel aller Kategorien genießen zumindest anfänglich das Gefühl einer großartigen Überlegenheit: Der Spitzel hört zu, wie die Leute reden, vielleicht auch Leute, die sich bespitzelt fühlen. Während er so zuhört, ist er in einer seltsamen seelischen Verfassung: er fühlt sich ihnen überlegen, *weil er alles viel besser weiß*. Er könnte ihnen jede Kleinigkeit ganz genau erzählen. Aber er tut es nicht. So ist er gleichzeitig *ängstlich aufgeregt und erwartungsvoll*.

Und er hat in seinem Führungsoffizier einen Partner, bei dem er diesen Druck im ausführlichen Treffgespräch lustvoll abbauen kann, so daß dieser Druck nicht zum Alptraum wird. Das verbindet den Herren und seinen Diener, erkärt das Gefühl von Sympathie, das der Spitzel seinem Vorgesetzten entgegenbringt.

Die Intimität zwischen dem Spitzel und seinem Führungsoffizier hängt auch damit zusammen, daß der Offizier dem Spitzel das Gefühl vermittelt, er habe sich mit einer geheimen Macht verbündet, die *über den Gesetzen steht*. Der Spitzel, der sich mit dieser Macht verbündet, darf das Böse tun ohne Angst vor Strafe. Eine traumhafte Situation.

Umhängetasche mit verspiegeltem Sichtfenster. Dahinter eine Kamera mit Motorantrieb. Das Gerät war eine schwere, laute und unhandliche Einzelanfertigung. Die Spitzel müssen bei jedem Klicken und Rattern Blut und Wasser geschwitzt haben.

● Die Artenvielfalt der Stasi-Spitzel

Die Stasi nannte ihre Spitzel in der Amtssprache »Inoffizielle Mitarbeiter« (IM). Sie hatte unterschiedliche Kategorien von Spitzeln:

1. IMB – Der Spitzel der höchsten Kategorie mit Verbindung zum inneren oder äußeren Feind
● Er wurde in Operativvorgängen und zur operativen Personenkontrolle eingesetzt (vgl. Seite 81 und 113)
● Erarbeitete Spitzeninformationen
● Führte operative Spiele durch

2. IME – Experten IM
Das waren Stasi-Spitzel mit Expertenwissen und Ermittler. Es gab *ehrenamtliche* und *hauptamtliche* IME mit festem Gehalt. Sie nahmen meist eine Schlüsselstellung in der Wirtschaft ein und führten zum Teil auch andere Spitzel (IMS und GMS). Die Stasi warb ständig Personen, die wegen ihrer Tätigkeit auf dem jeweils höchsten Niveau von Wissenschaft und Technik waren. Sie stellten ihr Spezialwissen der Stasi im Einzelfall zur Verfügung. Oft arbeiteten sie für die Abteilung XVIII (Wirtschaft).
● Die Stasi zog sie als Ermittler hinzu, wenn im Betrieb ein Unfall auftrat, um auszuschließen, daß es sich um Sabotage handelte.
● Diese Quellen zog die Stasi auch zu Rate, wenn sie im Ausland Produktions- oder Entwicklungsunterlagen gestohlen oder gekauft hatte.
● Die IME halfen im Einzelfall, Informationen von Überläufern zu bewerten.

3. IMS – Inoffizielle Mitarbeiter Sicherheit: der kleine Stasi-Spitzel
Die Allround-Quelle der Stasi, die überall im Lande tätig war.
● Von der Lageeinschätzung bis zu gelegentlicher Spitzen-Info.
● Die Stasi setzte ihn überall ein, in Jugendklubs ebenso wie in Betrieben.
● Er traf seinen Führungsoffizier in Abständen von zwei bis sechs Wochen, je nach operativer Lage und Wert der Informationen, die er erspitzelte.

IMK – Inoffizielle Mitarbeiter für Konspiration
Sie stellten ihre Wohnung, ihr Telefon, ihre Postadresse zur Verfügung. Dafür wurden sie meist zu Feiertagen in Form von Geschenken »vergütet«.

IMK/S – Person, um einen Spitzel abzusichern.
(z.B. Vorgesetzte, Ehefrau)

IMK/KO

Kleinobjekt (als KW genutzte Wohnung), steigerte sich ab Abteilungsleiter von der Einzimmer- bis zur Fünfzimmerwohnung.

IMK/KW

● Konspirative Wohnung
● Personen, die ihre Wohnung der Stasi für Treffs zur Verfügung stellten
● zum Teil taten sie es kostenlos, zum Teil erhielten sie mehr als ihre eigene Wohnungsmiete
● Sie sollten SED-Mitglieder sein und keine Verbindung in den Westen unterhalten.
Die Stasi bezahlte Kaffee und Getränke, die in der Wohnung dieser konspirativen Mitarbeiter gereicht wurden. Teilweise richtete sie auch das *Treffzimmer* mit ihren eigenen Möbeln ein.

IMK/DA

Manche Bürger stellten ihre Anschrift der Stasi kostenlos als Deckadresse zur Verfügung und übermittelten mit einem besonderen Kennzeichen (zum Beispiel Doppelname) versehene Post an die Stasi.

IMK/DT

Decktelefon; meist erstattete die Stasi die Grundgebühren des Telefons. Der inoffizielle Mitarbeiter übermittelte Anrufe von Spitzeln an die Stasi weiter, meist Anrufe aus dem Westen, der im Jargon der Stasi Operationsgebiet hieß.

KP – Kontaktperson

Mit Kontaktpersonen arbeitete die Stasi wie mit ihren IMs zusammen. Diese Form wurde zum Beispiel bei Pfarrern gern gewählt. Auch westliche Politiker konnten zu Kontaktpersonen werden, ein Innensenator etwa. Es handelte sich meist um hochrangige Personen oder Ausländer, die nicht mit einer Verpflichtungserklärung behelligt werden sollten. Die Stasi verfolgte auch hier das Ziel, operativ verwertbare Informationen zu gewinnen. Aber es wurde in der Regel kein Werbegespräch geführt. Wenn die Stasi erfolgreich mit jemandem in Kontakt getreten war, behielt sie ihre Grundlegende (vgl. Lexikon, Stichwort *Legende*) bei. Bezahlt wurde diese Art von Spitzeln, indem ihnen der getarnte oder nicht getarnte Stasi-Offizier Freundschaftsgeschenke überreichte. Ihnen durfte Geld ohne Quittung übergeben werden, allerdings nur in Gegenwart eines zweiten Mitarbeiters. Sie konnten in der Abt. XII wie gewöhnliche Spitzel (IM) registriert werden.

Auch Stasi-Spitzel (IM) wurden vor ihrer Werbung als KP bezeichnet.

GMS – Gesellschaftlicher Mitarbeiter Sicherheit

Mitglied der SED. Er hatte die gleichen Aufgaben wie ein IMS, half der Stasi zum Beispiel, Betriebe und wissenschaftliche Institute »operativ zu durchdringen«.

Die Stasi verkehrte mit ihm mehr oder weniger offen und suchte ihn zum Beispiel in seinem Büro auf, wo er der Stasi schamlos Auskunft gab und Personalakten überließ.

Wie Spitzel geworben wurden:

● Die Stasi sprach sie *direkt* an und bat sie darum, mit ihr zusammenzuarbeiten.

● Sie wurden *legendiert abgeschöpft*, die Stasi gab sich zum Beispiel als Kriminalpolizei aus oder sprach sie unter einem Vorwand an.

● Die Stasi brach sie aus der Vorgangsarbeit heraus (vgl. Kasten OPK), aus einem *Opfer* geheimdienstlicher Neugier wurde ein Spitzel.

● *Überlegte operative* Kombinationen (vgl. Lexikon, mit Beispiel), um eine »freiwillige« Mitarbeit zu erreichen.

● Die Stasi ging auf einen *Selbstanbieter* ein.

● Die Stasi warb unter Druck, indem sie belastende Materialien einsetzte. In jedem Fall versuchte sie dann aber, den Spitzel auf die Basis Überzeugung zu ziehen.

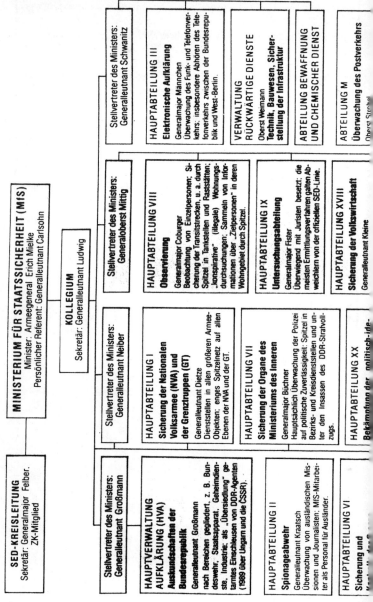

SED-KREISLEITUNG
Sekretär: Generalmajor Felber, ZK-Mitglied

MINISTERIUM FÜR STAATSSICHERHEIT (MfS)
Minister: Armeegeneral Erich Mielke
Persönlicher Referent: Generalleutnant Carlsohn

KOLLEGIUM
Sekretär: Generalleutnant Ludwig

Stellvertreter des Ministers: Generalleutnant Schwanitz

Stellvertreter des Ministers: Generaloberst Mittig

Stellvertreter des Ministers: Generalleutnant Neiber

Stellvertreter des Ministers: Generalleutnant Großmann

HAUPTVERWALTUNG AUFKLÄRUNG (HVA)
Auslandsaufklärung der Bundesrepublik
Generalleutnant Großmann
nach Bereichen gegliedert, z. B. Bundeswehr, Staatsapparat, Geheimdienste, Industrie; als „Übersiedlung" getarntes Einschleusen von DDR-Agenten (1989 über Ungarn und die ČSSR).

HAUPTABTEILUNG I
Sicherung der Nationalen Volksarmee (NVA) und der Grenztruppen (GT)
Generalleutnant Dietze
Dienststellen in allen größeren Armee-Objekten; enges Spitzelnetz auf allen Ebenen der NVA und der GT.

HAUPTABTEILUNG VIII
Observierung
Generalmajor Coburger
Beobachtung von Einzelpersonen; Sicherung der Transitstrecken, u. a. durch Spitzel in Tankstellen und Raststätten; „konspirative" (illegale) Wohnungsdurchsuchungen; Sammeln von Informationen über „Zielpersonen" in deren Wohngebiet durch Spitzel.

HAUPTABTEILUNG III
Elektronische Aufklärung
Generalmajor Männchen
Überwachung des Funk- und Telefonverkehrs; insbesondere Abhören des Telefonverkehrs zwischen der Bundesrepublik und West-Berlin.

HAUPTABTEILUNG II
Spionageabwehr
Generalleutnant Kraatsch
Überwachung von ausländischen Missionen und Journalisten; MfS-Mitarbeiter als Personal für Ausländer.

HAUPTABTEILUNG VII
Sicherung der Organe des Ministeriums des Inneren
Generalmajor Büchner
Hauptsächlich Überwachung der Polizei auf politische Zuverlässigkeit; Spitzel in Bezirks- und Kreisdienststellen und unter den Insassen des DDR-Strafvollzugs.

HAUPTABTEILUNG IX
Untersuchungsabteilung
Generalmajor Fister
Überwiegend mit Juristen besetzt; die meisten Ermittlungsverfahren galten Abweichlern von der offiziellen SED-Linie.

VERWALTUNG RÜCKWÄRTIGE DIENSTE
Oberst Weimann
Technik, Bauwesen, Sicherstellung der Infrastruktur

HAUPTABTEILUNG VI
Sicherung und

HAUPTABTEILUNG XX
Bekämpfung der politisch-ide-

HAUPTABTEILUNG XVIII
Sicherung der Volkswirtschaft
Generalleutnant Kleine

ABTEILUNG BEWAFFNUNG UND CHEMISCHER DIENST

ABTEILUNG M
Überwachung des Postverkehrs
Oberst Strobel

30

HAUPTABTEILUNG PS
Personen- und Objektschutz

Generalmajor Wolf

„Persönliche Begleiter" der SED-Führer: alle in Wandlitz tätigen Personen waren Mitarbeiter der Abteilung PS; mit:

Wachregiment
„Feliks Dzierzynski"

ZENTRALE KOORDI-
NIERUNGSGRUPPE (ZKG)

Bearbeitung der Anträge
auf Übersiedlung

Generalmajor Niebling

Ausforschen der Antragsteller. Suche nach Gründen einer Ablehnung.

ZENTRALE AUSWERTUNGS-
UND INFORMATIONS-
GRUPPE (ZA/G)

Analyse und Auswertung

Generalleutnant Irmler

Zusammengefaßte Berichte für die SED-Führung

ARBEITSGRUPPE MINISTER

Sonderaufgaben
für Mielke

Generalmajor Geißler

... **igung von Ausländer...** ..., Ein-**stufung von DDR-Bürgern zu „Gehei-m-ni-strägern": Spitzeleinsatz.**

ZENTRALOPERATIVER STAB

Einsatzplanung für
Großveranstaltungen

Oberst Sommer

BEREICH KOMMERZIELLE
KOORDINATION (BKK)

Oberst Meinel

ABTEILUNG 32
Operativ-technischer Sektor

Generalmajor Schmidt

ZENTRALER MEDIZINISCHER
DIENST

Generalmajor Klein

HAUPTABTEILUNG KADER
UND SCHULUNG
Innere Sicherheit

Generalmajor Möller

MfS-Mitarbeiter-Überprüfung

ABTEILUNG XIV
Untersuchungshaftanstalten
des MfS

Oberst Rataizick

ABTEILUNG
NACHRICHTENTECHNIK

Untergrund-Tätigkeiten" (PUT)

Generalleutnant Kienberg

Bereiche: Kirche, Jugend, Volksbildung, Staatsapparat, Gesundheitswesen, Kulturpolitik, Sport; Einschleusen von Spitzeln in die „Untergrundszene", in oppositionelle Gruppen und Bewegungen.

ABTEILUNG XXII
Terrorismusbekämpfung

Oberst Franz

ABTEILUNG XVII
Passierscheinbüros / West-Berlin

Oberst Janßen

HAUPTABTEILUNG XIX
Sicherung des Verkehrswesens

Generalmajor Braun

Dienststellen und Spitzeleinsatz bei der Deutschen Reichsbahn, bei Interflug und im grenzüberschreitenden Kraftverkehr (Lkw); Spezialeinheiten zur Terrorabwehr.

ABTEILUNG 26
Überwachung des DDR-Telefon-
und Fernmeldesystems

Generalmajor Leber

...gängen: Spitzel und Abhöranlagen in von Ausländern bevorzugten DDR-Hotels; Spitzel in Reisegruppen von DDR-Bürgern

ABTEILUNG X

Generalmajor Damm

Verbindungsstelle zu den Geheimdiensten der sozialistischen Bruderländer.

ABTEILUNG XI
Sicherung des Chiffrier-
und Nachrichtenwesens

Generalmajor Birke

Sicherheitsüberprüfung aller im Bereich Funk- und Fernschreibverkehr tätigen DDR-Bürger.

ABTEILUNG XII
Zentrale Kartei

Oberst Roth

Jede Person, an der eine MfS-Abteilung Interesse hat, wird zunächst in dieser Kartei erfaßt – noch vor operativen Maßnahmen.
Datensammlung; Auskünfte an die MfS-Abteilungen.

ZENTRALE
PERSONEN-DATENBANK

Computerisierte Datensammlung, parallel zur Aktenablage bei Abteilung XII.

Spitzel: „Inoffizielle Mitarbeiter" (IM) und „Offiziere im besonderen Einsatz" (OibE)

Jargon der Heimlichkeit
Kleines Lexikon der Stasi-Sprache

Wie haben die Mitarbeiter des Ministeriums für Staatssicherheit *gedacht* und *gefühlt*? Wenn wir das herausfinden wollen, brauchen wir nur zu untersuchen, wie sie gesprochen haben. Hier geben sie mehr von sich preis als irgendwo anders. Wir entdecken in diesem Lexikon eine doppelte Tradition, in der die Stasi steht, *eine Mischung aus deutscher Beamtensprache und brutalem Geheimdienstjargon*. Die brisantesten Rechtsbrüche des Ministeriums verstecken sich hinter harmlosen Kürzeln, z. B. »Kat 4.1« oder »ZBK III« (siehe dort). Viele Denkmuster der Stasi lassen sich auch bei westlichen Behörden und Geheimdiensten aufspüren.

abklingeln – eine Wohnung:
Bevor das Ministerium in eine Wohnung einbrach, wurden die Nachbarn »gebunden« (vgl. »binden«). Zusätzlich wurden die Wohnungen durch die Maßnahmegruppe *abgeklingelt*, um zu sehen, ob doch jemand zu Hause war.

ablegen – einen Spitzel:
Der Ausdruck ist abgeleitet von der Akte des Spitzels. Akten werden abgelegt. Die Stasi setzte den Spitzel sprachlich mit seiner eigenen Akte gleich (vgl. Blauer). Wenn die Stasi einen Spitzel ablegte, bedeutete das, daß sie ihn *nicht mehr traf*. Zeitweise mußten aber für einen abgelegten Spitzel zwei neue geworben werden. Zuletzt war die Tendenz umgekehrt: weniger Quellen mit höherer Qualität. Den 105 000 aktiven Spitzeln standen etwa 400 000 abgelegte gegenüber (vgl. AIM).

abmelden – Ab- und Anmeldung der Stasi-Mitarbeiter:
Die hauptamtlichen Stasi-Mitarbeiter mußten auch in ihrer Freizeit, z. B. an Wochenenden, *ständig erreichbar* sein. Wer mehr als drei Stunden an einem Ort verweilte, mußte sich vorher bei seiner Dienststelle *abmelden*. Sie trugen sich in Listen ein, die dort auslagen.

»abnabeln« eines Spitzels von seinem Führungsspitzel:
Stasi-Jargon, wenn die Zusammenarbeit zwischen einem normalen Spitzel (IMS) und dem hauptamtlichen Spitzel (HIM) oder nebenamtlichen Führungsspitzel (FIM) eingestellt wurde.

Stieß ein normaler Spitzel (IMS) auf eine vielversprechende Fährte, dann übernahm der Führungsoffizier selber den Spitzel. In diesem Fall nahm der Führungsoffizier den Spitzel also dem Führungsspitzel weg. Die Zusammenarbeit zwischen dem IMS und dem HIM wurde eingestellt. Der Spitzel wurde »abgenabelt« (Stasi-Jargon).

abschöpfen, einen Spitzel/eine Person:

Der Mitarbeiter des Ministeriums unterhält sich mit seinem Spitzel – oder einer Person, die gar nicht weiß, mit wem sie es zu tun hat – beim Treff und versucht dabei, Informationen zu bestimmten Problemen zu gewinnen, ohne daß er den Spitzel darüber unterrichtet. Der Spitzel kennt den Informationsbedarf der Stasi nicht. Der Stasioffizier schöpft aus einer Fülle von Informationen das Wesentliche ab, ohne daß die Person weiß, was für die Stasi das Wesentliche ist.

AIM – Abgelegter IM, ehemaliger Spitzel:

Ein Spitzel des Ministeriums für Staatssicherheit wurde abgelegt:
1. Er hatte seine Aufgabe erfüllt.
2. Er wurde unzuverlässig (kam nicht zum Treff, Berichte stimmten nicht).
3. Er lehnte es ab, weiterhin mit der Stasi zusammenzuarbeiten.
4. Er dekonspirierte sich: es wurde bekannt, der XY ist Stasi-Spitzel.
5. Er war als Spitzel alt geworden, etliche ehemalige Spitzel stellten dann ihre Wohnung der Stasi als Treff zur Verfügung.
6. Wechselte der Spitzel seinen Betrieb, wurde er an einen anderen Offizier übergeben (vgl. Rinde).

Aktenleiche:

Aktiv registrierter, aber ungenutzter IM.

angebunden:

Für die Abteilung XY erfaßt.

auf den Stuhl setzen:

Jargon der Angestellten des Ministeriums für Staatssicherheit für einen Bürger, der vorgeladen oder festgenommen und auf der Dienststelle oder in anderen geeigneten Räumen vernommen wurde. Das konnte auch eine konspirative Villa sein.

»Also jetzt haben wir die Schnauze voll. Den Neumann, den holen wir uns jetzt. Den setzen wir auf den Stuhl. Jetzt ist er dran.« Dann wurde der Neumann vernommen. Entweder klärte der Vernehmer den Sachverhalt, schüchterte »den Neumann« ein oder prüfte seine operative Nutzbarkeit als Spitzel des Ministeriums für Staatssicherheit. In der Regel setzten die Männer der Abteilung IX (Untersuchungsabteilung) die Leute auf den Stuhl.

Auftrag – Was der Spitzel für die Stasi tun sollte:

Die *Aufgabe*, die der Mitarbeiter des Stasi-Ministeriums dem Spitzel beim Treff stellte. Sie richtete sich nach
● den *Ergebnissen*, mit denen der Spitzel zum Treff kam,
● nach *Hinweisen* des Vorgesetzten,
● den *Möglichkeiten* des Spitzels,
● der Analyse des Umfeldes des Spitzels (der Mitarbeiter des Ministeriums erarbeitete sie zur Treffvorbereitung).

Beispiele:
- Schriftproben beschaffen
- Schlüssel oder Schlüsselabdrücke beschaffen
- die Meinung des Opfers zu einer Aktivität in seinem Umfeld, die für das Opfer nicht erkennbar durch die Stasi organisiert worden war, um den Verdacht auf eine Straftat zu erhärten oder zu entkräften
- wie reagierte die Bevölkerung auf Maßnahmen der Partei und Regierung?

Ausgangshinweis (AH) auf einen Bürger:

Wenn ein Bürger der Stasi meldete, daß sein Nachbar regelmäßig Geschenke aus dem Westen bekam, war diese Meldung ein Ausgangshinweis. Ausgangshinweise kamen von Spitzeln, von der Postkontrolle, von der heimlichen Beobachtung, von der Grenzkontrolle, vom Zoll, von Denunzianten, von der Volkspolizei usw. Sie sind die minimalste Form von Personen-, Sach- oder Objekthinweisen, zum Beispiel auf verdächtige Häuser.

Denn die Behörde suchte ständig »bearbeitungswürdige Materialien«. So konnte zum Beispiel ein Spitzelbericht als Ausgangshinweis folgende Schritte der Stasi auslösen: 1. die Stasi forstete ihre Karteien durch, 2. gegen den Bürger wurde »legendiert« (also unter einem Vorwand ermittelt). Dann wurde entschieden, legt das Ministerium die Akte über den Bürger ins Archiv oder wurde daraus eine gezielte geheimdienstliche »Bearbeitung« des Bürgers (vgl. OPK und OV).

Ausgangsmaterial (AM) zu einem Bürger:

Bereits verdichteter (vgl. dort) Ausgangshinweis, dessen Aussageumfang bereits Entscheidungen zuließ, in welche Richtung man gegen den Bürger weiterarbeitete. Der Geheimdienstler fragte sich anhand des Ausgangsmaterials: Welchen Verstoß könnte der Bürger begangen haben? Bearbeite ich ihn geheimdienstlich oder soll ich ihn als Spitzel werben?

Anforderungsbild – der Staat zeichnete vorher das Idealbild seines Spitzels:

Die theoretische Erarbeitung des Ideal-Bildes über eine Quelle, also einen Spitzel für eine bestimmte Aufgabe. Die Behörde fragte sich zunächst penibel: Wie müßte der Spitzel aussehen, der bestimmte vorgegebene konkrete Aufgaben lösen soll? Die Antwort auf diese Frage war das Anforderungsbild. Danach begann man, den entsprechenden Spitzel zu suchen und zu werben. Beispiele:
- welches Geschlecht, welches Alter?
- welche Arbeitsstelle, welche Hobbies?
- welcher Intelligenzgrad, welche Ausbildung, welcher Beruf?
- welche Arbeitsplatzbindung ist vertretbar?
- welche Familienverhältnisse müssen sein?

- welche Beweglichkeit sollte vorhanden sein?
- welche Fremdsprachen sollte er sprechen?
- welche Reisemöglichkeiten?
- welche Erfahrungen auf welchen Gebieten?
- welche Rolle muß die Quelle in ihrer Umwelt einnehmen?
- welche Charaktereigenschaften darf die Quelle haben/nicht haben?
- welche Freizeitgestaltung, um Treffmöglichkeiten zu haben?
- welche Funktion muß die Quelle für ihre Aufgabe schon innehaben?

Auf die Rolle kommen:
Stasi-Jargon für »ins Blickfeld« geraten

»B« einbauen:
Eine Wanze einbauen (vgl. Maßnahme B)

Bearbeitungswürdigkeit eines AH oder AM:
Der Mitarbeiter mußte entscheiden, ob der Ausgangshinweis wichtig oder unwichtig war. Er suchte ständig nach Hinweisen mit »operativer Relevanz«. Es lag an jedem Stasi-Mitarbeiter selbst, wie er seinem Vorgesetzten die Bearbeitungswürdigkeit eines AH schmackhaft machte. Er wurde ja nicht dafür bezahlt, daß er einen Ausgangshinweis nach dem anderen in die Schublade legte. Er mußte auch »etwas bringen«. Eine große Rolle spielten dabei Erfahrung, Fingerspitzengefühl, Menschenkenntnis, fachlich-juristische Kenntnisse, damit die geheimdienstlichen Mittel dosiert eingesetzt wurden.

Bereitschaftsdienst der Stasi-Mitarbeiter:
Der Stasi-Mitarbeiter durfte dann seine Wohnung oder sein Wochenendgrundstück nicht verlassen, mußte telefonisch erreichbar sein. Er mußte sich bereithalten, jederzeit zum Dienst zu erscheinen. Er durfte in dieser Zeit in seiner eigenen Wohnung keinen Alkohol trinken, um sofort losfahren zu können.

bearbeiten, eine Person geheimdienstlich:
Einen Bürger geheimdienstlich bearbeiten kann bedeuten:
- gegen ihn *ermitteln*
- ihn *beobachten*
- operative *Spiele* durchführen (vgl. dort), ihn in seinem Kollegenkreis *herabsetzen*, zum Beispiel Gerüchte über ihn ausstreuen, ihn *gefügig machen*, ihn *gewinnen*. Dazu konnte die Stasi auch einen Vorgesetzten benutzen, um das Opfer indirekt gefügig zu machen (vgl. Bearbeitungsprozesse).

Bearbeitungsformen, Formen, *wie* Bürger geheimdienstlich bearbeitet wurden:
- Sicherheitsüberprüfung (vgl. dort)
- operative Personenkontrolle (vgl. dort)

- Operativvorgang (vgl. dort)
- Vorgang über Feindobjekt
- IM-Vorgang

Bearbeitungsprozesse – Die Stasi geht heimlich gegen einen Bürger vor:

Alle operativen Prozesse, Bearbeitungsprozesse waren:
- Sicherheitsüberprüfungen aller Art
- OPK – Operative Personenkontrolle
- OV – Operativer Vorgang

Bewerbchen:

Stasi-Jargon für *Legende* (vgl. dort), der *Vorwand*, unter dem der Geheimdienst versucht, sein Ziel zu erreichen.

»Wenn ich mir eine Postuniform anziehe und als Mann von der Entstörungsstelle komme, läßt der Mieter mich in seine Wohnung rein. Und ich kläre die ganze Wohnung auf. Und wenn ich noch einen Spezialisten bei habe, dann hat der Bürger sogar seine Wanze drin.«

binden – Leute festhalten, ohne daß sie es merken:

Wenn die Stasi in Wohnungen von Bürgern einbrach, sorgte sie dafür, daß nicht plötzlich der Wohnungsinhaber oder ein Nachbar auftauchen konnte. So wurden Nachbarn zum Beispiel zu einem Arzt bestellt, der als Spitzel arbeitete, oder von einem angeblichen Kriminalpolizisten in ein Gespräch verwickelt. Diesen Vorgang bezeichnete das Ministerium als »binden«.

Bitte kratzen:

Wenn Mitarbeiter des Ministeriums in die Wohnung eines Bürgers eingebrochen waren, sie durchsucht hatten und sie wieder verlassen wollten, forderte einer der staatlichen Einbrecher über Funk: »Bitte, kratzen.« Das hieß: Wir sind fertig und möchten raus.

Dann kratzte der Ministerialangestellte, der draußen Schmiere stand, an der Tür. Dieses Signal unterschied sich vom zufälligen Türklopfen oder Klingeln durch einen Unbeteiligten. So wußten die Einbrecher, daß sie nicht einem Mitbewohner in die Arme liefen (vgl. »Ich bin ein perfekter Einbrecher«, S. 84 ff.).

Blauer – Spitzel wurden nach der Farbe von Aktendeckeln benannt:

Die Stasi-Offiziere bezeichneten ihre Spitzel intern als »Blaue«. *Den Spitzeln war dieser Ausdruck nicht bekannt.* In den fünfziger Jahren hatten die Akten der Spitzel blaue Deckel. Später wurden die Aktendeckel braun, aber es blieb – aus politisch begreiflichen Gründen – bei der alten Bezeichnung.

Blickfeldarbeit:

Die hohe Schule der Spitzelarbeit bestand darin, einen Spitzel in den Zielgruppen des Gegners zu werben und ihn so aufzubauen, daß er vom Gegner angesprochen wurde.

BV, Stasi-Zentrale im Bezirk:
Bezirksverwaltung des Ministeriums für Staatssicherheit (Mfs). Sie war die Zentrale des Bezirkes. In jedem der fünfzehn Bezirke der DDR gab es eine BV. Sie befand sich in der Bezirksstadt. Dazu gehörten: die Fachabteilungen, die Personalabteilung, Ärzte, Zahnärzte, Sauna, die Stasi-Frisösen, ein Lebensmittelladen, Funker, Kleiderkammer, Bewaffnung, chemische Dienste, Fuhrpark mit Tankstelle.

Deckname:
Der Spitzel wählte für seine Zusammenarbeit mit der Stasi einen Namen, der seinen *Klarnamen* ersetzte. Damit sollte vermieden werden, daß Stasi-Offiziere, die nicht mit der Führung dieses Spitzels vertraut waren, ihn, anhand von Quittungen z. B., enttarnen konnten.

Dekonspirieren
Geheimdienstliche Machenschaften des Ministeriums für Staatssicherheit aufdecken.

Die VIII dranhängen:
Einen Bürger heimlich beobachten lassen. Die Abteilung VIII des Mfs observierte die Bürger, fotografierte und filmte sie heimlich und machte Tonaufnahmen.

Direktkontrolle:
Die Stasi hört direkt mit, was der Bürger in einer Wohnung spricht, in dem Augenblick, wo er es spricht. Im Gegensatz zur Tonbandaufzeichnung, die erst später ausgewertet wird (vgl. Protokoll Abt. 26, S. 133 ff.).

Ehrlichkeit des Spitzels:
Betraf nur die Berichte des Spitzels gegenüber der Stasi, also die operative Ehrlichkeit.

Erfassen, Erfassung von Bürgern für die Stasi:
Die Bürger wurden mit dem Stasi-Formular »F 10« *überprüft* (vgl. dort) und in der Abteilung XII mit ihren Personalien gespeichert, ohne daß sie davon je etwas erfuhren.

Alle erfaßten Personen waren im Zentralspeicher in Berlin mit einer Nummer registriert; KK-*Erfassung*: geringste Stufe ohne jegliche geheimdienstliche Bearbeitung.

Wenn ein Angestellter des Ministeriums sich für einen Bürger interessierte, versuchte er, ihn für sich und seine Abteilung zu erfassen. Dann konnte keine andere Stasi-Abteilung gegen diesen Bürger ermitteln oder vorgehen, ohne daß der erfassende Stasi-Offizier vorher zustimmte. Denn nur der »erfassende« Offizier wußte, warum der Bürger gespeichert wurde und was das Ziel war, das sich dahinter verbarg. So wurde ausgeschlossen, daß zwei Stasi-Offiziere gegen ein und denselben Bürger ermittelten, ohne davon zu wissen.

Doppelerfassung eines Bürgers durch die Stasi:
Eine Doppelerfassung war immer eine peinliche Panne. Es kam z. B.
vor, daß der Name eines Bürgers aus der Kreismeldekartei falsch abgeschrieben wurde und dann doppelt, d. h. von zwei Offizieren unter-
schiedlicher Abteilungen gleichzeitig, erfaßt wurde. Im Extremfall
schilderten die einen den Bürger als pflichtbewußten Staatsbürger,
der gut zum Spitzel taugte, die anderen beschrieben denselben Bürger
als Schieber und Spekulanten.

Erfassung, positive durch die Stasi:
Wenn ein Bürger vom Ministerium »positiv« erfaßt war, bedeutete
das immer: Dieser Bürger ist ein Spitzel. Das war seine positive Eigen-
schaft für die Behörde. Besonders bei Telefongesprächen diente diese
Umschreibung dazu, um dem anfragenden Stasi-Offizier zu signali-
sieren, daß er über die fragliche Person Auskünfte bekommen oder
geben konnte.

Einlegen – einen Bürger mit F 10 (vgl. dort) und einer Karteikarte:
Die Mitarbeiter des Ministeriums sprachen davon, daß der Bürger
Müller bei ihnen »einliegt«, das heißt, sie hatten ihn mit einer Karteikarte bereits in irgendeinem Zusammenhang registriert, also Material über ihn gesammelt.

**Einsatzbereitschaft, ideologisch begründete – und »Bauchmiet-
zeln«:**
Die Geheimdienstler fühlten sich als Elite im Staat; sie sollten ihre persönlichen und familiären Bedürfnisse zurückstellen und bereit sein,
sich für die Stasi einzusetzen, indem sie z. B. Überstunden machten
oder, wenn nötig, in eine andere Stadt zogen.

**Einsatz- und Entwicklungskonzeption EEK – Was die Stasi mit dem
Spitzel für Pläne hatte:**
Wenn die Stasi mit einem Spitzel eine gewisse Zeit gearbeitet hatte,
verglich sie schriftlich die *Erwartungen*, die sie seinerzeit an den Spit-
zel geknüpft hatte, mit den *Ergebnissen* der Zusammenarbeit (vgl.
Anforderungsbild).
In der EEK legte die Stasi fest, *was sie ihm noch beibringen wollte* an
Fähigkeiten und Fertigkeiten.
Häufig wurde eine EEK erarbeitet, wenn sich die Einsatzrichtung des
Spitzels änderte, wenn er also z. B. jetzt gezielt auf bestimmte Perso-
nen angesetzt werden sollte.

F 10 – Das Formblatt, mit dem alles losging:
Wenn ein Stasi-Offizier sich für einen Bürger interessierte, füllte er zu-
nächst ein F 10 aus. Er erhielt dann eine Computer-Auskunft und
wußte, ob die Stasi irgendwo im Lande bereits Material über diesen
Bürger hatte.
Wenn der Offizier den Bürger zum Beispiel zum Spitzel *krümmen*

wollte, dann ließ er ihn für sich »einlegen«. Von jetzt ab war der Bürger für diesen Stasi-Offizier registriert. Kein anderer Offizier kam jetzt mehr an dieses »Material«.

Fachschulung, geheimdienstliche:

● Ein bis zweimal im Monat wurden die *Befehle des Ministers Mielke* von oben nach unten weitergereicht. Meist waren diese Befehle völlig allgemein gehalten, oft waren sie wirklichkeitsfremd. Man hörte sie sich an, langweilte sich oder schlief.

● Spezialisten vermittelten neueste Erkenntnisse über geheimdienstliche Methoden. Zum Beispiel brachten Einbruchspezialisten der Zentrale den »Schließtechnikern« der Abt. VIII bei, wie moderne westliche Schlösser sekundenschnell geöffnet werden können.

Firma: Stasi-Jargon für das Ministerium für Staatssicherheit.

Führungsoffizier:

Operativer Mitarbeiter der Stasi, dem es erlaubt war, Spitzel (Inoffizielle Mitarbeiter) zu führen bzw. ein Netz von Spitzeln zu steuern (vgl. Treff). Wer vier bis fünf Spitzel steuerte, bekam 150 Mark mehr Gehalt.

Flugschein:

Die Abteilungen VIII und IX, bei Bedarf auch andere Abteilungen, durften gegen die Straßenverkehrsordnung verstoßen. Nur unter Alkohol fahren durften sie nicht.

Sie konnten schneller fahren als erlaubt, durften überall parken, durch gesperrte Straßen fahren usw.

Freizeichen – Blumentopf im Fenster:

Der Stasi-Offizier verabredete mit seinem Spitzel ein Freizeichen, z. B. ein offenes Fenster oder eine heruntergelassene Jalousie. Dann wußte der Spitzel, die konspirative Wohnung ist frei, die Inhaber stören nicht, der Führungsoffizier wartet bereits.

Gesprächserkunder – als Reisende verkleidete Mitarbeiter des Ministeriums: vgl. ZBK III

Handakte – Was wissen wir über Bürger X?:

Alles Material, was die Stasi zu einer *Person*, einem *Objekt*, einem *Problem* gesammelt hatte. Die Handakten waren nicht alphabetisch, sondern numerisch geordnet und hingen zu Tausenden auf langen Stangen im Auswertungs- und Informationsorgan (AIO) der jeweiligen »Diensteinheit«, z. B. Abt. XX (Kirche etc., vgl. VSH). Es gab auch Handakten zu Personengruppen, die der Mitarbeiter dann selber aufbewahrte. Zum Beispiel eine Handakte über Libyer in der DDR mit allen Personalien der Personen, der Einschätzung, wer dort die Wortführer sind, allen Hinweisen zu diesen Personen, um kein Wissen zu »verschenken«. In der Handakte wurde auch festgelegt, wie die Libyer zu behandeln seien. Wann fuhr wer wohin? Denn Ausländer gehörten zur Kategorie »vorbeugend zu sichernde Personen«. Das Motto war: nichts darf verloren gehen.

Ein Stasi-Offizier schätzt, daß in der DDR mehr als 6 Millionen Handakten existiert haben.

Hochziehen:

Auf frischer Tat festnehmen: »Er brachte Pornos rein, Antiquitäten raus. Damit haben wir ihm das Genick gebrochen und ihn an der Grenze hochgezogen.«

Holen – Die Stasi holt sich den Bürger:

Stasi-Jargon für »Zuführung«, im westlichen Sprachgebrauch entspricht das der *vorläufigen Festnahme*. Drückt aus, daß ein Bürger von der Stasi geholt wird, oft nicht in die Dienststelle, sondern zur Volkspolizei oder in ein konspiratives Objekt (vgl. Verdachtsprüfungshandlung, S. 50).

Hölzerner Kollege:

Die Stasi ging in allen größeren Betrieben ein und aus. In manchen dieser Betriebe hatte der Stasi-Offizier den Spitznamen »der hölzerne Kollege«.

Hühnerstall des Mfs: vgl. PID/PUT

IM – Inoffizieller Mitarbeiter (vgl. S. 27):

Kurzbezeichnung für Stasi-Spitzel. Jeder Geheimdienst hat wohlklingende Namen für seine Spitzel. Der Verfassungsschutz spricht von Informanten oder V-Leuten, die Stasi sprach von inoffiziellen Mitarbeitern oder Kundschaftern.

IM-Vorlauf – die Stasi testet den angehenden Spitzel:

Phase, in der der künftige Spitzel (IM) überprüft wurde. Sie reichte von seiner Auswahl bis zur Verpflichtung.

Informationsfluß – das Meldesystem der Stasi:

Wenn z. B. ein SED-Parteitag war, wollte die Obrigkeit drei Tage später wissen, was das Volk davon hielt. Auf verschiedenen Stufen in der Hierarchie wurden die Informationen gefiltert.

Der Weg war vorgeschrieben: Wie kommt eine Information vom Spitzel zum Stasi-Minister? Wie kommt eine Information von einer Abteilung in die andere? Wie kommt eine Information von der Stasi zur SED, z. B. zum Leiter der SED-Bezirksleitung?

Wenn zum Beispiel ein Spitzel seinem Führungsoffizier der *Abt. XVIII (Wirtschaft)* beim Treff erzählte, daß sein Pfarrer mit einer Sekretärin der SED-Kreisleitung ein Verhältnis hatte, war vorgeschrieben, wie diese Information an die zuständige *Abteilung XX (Kirche u.a.)* gelangte. Dort konnte der Stasi-Offizier dann versuchen, den Pfarrer zu erpressen und zu einem hochkarätigen Spitzel zu krümmen.

Informationsbedarf – Was die Stasi alles wissen wollte:

Was braucht der Führungsoffizier, um z. B. einen Ausgangshinweis so zu entwickeln, daß er entscheiden kann, ob er ihn weiter verfolgt oder zur Seite legt?

Zum Beispiel berichtet ein studentischer Spitzel an einer Ingenieurschule über einen Mitstudenten, er sei ideologisch aufgeweicht, verteidige die soziale Marktwirtschaft und lehne die sozialistische Planwirtschaft ab. Der bespitzelte Student soll später Abteilungsleiter werden. Der Stasi-Offizier entscheidet jetzt: Werden Maßnahmen gegen ihn eingeleitet, um ihn zu exmatrikulieren?

Gefragt ist plötzlich fast alles über den Studenten. Der Informationsbedarf der Behörde ist in diesem Fall praktisch unbegrenzt. Wie kommt er zu seinen Ansichten? Wird er von außen beeinflußt? Ist er schon einmal in Erscheinung getreten?

»IM« steuern – Wie die Stasi ihre Spitzel steuerte:

Häufig dachte der Spitzel, er habe die Fäden in der Hand. Aber er wurde geführt, geleitet und gelenkt, gesteuert eben, das heißt auf ein bestimmtes Ziel hin ausgerichtet, das ihm selber durchaus verborgen sein konnte.

Der Führungsoffizier gab nur so viel Wissen preis, wie der Spitzel benötigte, um seinen Auftrag erledigen zu können.

Der Spitzel wurde in Legenden und konspirativem Verhalten unterrichtet. Er mußte lernen, seine Opfer irrezuführen und sich nicht entdecken zu lassen.

IM-Vorgang, die Akte über den Spitzel:

Jeder registrierte Spitzel wurde geheimdienstlich ausgeforscht, »bearbeitet«.

Jeder Spitzel (Inoffizielle Mitarbeiter/IM) hatte bei der Stasi mindestens zwei Akten

DIE AKTE TEIL EINS

Die Personalakte des Spitzels, z. B. Dr. Günter K. In ihr sind sämtliche »Erkenntnisse« über den Spitzel gespeichert.

1. *Inhaltsverzeichnis.*

2. *Beschluß* über das Anlegen eines IM-Vorganges über Dr. Günter K., enthält auch den Tag, an dem Dr. Günter K. vom IMS zum IMB umregistriert wurde.

3. *Auskunftsbericht* mit Paßbild und Personalien des Dr. Günter K., wie die Verbindung zu ihm gehalten wird (z. B. seine Telefonnummer), Ermittlungsberichte, Ablichtung der Kaderakte, inoffizielle Einschätzungen durch andere Spitzel, Speicherüberprüfungen.

4. Der Briefumschlag, in dem Dr. Günter K.'s schriftliche *Verpflichtung* als Spitzel lag.

5. WKW-*Schema*: Wer kennt wen? Welcher operative Mitarbeiter hat

Kenntnis vom IM? Welcher nebenamtliche Führungs-IM kennt den IM? Welche konspirativen Wohnungen oder Objekte kennt der Spitzel Dr. Günter K.?

6. Die *Protokolle* der ersten Kontaktgespräche mit Dr. Günter K.

7. Der *Vorschlag* des Führungsoffiziers, Dr. Günter K. als Spitzel für das MfS zu werben.

8. Der *Bericht* über die durchgeführte Werbung des Dr. Günter K. zum Stasi-Spitzel.

9. *Einsatz- und Entwicklungskonzeption.* Wofür soll Dr. Günter K. eingesetzt werden? Welche Schulung muß er durchlaufen?

AKTE TEIL ZWEI

Die *Arbeitsakte.* Sie enthält alle schriftlichen Arbeitsergebnisse des Spitzels Dr. Günter K. und die *Treffberichte* seiner Führungsoffiziere, die der Spitzel mit seinem *Decknamen* unterzeichnet hat.

Akte Teil II enthält nicht den Klarnamen des Spitzels. Dr. Günter K. hat im Laufe der Jahre acht Arbeitsakten gefüllt.

AKTE TEIL DREI (bei häufigen Finanzzuwendungen) Sammlung der Quittungen.

Alle Akten zusammen bilden den IM-Vorgang.

Ins Radar kommen:

Bürger, auf die die Stasi aufmerksam wurde, »kamen ihr ins Radar«.

Internierungslager:

In jeder Diensteinheit gab es ein Siegelzimmer, in dem der sogenannte AGLer saß, ein Stabschef. Er verwaltete die Listen mit den Namen der Bürger, die im Falle innerer Unruhen interniert werden sollten.

Die Listen wurden alle ein bis zwei Jahre auf den neuesten Stand gebracht. Ein Kollege fordert seinen Mitarbeiter auf: »Du, schätz den mal neu ein, der ist in der 4.1. drin.« Es kamen neue Bürger dazu, es gingen alte raus.

Alle Personen, die wegen staatsfeindlicher Delikte geheimdienstlich bearbeitet wurden, kamen in die Liste (vgl. Kat. 4.1.).

Der AGLer kannte die Standorte dieser Lager und wußte, wie sie bewacht werden sollten.

Jahresplan – Die Stasi plante ihre Erfolge im voraus:

Meist im Oktober planten die Mitarbeiter ihre »Erfolge« für das nächste Jahr, z. B. sollte ein Spitzel im nächsten Jahre vom einfachen IMS zum hochkarätigen IMB mit Feindverbindung *qualifiziert* werden. Es wurde zum Beispiel geplant, 10 Angehörige der Interflug auf ihre Zuverlässigkeit hin zu *überprüfen* und zwei bis drei *neue Spitzel* zu »bringen«.

Kaderreserve – Wer ist dazu auserwählt, in der Hierarchie aufzusteigen?:

Derjenige, der auf der Reservebank sitzt für die nächsthöhere Dienststellung. Im Prinzip legte der Abteilungsleiter mit dem Personalchef die Laufbahn eines Stasi-Offiziers im voraus fest.

So hieß es zum Beispiel: Der Mitarbeiter Diestel wird einmal Abteilungsleiter, wenn der alte Abteilungsleiter in Rente geht oder aufsteigt. Von diesem Augenblick an war Diestel Kaderreserve. Dazu gehörte fachliche und politische Weiterbildung.

Ein höherer Vorgesetzter schlug Offiziere für eine nächsthöhere Dienststellung vor.

Kat. 4.1. – »Den Müller werden wir im Falle eines Falles internieren«:

Die Kategorie 4.1. wendete die Stasi auf DDR-Bürger an, die sie im Falle innerer Unruhen oder Angriffen von außen internieren wollte (vgl. Internierungslager).

Das Kürzel Kat. 4.1. ist ein Stück verordneter Sprachlosigkeit. Der Begriff Internierungslager fiel im Zusammenhang mit Kat. 4.1. nicht. Die Bezeichnung Kat. 4.1. war eine hölzerne Umschreibung für Internierungslager. Der Sprache wurde die Spitze abgebrochen durch ein bürokratisches Kürzel.

Jeder Mitarbeiter suchte in seinem Bereich DDR-Bürger, die er der Kat. 4.1. zuordnete, und mußte einschätzen, ob der Bürger im »Ernstfall« aktiv für die gegnerischen Kräfte arbeiten könnte.

Es gab auch *Spitzel*, die in die Kat. 4.1. kamen.

Beispiel: Ein ehemaliger NVA-Offizier, ein Major mit der Planstelle Oberst, wollte in die BRD ausreisen, nahm Verbindung mit der Ständigen Vertretung der BRD auf und kam deswegen ins Gefängnis. Dort krümmte die Stasi ihn zum Spitzel.

Sein Führungsoffizier legte ihn in die Kategorie 4.1. *Sinn wäre gewesen*: auch unter den Internierten hätte die Stasi sofort einen Spitzel gehabt. Der Betroffene war jetzt Kellner und wußte natürlich nichts von den Plänen, die die Stasi mit ihm hatte.

KD – Kreisdienststellen:

In jeder Kreisstadt war der Geheimdienst mit einer Zweigstelle der Bezirksverwaltung tätig.

Klapp-Fix:

Unter Stasi-Mitarbeitern gebräuchliche Bezeichnung für den an einem Lederbändchen oder einem Metallkettchen getragenen Stasi-Dienstausweis.

Alle drei Monate erhielt der Klapp-Fix einen neuen Gültigkeitsstempel. Er wurde in Betrieben bei Kaderabteilungen und offiziellen Ermittlungen vorgezeigt. Der Mitarbeiter zeigte ihn jedesmal beim Betreten und Verlassen seiner Dienststelle, auch wenn er dort bekannt war. Erst dann drückte der Wachhabende den Summer.

Kombination, operative (OK):

Zum Teil bediente sich die Stasi einer Reihe aufeinander abgestimmter Maßnahmen, um eine verdächtige Person zu überprüfen. Ziel war, kontrollfähige Handlungen auszulösen, die entweder als Beweise dokumentiert wurden oder die Unschuld bewiesen (vgl. operatives Spiel).

Konspirative Ermittlung:

1. über den Spitzel (vgl. IM, vgl. abschöpfen): Während eines Treffs stellte der Führungsoffizier die Berichterstattung über die Opfer des Spitzels als Routinemaßnahme dar. Er ließ den Spitzel zum Beispiel mehrere Personen einschätzen, die der Spitzel kannte, so daß der Spitzel nicht einordnen konnte, welche Person oder Information für die Stasi wichtig war.

2. Eingebettet in die Ermittlung zu völlig uninteressanten Personen, veranlaßte der Offizier die Auskunftsperson im Gespräch durch geschickte Gesprächsführung, über die tatsächliche Zielperson zu sprechen.

Konspiration – Heimlichkeit:

Das Gegenteil von Öffentlichkeit.

Arbeitsweise jedes Geheimdienstes, die verhindern soll, daß seine Aktivitäten in ihrer Gesamtheit durch nichtbeteiligte Personen erkannt werden können.

Zu den Regeln der Konspiration gehört:

● Jeder darf nur so viel wissen, wie er zur Verwirklichung seiner Aufgabe wissen muß

● Verschwiegenheit über alle Aktivitäten

● Alle Maßnahmen pünktlich durchführen

● Alle erhaltenen Instruktionen einhalten

● Sich selber vor Beobachtungen sichern

● Nichts aufschreiben; wenn, dann nur in verschlüsselter Form

Konspiratives *Benehmen* gibt es nicht. Es gibt nur auffälliges und weniger auffälliges Benehmen. Wer sich »konspirativ« benimmt, benimmt sich auffällig.

»Krümmen« eines Spitzels:

Stasi-Jargon für das *Gefügigmachen* eines Spitzels durch *Verlockungen* oder durch *Drohungen*.

Legende, legendieren – Die Kunst, die Wahrheit zu verschleiern:

Ein Gemisch aus Wahrheit, Halbwahrheit und konstruiertem Sachverhalt, das glaubhaft und bis zu seinem gewissen Grad überprüfbar sein mußte. Die Legende diente dazu, die Wahrheit zu verschleiern bzw. geheimdienstliches Vorgehen zu tarnen.

So benutzte die Stasi Legenden, um künftige Spitzel oder Verdächtige kennenzulernen (sie bestellte sie z.B. auf die Volkspolizei).

Daß ein Geheimdienst dem Bürger oder der Öffentlichkeit die Wahrheit sagt, ist immer die Ausnahme. Und wir wissen nie, ist das, was er jetzt sagt, wahr oder unwahr. Am Ende können die Geheimdienstler selber nicht mehr unterscheiden zwischen Legende und Wahrheit, weil sie es ständig mit anderen Geheimdiensten zu tun haben, die mit den gleichen Methoden arbeiten.

Ein Stasi-Offizier erzählt: »Legenden müssen lebensnah sein. Wenn ich beim Bürger mit einem Barkas-Auto angerammelt komme von der Energieversorgung, dann ist es lebensnah. Oder wenn die Post kommt, hier Entstörungsstelle, wer vermutet schon, daß sich da 'n paar Rüpel hinter verbergen?«

Maßnahme 26A einbauen:
Stasi-Jargon für den *Einbau einer Wanze* in die Wohnung eines Bürgers. Vielfach wurde auch einfach kurz gesagt: »Wir haben bei Herrn Müller eine Maßnahme eingebaut.«

Maßnahme mithören:
Stasi-Jargon für das verfassungswidrige *Abhören* eines Bürgers über Wanze oder Telefon.

Maßnahme 26A – Der stille Mann am anderen Ende der Leitung:
Der Staat hört sein Telefon ab durch die Abteilung 26.

Maßnahme 26 B:
Die Stasi baut Wanzen in eine Wohnung ein.

Maßnahme 26 D:
Stasi-Jargon für den heimlichen Einbau einer Videokamera, z. B. in eine Wohnung.

Maßnahme 26 F:
Die Behörde fotografiert heimlich.

Maßnahme M:
Postkontrolle, der Staat öffnet und liest heimlich die Post des Bürgers durch die Abt. M.

Material:
»Material« war im Stasi-Jargon der *Mensch*, der geheimdienstlich ausgespäht wurde. Stasi-Offizier: »Wenn ich konkret an einem *Material* gearbeitet habe, habe ich mich voll auf diesen Mann konzentriert.«

Material ist aber auch der Sachverhalt, der den Geheimdienst am Bürger interessiert: »Wenn einer Material hatte, wo er ein bißchen geschnuppert hat, *daß da was dran sein könnte*, zum Beispiel staatsfeindliche Tätigkeit, *der hat das natürlich erstmal festgehalten*, also nicht aus der Hand gegeben.«

»Mitarbeit ist Nasenfrage«:
Stasi-Motto für die Wahl des richtigen Führungsoffiziers für den Spitzel. Die Stasi bemühte sich, die Vorbehalte abzubauen, die DDR-Bür-

ger anfänglich dagegen hatten, als Spitzel zu arbeiten. Dazu war wichtig, daß der Führungsoffizier einen guten Kontakt zu seinem Spitzel herstellte. Wenn zwei Personen absolut nicht miteinander konnten, dann wurde der Führungsoffizier gewechselt.

Musikzimmer:
Jargon der Mitarbeiter des Ministeriums für Staatssicherheit für *zum Abhören vorbereitete Zimmer in den Interhotels.*

Nachschließen – Ein Schloß mit speziellem Einbruchswerkzeug:
Wenn die Stasi einbrach und keinen Schlüssel oder Nachschlüssel hatte, benutzte sie *spezielles Einbruchswerkzeug* zum Nachschließen.

Netz:
Gemeint ist das »inoffizielle Netz« eines Mitarbeiters. Das sind alle seine Spitzel (»Quellen«), also IM, IMK, GMS, KP.

Netz 3:
Stasi-Begriff aus der Postkontrolle. Die Kategorie für geheimdienstliche Sendungen, einschließlich Signalkarten, die der Resident eines feindlichen Geheimdienstes z.B. in Berlin/DDR, Potsdam, Königswusterhausen, Oranienburg eingeworfen hatte für Leute in der DDR, hieß »Netz 3«.

Neuer Deckname:
Wenn langgediente Spitzel an andere Mitarbeiter übergeben wurden oder wenn von solchen Spitzeln eine Vielzahl von Informationen die Abteilung verließen, war zu vermuten, daß ein größerer Kreis von Stasi-Mitarbeitern diesen Decknamen einem bestimmten Bereich außerhalb des MfS zuordnen konnte, d.h., daß nur noch wenige Angaben fehlten, um den Klarnamen des Spitzels zu ermitteln. Dann erhielt er einen neuen Decknamen.

Normalfrequenz (NF):
Jargon der Abhörspezialisten für die menschliche Stimme (vgl. Abt. 26, S. 133 ff.). Die neuen Wanzen der Stasi waren so gebaut, daß sie nur bei »Normalfrequenz« sendeten, also nur dann, wenn ein Bürger in seiner Wohnung sprach.

OG –Operationsgebiet:
Stasi-Jargon für das westliche Ausland.

OibE:
Offizier im besonderen Einsatz in Schlüsselpositionen von
1. Wirtschaft (Rat der Stadt, des Bezirks)
2. Ordnungs- und Sicherheitsbehörden (Abteilungs- oder Dezernatsleiter der Kriminalpolizei, Volkspolizei, Zoll, Sicherheitsinspektionen großer Kombinate und Betriebe, z.B. Robotron).
Ein OibE sollte der Stasi interessante Informationen liefern und die Macht des Ministeriums auf die Behörden und Betriebe ausdehnen.

OD – Objektdienststelle:
Dienststelle, die nur ein »Objekt« (große Firma oder dergleichen) geheimdienstlich bearbeitet hat. Z.B. gab es eine Dienststelle, die nur mit der Technischen Universität Dresden beschäftigt war. Ebenso galten Leuna, AKW Greifswald, Wismut als besonders wichtig.
Der Leiter einer OD war direkt dem Leiter der Bezirksverwaltung unterstellt.

Operative Kombination – »Mal sehen, wie er reagiert«:
Gedanklich, zeitlich im voraus geplante Maßnahmen, die *eine Handlung des Opfers auslösen* sollten, die geheimdienstlich festgehalten wurde.
Beispiele:
1. Kombination, um einen Verdächtigen zu überführen:
Die Stasi baute in eine Wohnung eine Wanze ein. Sie nahm den verdächtigen Wohnungsinhaber fest und entließ ihn wieder. Anschließend belauschte sie, was er zu Hause seiner Frau über die Vernehmung erzählte. Später schickte sie einen Spitzel hin, der ihn besuchte, aber nichts von der Wanze wußte. So konnte auch der Spitzel überprüft werden.
2. Werbung eines Spitzels durch Kombination:
Die Stasi schreibt an einen ihrer Spitzel in Schlüsselstellung, einen Professor für Festkörperphysik, einen Brief. Darin beschuldigt ein anonymer Absender fälschlich den Studenten X, er unterhalte Verbindung zu Amnesty International. Der Spitzelprofessor berichtet beim Treff seinem Führungsoffizier von diesem Brief, den der Führungsoffizier selber geschrieben hat. Jetzt weiß der Führungsoffizier, sein IMB ist »sauber«. Er gibt dem Professor den Auftrag, mit dem Studenten zu reden. Er soll dem Studenten raten, sich an »verantwortliche Stellen« zu wenden. Der Student tut das. Von jetzt ab steht er in Verbindung mit der Stasi und meint, er habe den Kontakt zur Stasi selber hergestellt.

Operative Relevanz – Was die Stasi alles wissen wollte:
Operativ relevant konnte *alles* sein:
- Wenn bekannt wurde, daß ein DDR-Bürger im Ausland fremdging;
- Wenn ein DDR-Bürger wiederholt an Verladebahnhöfen gesehen wurde;
- Wenn sich ein Bürger in der Bibliothek Bücher über Heißluftballons auslieh;
- Wenn sich ein Bürger einen Neoprenanzug besorgen wollte, mit dem er lange Strecken hätte schwimmen können.

PDB: Personen-Daten-Bank des Ministeriums des Innern.

Perspektivkader – Die Stasi-Mitarbeiter von morgen:
Eine Person, die aufgrund ihrer bisherigen Persönlichkeitsentwick-

lung geeignet scheint, einmal Stasi-Mitarbeiter zu werden, ohne daß sie davon bereits etwas erfährt.

Jeder Perspektivkader mußte sich vorher als Spitzel bewähren. Aber nicht jeder Spitzel war ein Perspektivkader.

PID/PUT – Der Hühnerstall des MfS:

Stasi-Jargon für Andersdenkende, die von der Abteilung XX bespitzelt wurden. PID hieß Politisch-ideologische Diversion, z.B. durch Pazifisten oder Christen, PUD hieß politische Untergrundtätigkeit, zum Beispiel durch die Internationale Liga für Menschenrechte.

Prämien pro Einsatz – Geld und Geschenke für Spitzeldienste:

● Wieviel Geld die Spitzel aller Kategorien erhielten, war nicht einheitlich geregelt. Es hing ab vom Verhältnis des Offiziers zu seinem Spitzel und zu seinem eigenen Abteilungsleiter, der das Geld genehmigen mußte.

● Rückerstattungen für gemachte Auslagen wurden meist reichlich gezahlt.

● Prämienzahlungen an die Spitzel waren sehr unterschiedlich. Sie richteten sich nach dem Wert der erarbeiteten Informationen und konnten bis zu mehreren Tausend Mark reichen.

● Sachgeschenke und Geldzahlungen der Behörde an ihre Spitzel mußten schriftlich quittiert werden. Denn immer wieder hatten Offiziere Prämien für ihre Spitzel unterschlagen oder vorgetäuscht.

PS-Einsatz – »Alle Mann auf die Straße!«:

Wenn prominente Politiker öffentlich in den Bezirk einreisten, dann ließen die Stasi-Offiziere ihre normale Geheimdienstarbeit ruhen und stellten sich an die Strecke, wo der Politiker auftauchte. Dort wurde kontrolliert, ob unerlaubte Plakate hingen, verdächtige Personen herumliefen usw.

PZF – Postzollfahndung:

Paketkontrolle als konspirative Maßnahme.

Quelle – Jeder, der der Stasi Informationen zukommen ließ:

Quellen konnten sein:
● Spitzel
● Leute, die unwissentlich etwas erzählten
● Veröffentlichungen

Rinde:

Stasi-Jargon für *untauglichen Spitzel*, den der Führungsoffizier aber weiter traf, um die Erfolgsstatistik zu schönen. Wenn er ihn »abgelegt« hätte, hätte er zwei neue werben müssen (vgl. AIM).

Rückzugslegende – Das Ministerium für Staatssicherheit entwickelt rechtzeitig eine Lügengeschichte:

1. wenn *bei einer »operativ-technischen Maßnahme«* (z.B. bei einem Wohnungseinbruch) etwas schiefging, wurde den einbezogenen

Bürgern (z.B. Mietern eines Hauses) eine Geschichte aufgetischt, die den tatsächlichen Hintergrund verschleiern sollte (vgl. Konspirative Wohnungsdurchsuchung, S. 88).

2. wenn die Stasi die Zusammenarbeit auf einem Gebiet beendete, weil *eine Person* (z.B. ein Spitzel) sich nicht oder nicht mehr eignete, zog sie sich unter einem Vorwand zurück.

Scheintreff:
Die Stasi suggerierte zuweilen verdächtigen Spitzeln, die sie operativ bearbeitete (vgl. Kasten OV), daß sie weiterhin mit ihnen zusammenarbeitete. Hier dienten die Treffs dazu, den Verdächtigen zu kontrollieren, ihm zielgerichtet bestimmte Informationen zu vermitteln und so bestimmte Handlungen auszulösen, mit denen er sich selbst als Straftäter verraten konnte.

Schlüssel quetschen:
Die Stasi hatte spezielle Kästchen, die mit einer wachsartigen Masse gefüllt waren, um Schlüsselabdrücke von *gezuppten* Schlüsseln zu machen. Nach diesen Abdrücken stellten dann Spezialisten mit Hilfe von Schablonen oder Abgüssen Nachschlüssel her.

Schlüssel zuppen:
Am liebsten brach die Stasi mit Nachschlüsseln in die Wohnungen der DDR-Bürger ein. Dazu mußte sie sich zunächst den Originalschlüssel verschaffen.
Beispiele:
1. Sie veranlaßten einen Arzt, der für die Stasi als Spitzel tätig war, die Wohnungsinhaberin zur Reihenuntersuchung zum Röntgen zu bestellen. Während die Frau völlig unnötig geröntgt wurde, kam der Staat an ihren Schlüssel heran.
2. Schulkinder. Die Stasi trat in der Maske der Kripo in den Schulen auf. Sie behauptete, sie suche pornographische Literatur oder Nazi-Hefte. Während die Schultaschen durchsucht wurden, konnte unbemerkt der Schlüssel gezuppt werden.

Schulungstreff:
Zusammenkünfte mit dem Spitzel, die dazu dienen, ihm Fachwissen zu vermitteln.

Signalkarte:
Eine Postkarte mit einem vorher vereinbarten Motiv auf einer Ansichtskarte und unverfänglichem Text, wobei nur der, für den die Sendung bestimmt ist, und der Resident wissen, was wirklich gemeint ist (vgl. Abt. M., Protokoll S. 122 ff.).

Sprechprobe:
Wenn die Stasi in die Wohnung eines Bürgers eine Wanze eingebaut hatte, prüfte sie mittels einer Sprechprobe, ob die Wanze einwandfrei funktionierte.

Statistik:
Es mußten Ergebnisse für die Stastistik vorgewiesen werden:
Jeden Monat wurde ein DIN A 4 Bogen ausgefüllt. Anzahl der Spitzel?
Wieviele Treffs mit Spitzeln fanden statt? Wieviele Berichte wurden
dabei erarbeitet? Wie wichtig waren die Berichte?

Steuern – einen Spitzel:
Der Stasioffizier sagte dem Spitzel, was er tun sollte, oder lenkte seine
Aktivitäten in eine bestimmte Richtung, ohne daß es der Spitzel merk-
te.

Tag der langen Gesichter:
Der 8. Februar war der Jahrestag der Gründung des MfS. Der 7. Oktober war der Tag der Gründung der DDR. An diesen Tagen verliehen die
Chefs Orden, Medaillen, Prämien und Sachgeschenke an ihre Mitarbeiter. Der Ausspruch bezieht sich auf diejenigen, die dabei leer ausgingen.

Totmachen: einer Strafanzeige. Vgl. Wiedergutmachung.

Traditionskabinett:
Ein miefiges Zimmer, in dem markante Reliquien, Bilder, Berichte,
Wimpel, Freundschaftsgeschenke ausgestellt waren, z. B. vergoldete
kleine Panzer oder eine Gipsbüste des sowjetischen Tschekagründers
Feliks Edmundowitsch Dserschinski.

Treff:
Konspiratives Treffen zwischen dem Spitzel und seinem Führungsoffizier, meist in der konspirativen Wohnung (KW), um »operativ-rele-
vante Informationen« zu »erarbeiten«. Der Spitzel trug vor, wie er die
Stasi-Aufträge erfüllt hatte, und erhielt neue Anweisungen. Diente
auch dazu, den Spitzel eng an die Stasi zu binden. Treffs fanden nie in
offiziellen Stasi-Gebäuden statt.

Überprüfen:
Die Stasi prüfte, ob der Spitzel ehrlich war: Konspirative Wohnungsdurchsuchung mit Einbau von Wanzen (über drei Wochen), vorher
VPH. Die Stasi ließ auch mehrere Spitzel über ein- und dasselbe Ereig-
nis berichten.

Verdachtsprüfungshandlung (VPH),
»Bitte kommen Sie mit zur Klärung eines Sachverhalts.«:
Die Stasi hatte inoffizielle Beweise, die gerichtlich nicht verwertbar
waren, weil sie unter Bruch der DDR-Verfassung erschlichen worden
waren. Jetzt versuchte sie, den Bürger dazu zu bringen, sich selber zu
belasten.
Die Stasi-Offiziere setzten bewußt auf den Schock und »holten« den
Betreffenden, ohne daß offiziell etwas gegen ihn vorlag. Die Abgeordneten der Volkskammer, einschließlich der CDU, hatten der Stasi dazu
im § 95 der Strafprozeßordnung einen Freibrief ausgestellt.

Beispiel:
Die Stasi bearbeitete heimlich einen DDR-Bürger in Form eines
»*Operativvorgangs*« (vgl. S. 81). Sie verdächtigte ihn, mit der *Internationalen Gesellschaft für Menschenrechte* zusammenzuarbeiten.
1. Sie setzte Spitzel auf ihn an. Aber der Spitzel konnte nicht vor Gericht aussagen.
2. Sie las seine Post und hörte sein Telefon ab (auch das war nicht vor
Gericht verwendbar).
3. Sie durchsuchte ohne Wissen des Bürgers seine Wohnung (vgl. Kasten Konspirative Wohnungsdurchsuchung) und fand Schriftenmate-
rial, z. B. die Satzung einer oppositionellen Gruppe, das sie an Ort und
Stelle fotografierte. Dieses Beweismaterial hatte die Stasi erworben,
indem sie die DDR-Verfassung brach. Sie konnte es vor Gericht nicht
verwerten, es bestand also keine Möglichkeit, dem Betreffenden offiziell seine Regimefeindlichkeit zu beweisen.
Zum Teil ging die Stasi davon ab, öffentlichkeitswirksame Verhaf-
tungen vorzunehmen und die Verdächtigen in die jedermann be-
kannte U-Haftanstalt einzuliefern. Sie schuf in allen Bezirken *konspirative Villen*, ursprünglich dazu geschaffen, mögliche Spione feindli-
cher Geheimdienste zu »überwerben«, also umzudrehen. Der Gegner
durfte keinen Verdacht gegen seine Quelle schöpfen und von einer
Vernehmung nichts merken.
In diesem Fall wurde er mitgenommen und durch Spezialisten der Untersuchungsabteilung IX »befragt«. Dazu gab es z. B. in Dresden eine
konspirative Villa in der Königsteinstr. 5. Hier befand sich das Auf-
nahmeheim für die Rückkehrer in die DDR.
In dem Vernehmungszimmer in der Königsteinstraße stand ein prä-
pariertes Fernsehgerät mit einer eingebauten Videokamera, dort, wo
sonst der Lautsprecher sitzt. Die Kamera übertrug die Vernehmung in
ein Nachbarzimmer, wo Spezialisten die Vernehmung sofort auswer-
teten. Sie analysierten die Stimme, legten die Strategie für das weitere
Vorgehen fest und lösten den Vernehmer im fliegenden Wechsel ab.
Zuhilfe kam ihnen dabei, daß sie die Privatsphäre ihres Opfers zuvor
bis in die kleinsten Kleinigkeiten ausgekundschaftet hatten.
Kippte das Opfer nach Stunden oder Tagen um, schuf es mit seiner
Aussage die Beweise, die die Stasi gegen es bislang nicht hatte. Wer
nicht umkippte, wurde »mit einem Blumenstrauß«, d. h. höflich, entlassen.
**Verdichten – zielgerichtetes Wegwerfen und neues Sammeln von In-
formationen:**
Dem Stasi-Offizier lagen eine Fülle von Informationen vor (z. B. Spitzelberichte, alte Akten, fotokopierte Briefe).

Er *warf weg*, was er nicht brauchte, *fügte zusammen*, was vorher getrennt war, *analysierte* und kam zu einer *Aussage*, die *ergänzte* er, indem er weiteres Material *sammelte* (erneut verdichtete).

Das Verdichten ist eine Methode des Aussortierens und Zuordnens, die oft bereits *weit im Vorfeld des Verdachts* angewandt wird. Sie ist mit einem Rechtsstaat unverträglich, wird aber z. B. vom bundesdeutschen Verfassungsschutz ebenso angewandt. Wer aussortiert, muß vorher *sammeln*, wer sammelt, muß bespitzeln und überwachen. Im bundesdeutschen Geheimdienstcomputer NADIS sind die Daten von annähernd 10 Millionen Bürgern gespeichert, oder wie es im bundesdeutschen Geheimdienstjargon heißt, »verkartet«.

Verpflichtung:
Der Spitzel schrieb mit der Hand einen vorgelegten Text, daß er sich verpflichtete, für die Stasi zu arbeiten. Er schrieb auch, daß diese Zusammenarbeit »freiwillig« sei. Ihm wurde auch der Irrtum suggeriert, daß er wegen Geheimnisverrats belangt werden könne. Die Verpflichtungserklärung steckte der Führungsoffizier in einen Umschlag, der Bestandteil der IM-*Akte* wurde (vgl. dort).

Es gab auch Menschen, die sich nur mündlich verpflichteten, für die Stasi zu arbeiten. Pfarrer, Ärzte, andere »sensible Personenkreise« wurden per Handschlag zu Spitzeln.

Verstärkte Trefftätigkeit – Der Spitzel macht Überstunden:
Vor gesellschaftlichen Höhepunkten – wie Parteitagen oder dem Jahrestag der Republik – traf die Stasi ihre Spitzel in kürzeren Abständen als gewöhnlich.

VSH:
Verdichtungs-, Such- und Hinweiskarten der Auswertungs- und Informationsorgane (AIO) der jeweiligen Diensteinheiten.

Gab es zu einer Person einen Hinweis, z. B. reiste er privat in die Bundesrepublik, dann trug die AIO mit Schreibmaschine seine Personalien und die Reise in diese kleine rote Karte ein. War der betreffende Bürger seit 1980 Stasi-Spitzel, dann stand auf der Karte RL1/79 (nach der Spitzel-Richtlinie 1/79) und zum Beispiel erfaßt für Lehmann.

Wenn der Bürger aus seinen Ferien in Prag zurückkehrte und der Zoll zufällig eine Westadresse bei ihm fand, dann wurde das Material der zuständigen Diensteinheit übermittelt. War der Mann z. B. Gepäckarbeiter bei der Reichsbahn, dann war die Abteilung XIX für ihn zuständig. Zusätzlich trug AIO die Adresse in die VSH ein.

Hatte sich *Material* zu einem Bürger angesammelt, wurde eine Handakte angelegt und die Nummer seiner Handakte (vgl. dort) auf die VSH-Karte gedruckt. Neue Informationen über diesen Bürger wurden dann gleich in seine Akte eingeheftet.

Wald- und Wiesen-Treff:
Treff zwischen Spitzel und seinem Stasi-Offizier außerhalb einer konspirativen Wohnung.

Waschküche:
Die Postbeamten mußten der Stasi in den Verteilerpostämtern die Post ausliefern. Dazu wurden häufig Waschkörbe verwendet. Waschküche war die spöttische Bezeichnung für den Raum, in dem die Stasi arbeitete (vgl. Protokoll, Abt. M, S. 122 ff.).

Wiedergutmachung:
Die Stasi nutzte ein kleines Vergehen ebenso wie ein schweres Vergehen, um aus straffällig gewordenen und überführten Bürgern Spitzel zu machen. Diese Werbemethode nannte sie »Wiedergutmachung«.

1. *Vergehen* gegen die Rechtsordnung der DDR (z.B. Zollvergehen) waren Straftaten, die die Stasi ohne weiteres »totmachen« konnte. Wenn der Bürger Spitzel wurde, ging er straffrei aus.
Die Stasi prüfte den Kandidaten, den sie für ihre operativen Zwecke gewinnen wollte, in einem Kontaktgespräch, ob er zum Spitzel taugte. Im Gespräch wurde dann entschieden: 1. Der Bürger taugt nicht zum Spitzel. In diesem Fall diente das Gespräch lediglich dazu, Erkenntnisse zur Straftat zu erarbeiten. Anschließend wurde er verurteilt. 2. Der Bürger taugt zum Spitzel. Dann verhandelte man mit ihm nach der Formel »Hilfst du mir, so helfe ich dir«. Wie diese Formel dem Kandidaten angeboten wurde, hing ab von der Intelligenz und dem operativen Geschick des Stasi-Offiziers.

2. Bei *Verbrechen* erfolgte diese »Wiedergutmachung« als Spitzel im Strafvollzug mit der Möglichkeit vor Augen, bei guter Führung vorzeitig entlassen zu werden.

3. Zum Teil erfuhr die Stasi vorher, wenn ein Häftling vorzeitig entlassen werden sollte. Sie versuchte ihn als Spitzel zu werben, indem sie ihm die vorzeitige Entlassung in Aussicht stellte. Der Häftling leistete Wiedergutmachung für eine Wohltat, die ihm die Stasi gar nicht erwiesen hatte.

4. Bei Personen mit geheimdienstlichen Verbindungen versuchte die Stasi, sie zu »überwerben«. Gingen sie darauf ein, so wurden sie nicht inhaftiert.

ZBK – Zivilbeobachtungskommando
ZBK II:
Abteilung des Transportpolizeiamtes (20 Mitarbeiter), die ausschließlich für die Stasi arbeitete, und zwar für die Abteilung XIX. Sie sollte Militärverladungen bei der Eisenbahn sichern. An allen gebräuchlichen Militärverladepunkten der Eisenbahn gab es fest eingerichtete Beobachtungspunkte, die bei Verladungen besetzt wurden. Von hier aus wurde jede Person und jedes Auto, das auffiel, »erfaßt«.

Im Laufe der Jahre ergaben sich Tausende und Abertausende Hinweise auf Personen und Fahrzeuge, die oft an völlig verschiedenen Stellen der Republik aufgefallen waren. Mit dieser Methode der sogenannten *Erwartungsbeobachtung* wurden in den 70er und 80er Jahren Reisespione der BRD erfaßt, verhaftet und verurteilt.

ZBK III:
Abteilung der Transportpolizeiämter (50 Mitarbeiter), die ausschließlich im Auftrag der Stasi eingesetzt wurde. Sie hießen Gesprächserkunder und fuhren, als normale Reisende getarnt, in internationalen Zügen mit, sammelten Informationen aller Art und leiteten sie an die Abteilung XIX des MfS weiter. Den Zug verließen sie auf DDR-Territorium.

Teilweise hatten sie den Auftrag, sich gezielt an bestimmte Personen heranzumachen. Zu diesem Zweck wurden die bespitzelten Bürger bei der Paßaushändigung im Volkspolizeikreisamt und am Reisetag vor ihrer Wohnung durch Stasi-Agenten von ihrer Wohnung zum Zug »begleitet«. In der Regel gelang es den Angestellten des Ministeriums, mit Hilfe gefälschter Platzkarten im Abteil des Bürgers Platz zu nehmen, den sie bespitzeln wollten. Sie hörten ihm zu, wie er sich mit anderen Reisenden unterhielt, oder verwickelten ihn selber in ein Gespräch. Sie sollten rausbekommen:

● Stimmt das Reiseziel des Bürgers mit seinem Reiseantrag überein?
● Plant er in weitere Länder zu reisen?
● Was hat er in seinem Reisegepäck (Westgeld, Wertsachen)?
● Wen will er alles besuchen?
● Was für eine Persönlichkeit ist er?

Zelleninformant:
Ein Spitzel, meist selber Häftling, der der Stasi über seine Mithäftlinge berichtet.

ZPDB:
Zentrale Personendatenbank des Ministeriums für Staatssicherheit.

zunageln – einen Brief:
Jargon der Abteilung M, die die Post illegal mitlas, für einen stark mit Tesa-Film oder ähnlichem verklebten Brief, der sich nur mit großem Aufwand unbemerkt öffnen ließ. Ein solcher Brief war vom Absender zugenagelt.

An dem folgenden Fall läßt sich studieren, wie groß für einen Staat die Versuchung ist, seine Politik mit Hilfe eines Geheimdienstes durchzusetzen. Das ungewöhnliche an dieser Dokumentation ist: Alle wichtigen Beteiligten kommen zu Wort: *Das Opfer und die Täter*. Der Stasi-Offizier ebenso wie der Spitzel, den er auf das Opfer angesetzt hat.

∎ Der Fall Kaminski

TEIL 1: DAS OPFER

Kaminski ist Spezialist für Apfelanbau, war SED-Mitglied, gehörte der Bezirksleitung an und ist aus rein fachlichen Gründen mit der Partei aneinandergeraten. Als er nicht ja sagen wollte zur verordneten Monokultur, wurde die Stasi auf ihn angesetzt. Die SED beabsichtigte Äpfel industriemäßig als *Monokultur* anzubauen. Dazu sollten 30 Landwirtschaftliche Produktionsgenossenschaften (LPGs) zerschlagen und in 7 Spezialbetrieben zusammengefaßt werden. Der ehrgeizige Landwirtschaftssekretär der SED wollte für die Partei diese Politik durchsetzen. Er verstand allerdings nichts von Obstbau. Sein Gegenspieler war Karl Kaminski.

Der Fall Kaminski zeigt das Zusammenspiel der SED-Funktionäre mit dem Geheimdienst gegen die Sachkompetenz eines Fachmannes. Der Geheimdienst griff mit konspirativen Mitteln in einen Konflikt ein zwischen einem Fachmann für Obstanbau und einem Wirtschaftsfunktionär der SED. Ziel war, den unbequemen Fachmann zu entmachten. Denn er wehrte sich aus fachlichen Gründen gegen die Wirtschaftspolitik der Partei. Der Geheimdienst wurde eingeschaltet, weil der Fachmann gleichzeitig Mitglied der Bezirksleitung der SED war und Verbindungen zum ZK der SED hatte. Am Ende wurde die vorbildliche Genossenschaft zerschlagen, die der Fachmann leitete, und er schied aus der Bezirksleitung der SED aus.

Kaminski kann viel über seinen fachlichen Konflikt mit der SED, aber wenig über die Arbeit der Stasi gegen ihn berichten: nur bei Pannen würde das Opfer merken, daß ein Geheimdienst ihm auf den Fersen ist.

Der erste Konflikt: sechziger Jahre. »Die SED pflanzte Apfelbäume an Straßenrändern, ich betrieb *industriemäßigen* Apfelanbau.«
In den sechziger Jahren war ich mit unserer Genossenschaft gegen den Widerstand der Partei Vorreiter im industriemäßigen Apfelanbau, *aber eben nicht als reine Monokultur.* Alle wirtschaftlichen Vorteile lagen in dieser Anbauform. Wir hatten Anfänge in der CSSR gesehen. Aber die haben stark wachsende Unterlagen verwendet, also nicht Spaliere gezogen. Das ist sehr arbeitsaufwendig gewesen und erschien uns nicht durchführbar.
Wir sind von der Wissenschaft angegriffen worden, Hochschullehrer

und Institutsdirektoren vertraten großenteils kritiklos die Parteilinie, daß Apfelbäume auf *Halbstammanlagen* und *nur an Wegesrändern* stehen sollten. Ich habe mich darüber hinweggesetzt: Wir haben 1000 Bäume gepflanzt, also geringere Abstände. Und die Bäume fingen an, im zweiten Jahr nach der Pflanzung zu tragen, zunächst Anfangserträge, aber schon im vierten, fünften Jahr waren volle Erträge da. Während man von einer Halbstammanlage etwa 300 bis 400 Doppelzentner erntet im Schnitt der Jahre, sind wir auf 800 bis 1000 Doppelzentner gekommen. Und das im zweiten, dritten, vierten Standjahr. Außerdem war die Qualität unserer Früchte besser. Wir haben sie in Hecken gezogen, also in schmalen Wänden. So war die Belichtung von beiden Seiten intensiver, und sämtliche *Pflegearbeiten* waren besser durchführbar, einschließlich der Ernte, weil wir alles vom Boden aus machen konnten. Wenn ich mit einer Leiter in den großen Bäumen rumkriechen muß, dann ist das eine sehr mühsame Arbeit. Schließlich hat sich die von uns entwickelte Anbaumethode durchgesetzt. Walter Ulbricht besuchte unsere LPG, sah die Ergebnisse und hat uns recht gegeben. Andere Praxisbetriebe gingen zu dieser Anbauform über. Der erste Konflikt wurde also mit politischen Mitteln gelöst.

Der zweite Konflikt: Die Partei übernimmt Mitte der siebziger Jahre die industriemäßige Anbauform, aber als reine Monokultur.
Mitte der siebziger Jahre wollte die SED den Obstbau industrialisieren. Aber in Form einer reinen Monokultur und mit einer einzigen Apfelsorte. Keine Pfirsiche, keine Kirschen etc., nur noch Äpfel und nur noch eine einzige Sorte: 10000 ha Äpfel der Sorte *Gelber Köstlicher*. Der genaue Bedarf wurde nicht ermittelt, die ökologischen Folgen wurden ignoriert. Damit bahnte sich ein neuer Konflikt an: Kaminski, der Vorreiter der Industrialisierung, wendete sich jetzt gegen die Industrialisierung. Diesmal wurde der Konflikt zwischen der Partei und Kaminski *mit geheimdienstlichen Mitteln* gelöst.
Die große Richtung wurde von zentraler Stelle vorgegeben: Die DDR macht sich unabhängig und versorgt ihre Bevölkerung ganzjährig mit frischem Obst und Gemüse. Da bietet sich der Apfel förmlich an. Sie können ja keine Kirschen oder einen Pfirsich unbeschränkt aufheben, höchstens konserviert oder eingefroren. Und unser *Landwirtschaftssekretär* war sehr ehrgeizig, körperlich ein bißchen zu kurz geraten. Solche Leute sind besonders gefährlich. Er war selbstherrlich wie ein Provinzfürst. Hatte er genug getrunken, fing er an zu singen, und alle mußten mitsingen. Auf dem Höhepunkt küßte er regelmäßig meine Frau, so daß ich ihr sagte: »Das ist der Judas-Kuß.« Dieser Funktionär fühlte sich bemüßigt, den Bezirk Potsdam an die erste Stelle zu bringen. *Das war eben seine Idee – 10000 Hektar Äpfel.* Wörtlich sagte er: »Ich bin der größte Apfelbauer der DDR.«

Ich habe gesagt, das muß sich entwickeln, ich schließe nicht aus, daß entsprechend der Marktlage eines Tages so eine Größenordnung erreichbar sein könnte. Wir wollten nicht diese Riesenapfelanlagen haben, sondern haben in unserer Genossenschaft immer versucht, eine gesunde Fruchtfolge einzuhalten, eine ökologisch verträgliche Kombination zwischen verschiedenen Obstarten, Gemüseanbau und reiner Feldwirtschaft. Jetzt war plötzlich Monokultur gefordert.

Der inhaltliche Konflikt darüber ist nie richtig zum Ausbruch gekommen. Zwar hat uns niemand die Wahrheit gesagt, aber wir spürten, daß etwas gegen uns im Gange war. Es wäre sehr einfach, nun zu sagen: der damalige *Sekretär für Landwirtschaftspolitik* der Bezirksleitung hätte eine persönliche Antipathie gegen unsere Genossenschaft oder gegen mich persönlich gehabt, weil ich vielleicht zu offen meine Meinung gesagt habe.

Apfel auf Apfel geht nicht.

Wir haben uns gegen diese *Riesen-Apfelanlage* gewehrt, weil sie nach einer gewissen Zeit gerodet werden muß. Denn diese Intensivform mit schwach wachsenden Unterlagen und 1000 Bäumen pro Hektar hat nur eine Lebensdauer von 20 bis 25 Jahren. Dagegen wird ein normaler Apfelbaum, wie man ihn von früher her kennt, Halbstamm, große Krone, 40 bis 60 Jahre alt, beginnt aber erst im zehnten, zwölften Standjahr zu tragen. Da wurden 200 bis 400 Bäume auf einen Hektar gepflanzt. *In der Praxis* sah es aber so aus, daß die *Parteilinie* durchgesetzt wurde und ich mich dagegen rein vom Fachlichen her auflehnte.

Es gibt beim konzentrierten Apfelanbau, wenn 1000 Gehölze auf dem Hektar stehen, eine enorme Bodenbelastung. Der Apfelbaum scheidet *Stoffe aus über das Wurzelsystem*, und im Boden konzentrieren sich giftige *Pflanzenschutz- und Düngemittelrückstände*. Daher muß, wenn die Anlage nach 20 Jahren gerodet wird, eine Anbaupause und eine Zwischennutzung erfolgen. Apfel auf Apfel geht nicht.

Das Argument wurde vom Landwirtschaftssekretär der SED mit einer Handbewegung abgetan: Bis das soweit ist, haben unsere Wissenschaft und die chemische Industrie Mittel entwickelt, die Bodenmüdigkeit und die Beseitigung der giftigen Rückstände im Boden null und nichtig zu machen.

Es gibt drüben im Westen so derartige Präparate, und sie sind ganz, ganz gefährlich. Denn ihr erfolgreicher Einsatz hängt von vielen unberechenbaren Faktoren ab, von der *Bodenfeuchtigkeit*, der *Bodentemperatur*, der *Durchlässigkeit* des Bodens. Und niemand weiß genau, wie sich das im Untergrund auswirkt.

Darum haben wir gesagt, diese enorme Ausdehnung des Apfelanbaus und die Bepflanzung aller zur Verfügung stehenden Flächen kann nie gutgehen. Heute zeigt sich, wir hatten recht. Flächen müssen gerodet werden. Wir haben einem Herstellerbetrieb für Kindernahrung Äpfel geliefert und kriegten die Reklamation, die Rückstände an Pflanzenschutzmitteln seien so hoch, daß sie die nicht für Kindernahrung verarbeiten könnten. Verglichen mit dem »Gelben Köstlichen« ist Schneewittchens Apfel der reinste Ökoapfel. Ich persönlich esse keinen Apfel. Heute noch nicht.

Daß ein Stasi-Spitzel an mir dran war, habe ich nie bemerkt.
Meine persönliche Meinung ist *jetzt*, daß SED und Stasi mich bewußt aus dem Betrieb rausgenommen haben. Das wurde ja sehr geschickt gemacht, ich wurde zur Parteischule geschickt. Gegen einen Parteischulbesuch konnte ich mich nicht wehren, das war ja eine Ehre. Nach Abschluß des Parteischulbesuchs war ich plötzlich raus aus unserer Genossenschaft. Mein Nachfolger war schon in Amt und Würden. Daß ein Stasi-Spitzel an mir dran war, habe ich nie bemerkt. Es gibt einen Mann, der bei den Grenztruppen war, dem haben wir das zugetraut und uns in seiner Gegenwart sehr bedeckt gehalten.
Dr. Helmut Skrodt kreuzte an meinem Geburtstag auf und gratulierte mir. Eingeladen hatte ich ihn nicht. Helmut kann unterhalten, ist redegewandt und hat ein umfangreiches Wissen. Er ist Jäger, ich bin Jäger. So waren wir miteinander bekannt geworden. Zwischen uns entwickelte sich eine familiäre Freundschaft. Er hat uns zu sich nach Hause eingeladen und ist mit seiner damaligen Frau und seinen Kindern zu uns gekommen. Er kehrte nicht diesen Funktionärstyp raus, wußte aber eigentlich zu viel. Es war nicht spürbar, daß er meine Meinung hören wollte, aber er kam immer, wenn mit der Partei etwas im Busch war. Er hat provoziert und Witze erzählt, die ich mich nicht traute weiterzuerzählen. Damit hat er *unser Vertrauen* gewonnen. Später ist er weggezogen, und wir hatten bloß lose Kontakte.
Unser Parteisekretär war ein *parteihöriger Funktionär*, der *einen kleinen* Obstbaubetrieb *recht und schlecht* über die Bühne gebracht hatte; und der wurde nun beauftragt, den Obstanbau in *einem* Superbetrieb von Konzerngröße zu entwickeln. Die SED hat fachliche Argumente nicht gelten lassen, den Genossenschaftsgedanken mit Füßen getreten und uns gezwungen, sämtliche Obstflächen und sogar einen Anteil moderner Maschinen und Mitglieder in den neuen Superbetrieb einzubringen. Wir standen vor dem Nichts. Die SED wollte unsere erfolgreiche Genossenschaft mit meiner kritischen Führungsrolle zerschlagen. Daß ihr die Stasi und ihre Spitzel dabei kräftig geholfen haben, hat diesen Staat mit ruiniert.

Ich ging auf Distanz zum Ja-Sage-Sozialismus.
Damals habe ich Bedenken am gesamten sozialistischen System bekommen, *das fängt ja im Kindergarten* an, geht in der Schule weiter, in der Lehre, im Studium: es kommen nur die Menschen vorwärts, die gut zuhören, was von oben gewünscht wird, keine eigene Meinung äußern und nur die richtigen Antworten geben. Unsere vielen Ja-Sager sind auf der Stufenleiter der Entwicklung zum Funktionär sehr schnell vorangekommen. Die eine eigene Meinung hatten, vielleicht sogar Kritik geäußert hatten, blieben unten. Das ist der Krebsschaden am gesamten Sozialismus.
Diesen Standpunkt offen in der Partei zu vertreten, wäre Selbstmord gewesen. Aber wir haben viele, viele Diskussionen im kleinen Kreise gehabt. Pfarrer Eppelmann fühlte sich bemüßigt, mir Hoffnung zu machen, weil ich gesagt habe, dieser Sozialismus kann gar nicht funktionieren mit solchen Funktionären.

TEIL 2: DER STASI-OFFIZIER
»ICH WOLLTE NICHT ZUR ARMEE, DA BIN ICH ZUR STASI GEGANGEN.«

Wir lernen mit Werner den Mann kennen, der Mitarbeiter des Ministeriums war und die Operation gegen Kaminski *leitete*. Er wird uns zunächst etwas aus seinem Leben erzählen. Dann etwas aus seiner sonstigen Arbeit für seine Behörde. Und schließlich über den Spitzel, den er auf Kaminski angesetzt hat. Werner ist kräftig und hat schwarze Haare, sein Gesicht ist von tiefen Falten durchzogen. Beides zusammen gibt seiner Gestalt etwas Finsteres, ohne daß er übellaunig wirkt. Ein wenig erinnert er an den Schauspieler Klaus Löwitsch. Er berlinert kräftig und hat eine Vorliebe für eine bildreiche Sprache, die seinen gesunden Menschenverstand unterstreicht. Er ist nicht der Typ des abgeklärten Intellektuellen. Obwohl er selber studiert hat, neigt er dazu, Akademiker zu bewundern und gehört wohl darum einem Reitverein an, der von alten SED-Mitgliedern sehr geschätzt wird. Auch der Reichtum von Halbweltgrößen macht ihm mächtig Eindruck.
An seiner Kleidung erkenne ich sofort den DDR-Bürger, an seinem Auftreten den Stasi-Mann. Spürbar trauert er seinem Stasi-Leben nach. An der Stasi hat er offenbar den Stallgeruch männerbündischer Kameradschaft geschätzt, die Kumpels, von denen er meinte, er könne mit ihnen durch dick und dünn gehen. Er war an vielen geheimdienstlichen Operationen beteiligt und neigt noch immer dazu, sich konspirativ zu verhalten. Wenn er sich mit mir trifft, richtet er es so ein, daß ich sein Auto nicht sehe, und verkehrt mit mir nur unter einem Decknamen. Obwohl nicht penibel, erscheint er stets auf die Minute genau.

Sein Hang, handfest und plastisch zu erzählen, steht in scharfem Kontrast zu seinem geheimdienstlichen Beruf.

Werner war zeitweise der Führungsoffizier von Dr. Helmut Skrodt. Mich wundert nicht, daß der eitle und auf seine akademische Reputation bedachte Skrodt diesen Mann innerlich ablehnt. Zu wenig läßt Werner erkennen, daß er auch studiert hat. Selbst in einem Maßanzug würde er eher wie ein muskulöser Bauschlosser wirken, und er weiß das. Trotzdem schmälert es nicht die Bewunderung, mit der er von seinem Spitzel spricht. Diese Bewunderung bezieht sich sowohl auf Skrodts akademische Lorbeeren wie auf die Skrupellosigkeit, mit der er Stasi-Aufträge ausführte. Aber Werner sieht auch Skrodts Eitelkeiten.

Interessanterweise ist hier die Hierarchie von Stasi-Offizier und Spitzel auf den Kopf gestellt: Der Offizier blickt auf zu seinem Spitzel.

So wurde ich auserwählt.

Ich bin vierzig Jahre alt, studierter Landwirt und gleich nach Beendigung des Studiums in dieses Organ gegangen. Mein Spezialgebiet ist Schweinezucht. Da von der Stasi nicht jeder eingestellt wird, es also auch keine Bewerbungen gibt, wurde ich *auserwählt* unter vielen, also dahingehend angesprochen, ob ich bereit wäre, für dieses Organ zu arbeiten.

Eines Tages klingelte es bei mir, zwei Leute standen vor der Tür. Einer, obwohl erst Mitte dreißig, sah zerknittert aus, im Gesicht so zerknautscht, aber 'n ganz feiner Kerl, mit dem habe ich nachher zusammen gedient. Der andere war der Wortführer und sein Vorgesetzter. Ich hab's den beiden an der Nase angesehen, wo sie herkamen, schon an der Kleidung und am Haarschnitt. Sie holten ihre schönen Klappausweise raus und sagten, sie hätten sich mit mir beschäftigt und fielen gleich mit der Tür ins Haus: »Es gibt eine *interessante Aufgabe*, die auf Sie wartet. Sie können im Ministerium für Staatssicherheit *operativ* tätig sein.«

Ich habe überlegt: In der Landwirtschaft war ich noch nicht auf ein bestimmtes Gebiet eingeschossen. Die Armeezeit stand vor mir und ich wollte ungerne zur Fahne gehen. Ich war jung, einundzwanzig Jahre, und habe *ja* gesagt. Damit war ich natürlich noch lange nicht eingestellt. Ich mußte mein Studium abschließen und hatte mein Praktikum in der Schweinezucht vor mir. Während dieser gesamten Zeit bestand aber ein sehr intensiver Kontakt zu ihnen, um mich vorzubereiten. Sie haben mich auch schon in die operative Arbeit mit einbezogen.

Die Stasi hat mir meine Post vor die Badehose gehauen.

1968 hatte ich in Prag eine kleine Freundin, die schrieb mir nach dem Einmarsch der Warschauer-Pakt-Truppen in die ČSSR. Der Brief wurde heimlich abgefangen, mitgelesen und mir von der Stasi vor die Badehose gehauen. Über sieben Ecken kamen sie damit raus. Ich dachte erst, daß diese Information von einem Mitstudenten hochkam. Die Praktiken, die Post zu öffnen, habe ich erst später kennengelernt. Die Vorwürfe konnte ich ganz einfach zerschlagen. Wir hatten darüber ein Gespräch, und ich habe denen von der Freundin erzählt, die sie sowieso schon lange kannten. Aber die wollten es eben *von mir* hören.

Mit meiner Bereitschaft, *hauptamtlich* für das Ministerium für Staatssicherheit zu arbeiten, verband sich eine *Vorbereitungsphase* auf der *inoffiziellen* Strecke, also als Spitzel. Ich habe mich für andere Studienkollegen interessiert und mich damit an die Form gewöhnt, wie die *Berichte* abzufassen sind. Während meines Praktikums wurde ich aber auch schon in *gedeckte Ermittlungen* mit einbezogen und habe mit »Bewerbchen« gearbeitet, also mit Legenden. Meine späteren Vorgesetzten haben mich vor die Karre gespannt, ohne daß ich wußte, was sich dahinter verbarg.

Im Auftrag der Stasi mußte ich einen Hund verkaufen.
Mein späterer Chef hat mir den Auftrag und die Legende vorgegeben: »Du wirst einen Verdächtigen aufsuchen und ihm einen Hund verkaufen. Finde während des Gesprächs beiläufig heraus, wann der Mann immer zu Hause ist und wann nicht. Achte darauf, daß du eine Stunde bei ihm in der Wohnung bleibst.«
Im Rahmen dieser Hundeverkaufsgeschichte hab ich zielgerichtet rausgearbeitet, daß der Mann an dem Tage, wo ich ihm den Hund bringen wollte, *nicht zu Hause* war. Damit war das geheimdienstliche Ziel schon erreicht: An diesem Tag konnte unsere Behörde ungestört seine Wohnung durchsuchen, sich umsehen und seine Akten sichten.
Nach meiner Aktion hatten wir uns in einer Kneipe verabredet, um meinen Auftrag abzurechnen. Dabei lernte ich noch zwei andere Mitarbeiter kennen, von denen mich einer fragte: »Hat denn alles geklappt, den Bürger zu binden?« Plötzlich wußte ich, daß zur gleichen Zeit eine geheimdienstliche Kombination gelaufen war, in der ich als kleines Rädchen diente. Ich hatte den Bürger davon abgehalten, seine Wohnung zu verlassen und die Arbeit des MfS zu stören.
Das war natürlich für mich 'n Kribbel, und ich dachte: Mensch, wenn das immer so weitergeht? So entwickelten sich meine Kontakte zum MfS weiter, bis ich fertig war mit meinem Studium und hauptamtlicher Mitarbeiter wurde.

Die Dame, die den Ausweis verloren hat.

Etwa dreißig Prozent unserer Spitzel waren Frauen. Einmal habe ich eine Dame angeworben, die sich einige Tage zuvor in einer Bar rumgedrückt und dort, wie der Teufel es wollte, ihren *Ausweis* verloren hatte. Zunächst habe ich rundherum abgeklärt, was sich hinter diesem Ausweis verbarg. Dann habe ich das Umfeld der Frau durchleuchtet: Was macht sie? Einmal über offizielle Möglichkeiten, also Speichermöglichkeiten bei uns im Organ: Steckte sie möglicherweise schon in einer unserer Karteien? Zugleich haben andere Blaue in ihrem Betrieb mir über ihre Kollegin ausführlich berichtet.

Wir waren auch bei der VP (Volkspolizei) dick drin. So kam der Ausweis bei mir auf den Tisch und ein Bericht unseres Blauen dazu. Das Mädchen habe ich mir dann gegriffen und sie unter Legende hier zur VP bestellt. Dazu hat uns die VP regelmäßig und anstandslos ihre Diensträume überlassen. Wir hatten ja wirklich ihren Ausweis. Ich habe ihr aber ganz was anderes erzählt, wo wir ihren Ausweis her hatten. Ich habe behauptet: den hätten wir einem *Westdeutschen* abgenommen. Aufgrund ihrer Funktion, sie war *Patentingenieur*, kriegte sie das große Flattern und fürchtete, wir könnten glauben, durch ihre Schuld seien Informationen abgeflossen. *Um sich ehrlich zu machen, wurde sie blau, also Spitzel*. Aber mit der bin ich leider nicht richtig warm geworden. Sie war ziemlich zugeknöpft, auch etwas gehemmt.

Der Schwule wird zum Spitzel gekrümmt.

Manch einen Bürger haben wir *unter nicht sehr erfreulichen Vorzeichen* zur sogenannten Zusammenarbeit angeworben. Ich hatte einen Blauen, den hab ich allerdings selber nicht geworben, sondern übernommen, der war Direktor für Forschung und Entwicklung. Der war schwul, der Bursche, das hat überhaupt keiner gewußt, aber wir haben es gewußt. Wir sind im Rahmen der Leipziger Messe darüber gestolpert. Eine Weile blieben wir in seiner Spur, das ist ja nicht schwer, und haben es hieb- und stichfest rausgefummelt.

Zugleich merkten wir, daß er zu Frauen sehr freundlich ist. Er war begehrt, und die Frauen haben sich gewundert, warum er nicht anspringt. Wir haben's gewußt. Aber bei den Schwulen gibt's ja immer zwei: einer ist die Tunte und der andere, na ja… Es gibt ja sogar verheiratete. Aber er war nicht verheiratet.

Eines Tages haben wir ihm gestochen, daß wir das wissen. Sein einziges Motiv, mit uns zusammenzuarbeiten, war, daß wir verläßliche Partner sind und die Schnauze halten. Wir haben also durchblicken lassen, wenn das bekannt wird, in der Funktion… So hat er seine Verpflichtung geschrieben und sich bereiterklärt, auf freiwilliger Basis mit dem Ministerium für Staatssicherheit zusammenzuarbeiten.

Wenn wir einen Mann intensiv geheimdienstlich bearbeitet haben, hat's danach bestenfalls ein, zwei Gespräche gegeben. *Dann wurde alles ausgekippt,* und fast alle haben mitgespielt, weil in ihrem Leben irgendwann was war, was unsauber war, irgendeine Kleinigkeit, selbst wenn's bloß die *Weiber* waren.

Eine Perle.
Wir haben auch ganze Familien gehabt, die als Spitzel für uns gearbeitet haben. Erst der Mann, dann die Frau, bis hin zur Tochter. Warum auch nicht? Je mehr Leute, desto mehr Informationen. Jeder Geheimdienst hat Nachrichtenhunger.

Um die Frau zu werben, bin ich als Mitarbeiter gedeckt zu dem Blauen nach Hause gegangen und habe mich einführen lassen. Er hatte seine Frau auch schon vorbereitet, so daß sie keinen größeren Widerstand leistete.

Dieser Blaue war ein Bursche, dem es völlig egal gewesen wäre, ob er für die Staatssicherheit oder den Bundesnachrichtendienst tätig ist. Bei dem mußte ich aufpassen, daß er nicht für beide arbeitet.

Wir haben ihn im Knast geworben, und zwar nicht unter Druck. Im Knast war ein Zelleninformand (ZI), der ihn *getippt* hat. Er saß zweieinhalb Jahre wegen Steuerhinterziehung, ein halbes Jahr früher haben wir ihn rausgeholt und an der Finanzrevision ein bißchen gefummelt, damit ein bißchen was runterging von seiner Steuerschuld. Denn wir wollten, daß unser Spitzel einen guten Start hatte und sich nicht dumm und dämlich zahlt. Er mußte frei rumturnen können, denn er sollte uns ja was bringen.

Vorher war er Vorsitzender einer PGH, einer Produktionsgenossenschaft des Handwerks. Dort ist er uns bereits ins Blickfeld gekommen. Er war Elektriker. Und als wir ihn dann raus hatten, haben wir ihm eine Gewerbegenehmigung verschafft als freischaffender Projektant. Das war für ihn das Motiv, unser Spitzel zu werden und bedingungslos mitzuspielen.

Für seinen Lebensstil waren wir die besten Verbündeten.
Jetzt war er freischaffend und eine unserer vielen Perlen. Er war ein Hans Dampf in allen Gassen, hatte zwei Autos, die Frau fuhr einen 1500 Lada, einen zweiten Wagen hat er von uns gekriegt. Wir haben für ihn einen Westwagen besorgt, den habe ich ihm selber übergeben. Die Fahrzeugpapiere waren auf seinen Namen ausgestellt, also ganz dicht. Unser Motiv war, ihn beweglich zu machen. Damit wurde so ein Mann auch schon interessant.

Ich habe ihn mit Westgeld gespickt. Wenn er zu einer Dame fuhr, die er für uns abschöpfen sollte, dann hat er ihr vorher ein Spray oder ein tolles Parfum gekauft. Er war ein Mann von Welt, und jeder, der zu ihm hinkam, hat das gesehen: hier Antiquitäten und holzgetäfelte Wände und eine Bar, alles nobel und wunderschön. Das war sein Lebensstil, und für seinen Lebensstil waren wir die besten Verbündeten. Wir haben ihm den Rücken frei gehalten: Wenn er bei der Volkspolizei wegen Antiquitätenschiebereien auffiel, dann haben wir denen das – die Macht hatten wir – weggenommen. So konnte unser Blauer skrupellos wirtschaften. Er handelte nach der Maxime: Für seine Familie alles. Dieser Lebensstil war eben unter unseren Bedingungen am besten möglich, mit uns als Organ, wir konnten alle Schweinereien decken.

Es dauerte gar nicht lange, da hatte er einen aufgerissen, der in ungewöhnlichen Größenordnungen an Westgeld rankam. Für uns war interessant zu wissen, wie kommt der Mann an das viele Westgeld? Das klärte sich darüber, daß es Verwandtschaft war, die ihm das hat zukommen lassen. Mit diesem Kontakt war er finanziell flüssig.

Bis hin zu Waffen hat er rangeschafft, was wir ihm dann wieder weggenommen haben. Der hat selbst den Freunden (Sowjets) eine MP abgehökert. Wir hatten einen Verdächtigen, der in einer Funktion tätig war, in der er über Investitionsmittel verfügte. Die hat er in erheblicher Größenordnung in seine eigene Tasche gewirtschaftet, schwarz investiert und sich sogar ein Einfamilienhaus davon gebaut. Der saß bei uns ein, aber er schwieg. Im Rahmen der Untersuchungshandlungen konnten keine handfesten Beweise herausgearbeitet werden. Daher haben wir mit unserem Blauen parallel dazu die trockenstehende Ehefrau des Verdächtigen beackert, um herauszufinden, was sie möglicherweise über die Handlungen ihres Mannes wußte. Ich sagte trockenstehend, weil sie allein und sehr liebeshungrig war. Ein anderer Blauer, der zu ihr nicht das enge Verhältnis hatte, hat sie für uns eingeladen ins Interhotel Potsdam oben in die Bar. Damit war dessen Mission erfüllt. Mein Blauer hat seine Frau mitgenommen ins Interhotel. Und schon war der Kontakt zu der Dame da.

Kaminski sollte weg:
Die Stasi schaffte der Partei Platz für einen Ja-Sager.
Ich habe einen leitenden Wirtschaftsfunktionär mit geheimdienstlichen Mitteln bearbeitet, mit der einzigen Zielsetzung, ihn *abzusägen*, weil er nicht in unsere politische Landschaft paßte. Ich kriege heute noch Herzdrücken, weil ich Angst habe vor meiner eigenen Vergangenheit.

Der Befehl zu dieser Operation ging vom *General* an meinen *Abteilungsleiter* und kam in mein *Referat*, weil wir uns speziell nur mit *Vorgangsbearbeitung* beschäftigt haben (vgl. Operativ-Vorgang, OV,

S. 81). Mein Chef sagte: »Werner, Karl Kaminski ist Spezialist für Apfelanbau und vorgangsmäßig zu bearbeiten.« Die Vorgangsbearbeitung war die höchste Stufe, das schärfste Kaliber, was wir gegen einen Bürger auffahren konnten.

Heute weiß ich, der *Landwirtschaftssekretär* der SED hat dem *1. Bezirkssekretär* der SED was geflüstert. Der ist dann zu unserem *General*: »Paß auf, hier brauche ich mal deine Unterstützung.« Der General hat widerspruchslos reagiert: »Was die Partei sagt, ist uns Befehl!« Dieses *Zusammenspiel* von SED und Stasi war ja nicht nur eine Finte: Es war ja da. Umsonst hieß es nicht, wir sind das *Schwert der Partei*. Mit Hilfe dieses Organs wurde SED-Politik durchgeboxt. Und die Blockpartein, CDU genauswo wie Liberale, haben bis zuletzt alle willig mitgezogen.

Der Fall hat sich zugetragen auf der Landwirtschaftsstrecke. Und zwar ging es darum: Die Partei wollte im havelländischen Obstanbaugebiet Äpfel anbauen, Äpfel in großem Stil. Kaminskis fachliche Vorstellungen wichen ab von den Beschlüssen der Partei zur Entwicklung unserer Landwirtschaft. Als er sich nicht zum Schlechteren überzeugen ließ, war er nicht mehr tragbar. Er mußte weg. Aber wie?

Kaminski war in einer leitenden Funktion der SED, und fachlich kam keiner an ihn ran. Also konnte der Landwirtschaftssekretär ihn schlecht schurigeln und schikanieren. Darum mußten *wir* vor diese Karre.

Kaminski hatte sich mit der Partei gleich doppelt angelegt. Es ging um strukturelle Probleme der Landwirtschaft: Die SED wollte die Landwirtschaft *industrialisieren*, statt Bauern im herkömmlichen Sinne sollte es nur noch in riesigen Siedlungen untergebrachte Landarbeiter und Wissenschaftler geben. Und es ging auch um die *Hauptproduktionslinie*, also die Frage: was soll angebaut werden? Äpfel und nur Äpfel? Oder soll auch noch eine breite Palette von Gemüse produziert werden? Die SED wollte weitaus überwiegend Äpfel anbauen, und zwar von der Sorte »Gelbe Köstliche«.

Kaminski hat sich dafür ausgesprochen, andere Kulturen nicht kaputtzumachen oder zu vernachlässigen, und für eine große *Breite* an landwirtschaftlichen Obst- und Gemüseerzeugnissen plädiert, weil der Bedarf dafür da war. Aber die *Parteibeschlüsse* sagten: Im havelländischen Obstanbaugebiet werden Äpfel angebaut. Bei uns, da wurde ja alles reglementiert. Es hat ja kein links und kein rechts gegeben. Und Kaminski sagt: Äpfel ja, aber *wir brauchen auch Blumenkohl*, wir brauchen das, das, das. So! Und damit wollte er mit den Äpfeln nicht mitgehen. Also brauchten wir einen Mann ohne Rückgrat, der mitgeht. Ich hab ihn nicht gebraucht, aber die Partei brauchte einen, der sagt: Wir brauchen bloß Äpfel.

Meine Aufgabe war: Im Interesse der SED den Kaminski abzusägen. Heute hat sich rausgestellt: Der hatte recht. Aber zur damaligen Zeit unter diesen Verhältnissen *konnte der nicht recht haben, weil die Partei was anderes gesagt hat.* Das heißt aber nicht, daß ich sagen konnte, was die Partei gesagt hat, ist falsch. Dazu fehlte mir der Überblick über das, was landesweit produziert wurde. Ich weiß eins: *der Mann hat einen ganz stabilen Betrieb geleitet,* der heute noch existiert und steinreich ist.

Kaminski hätte einfach sagen können, mit meinen Äpfeln verdiene ich genauso viel und noch mehr, hätte die Entscheidung der Partei geschluckt, und alles wäre gut gewesen. Aber er ist ein kämpferischer Typ und hat den Mut gehabt, »nein« zu sagen und beharrlich seine Bedenken vorzutragen. Dafür hat die Partei ihn durch unser Ministerium bestrafen lassen, ohne daß er sich wehren konnte.

Mich hat angekotzt, solch einen hochkarätigen Fachmann mit unseren spezifischen geheimdienstlichen Mitteln und Methoden zu Fall zu bringen. Das ging mir schon bei der Operation so. Ich kenn den Betrieb selber und wußte, was da gespielt wird. Ich habe alles mitgekriegt; denn wir haben die volle Palette geheimdienstlicher Mittel eingesetzt von der konspirativen Wohnungs- und Arbeitsplatzdurchsuchung über die Telefon- und Postkontrolle bis zum Einsatz eines hochkarätigen Blauen.

Mit Skrodts Hilfe wurde Kaminski abgebürstet.

Ich habe als Wichtigstes in die Bearbeitung einen *Blauen* eingeführt. Wen haben wir denn da drangehabt an dem Kaminski? Ich muß sie alle mal durchklappern. Jetzt weiß ich: Helmut Skrodt. Skrodt war aus unserem Bestand, und wir haben ihn extra präpariert. Er hat in unserem Auftrag zu ihm ein ganz enges Verhältnis hergestellt.

In anderen Fällen haben wir uns einen Blauen geliehen. *Ein Geheimdienst muß überall seine Wurzeln haben.* Der muß überall angebunden sein. Einer alleine, losgelöst leben, das geht nicht.

Skrodt ist ein hochintelligenter Mann in einer leitenden Funktion, ein Mann, der ist *mit allen Wassern gewaschen.* Der Verdächtige sollte ein echtes Interesse haben an dem Mann. Der Anreiz für die Zielperson Kaminski ist größer, wenn ich den Blauen sozial etwas überhöhe. Steht der Blaue etwas unter dem Niveau des Verdächtigen, dann strampelt er sich tot.

Es gab unterschiedliche Kategorien unter unseren Blauen, wofür sie genutzt wurden. Die Form, über die wir reden, das war *die höchste Form,* Skrodt war ein IMB, den wir gezielt an den Feind herangeschleust haben. Bei einem IMB muß alles rundrum stimmen. Da muß man sagen, der *paßt* auf den Kaminski. IMBs müssen was ausstrahlen, die müssen was sein, was zu bieten haben. Das ist ganz wichtig. Er hatte aufgrund seiner beruflichen Stellung was zu bieten. Einen *Professor* kann ich nicht mit einem *Straßenfeger* geheimdienstlich bearbeiten. Andersherum: einen Schwulen kann ich am besten bearbeiten mit einem Schwulen.

Mit Skrodt sind wir schon durch dick und dünn gegangen.

Skrodt ist ein Blauer, mit dem sind wir schon durch dick und dünn gegangen. Er hatte immer ziemlich viele Freundinnen. *Auf diese moralische Seite haben wir Bezug genommen und ihm ein bißchen Druck gemacht.* Denn Skrodt war SED-Mitglied und Tierarzt in einer leitenden Funktion. Seine Ehe war ziemlich wackelig. Er kam uns ins Blickfeld durch andere Blaue. Sie berichteten uns über seine Stärken und seine Schwächen. Bevor ich einen guten Mann wie den Skrodt selber kontaktiere und an ihn rangehe, denke ich nach: Wie kriegst du den am besten? Wir wollten ihn ja haben, er sollte uns ja was bringen.

Mein Chef hat lange um den herumgefummelt, seine Schwächen herausgearbeitet. Seine Schwächen waren zum Beispiel die Frauen. Bei uns herrschten andere Zeiten. Heute würde sich die deutsch-sowjetische Freundschaft darum kümmern, wenn einer fremdgeht. Aber seinerzeit war das anders. Parteigenossen konnten damit viel Ärger kriegen. Die Frauen und die Jagd waren seine Schwächen. Manchmal hat er seiner Frau gesagt, er ist zur Jagd, aber er war bei einer anderen Frau. Skrodt ist ein Genußmensch. Das Fremdgehen hat er mit Lügen abgedeckt.

Solch einen Mann, den wir unbedingt haben wollten, *den haben wir so beackert als wollten wir ihn einsperren.* Von dem wollten wir alles wissen. Wir sind wirklich in die Tiefe eingedrungen. Er liebte Frauen, und die mußten besonders gute Zähne haben. Darum kriselte auch die Ehe. Er war sehr, sehr *autoritär* und *eitel* und sah sich als Wissenschaftler. Wir wußten, er ist *kontaktfreudig.*

Skrodt wollten wir einsetzen für die *Vorgangsbearbeitung.* Das ist das hohe C. Er sollte ganz konkret Leute bearbeiten. Aber Blaue werden nicht gebacken. Die müssen *langsam* wachsen und bestimmte Anlagen mitbringen.

Im Prinzip haben wir uns über seine *Schwächen* an ihn rangetastet und dann einen richtigen *Zeitpunkt* gewählt, wo wir ihn neutral kontaktieren konnten. Wir haben durchblicken lassen, daß wir was wissen. Oft wissen wir ja nicht alles. Aber der weiß ja nicht, was wir wissen. Dann kamen wir ins Gespräch. Wir haben erst einmal generell geprüft, was er für eine Einstellung zu uns hat. Und dann hat er seine Verpflichtung geschrieben. Das war immer so ein Einheitstext.

Er war ein sehr guter Unterhalter, hat gerne *Witze* erzählt. Er ist auch im Rahmen des Jagdwesens aufgetreten. Er war Spezialist auf dem Gebiet der Ballistik und hat vor den *Jagdgesellschaftern Schulungen* gehalten über Flugbahnen, Kaliber, wie stark die Pulverladung sein muß.

Er hatte in führenden Kreisen der Partei dementsprechende Kontakte und renommierte mit seiner besonders schönen Waffe, einem Vierling aus Suhl. So hat er sich durch seine Aktivitäten in unser Visier gebracht. Wir haben gedacht, wenn der Skrodt überall rumkreiselt, dann kann er auch für uns etwas tun. Na, und das hat er dann auch jahrzehntelang gemacht bis zur Wende. Ich habe Skrodt persönlich nicht geworben, aber ich habe ihn lange Zeit gesteuert. Skrodt war ein Mann, den haben wir an viele brisante Sachen rangeschoben. Der kann's nicht lassen, dem schlafen sonst die Finger ein.

Er hat den Auftrag ohne zu fragen sofort angenommen. Daß ein Blauer einen Auftrag ablehnt, ist eigentlich in den seltensten Fällen passiert. Und wenn es uns passiert ist, ist es uns in der Anlaufphase passiert, wo wir noch nicht eng liiert waren. Skrodt haben wir natürlich auch überprüft, ob der ehrlich ist. Dazu habe ich auf Skrodt einen anderen Blauen gejagt, also die beiden aufeinander und mir angesehen: Was hat Skrodt auf Band gesprochen, und was der andere? Wenn sich das deckt, hat keiner gelogen.

Dieses Spielchen haben wir von Zeit zu Zeit bei ihm gemacht, gerade bei einem profilierten Mann, der viel *bringt* durch seine Aktivitäten, durch seine Bewegungsfreiheit. Den mußten wir routinemäßig überprüfen. Wir mußten ja aufpassen, daß der uns nicht selber die Pfeife hält. Wenn ich ihm nicht trauen kann, fasse ich das Blatt Papier, was er mir bringt, mit anderen Fingern an.

Bei Kaminski ganz konkret haben wir es über die Jagd geschoben.
Jede konspirative Arbeit ist ein Eingriff in das persönliche Leben eines Menschen. Und darum mußte ich mit sehr viel *Fingerspitzengefühl* und natürlich auch *lebensnah* vorgehen. Wenn ich den Verdächtigen warne und wie die Axt im Walde arbeite, kann ich einpacken. Das hätte mit Geheimdienstarbeit nichts zu tun. Also *lebensnah* mußten wir arbeiten, und zwar auch mit den *Legenden*, die wir anwendeten. Einen Blauen der höchsten Kategorie, also einen IMB wie Skrodt, in die Vorgangsbearbeitung einzuführen, das haben wir über eine Kombination gemacht, über ein Spielchen. Bei Kaminski ganz konkret haben wir es über die Jagd geschoben. Wichtig war für uns immer, eine Verbindung herzustellen, die *Bestand* hat. Also, mein Blauer muß kontaktfreudig sein. Am besten wäre, wenn er Kaminski heute noch ab und zu eine Postkarte schriebe.

Erstmal ist das in meinem Kopf gewachsen: Hier habe ich den *Mann*:

Kaminski. Wenn ich konkret an einem Material gearbeitet habe, habe ich mich voll auf diesen Mann konzentriert. Hier habe ich den *Bestand* an meinen Leuten, meinen Blauen. So. Dann ging ich durch: wer paßt zu wem? Das ist immer unterschiedlich. Ich bin nicht selber durch die Gegend gepirscht. Ich habe meine sechs, sieben Blauen gehabt, die ein hohes Niveau hatten.

Skrodt war genau der richtige für Kaminski. Er spielte im Jagdwesen eine wichtige Rolle, war Tierarzt und ebenfalls ein profilierter Mann aus der Landwirtschaft. Der Kaminski ging zur Jagd, unser Blauer ging zur Jagd. Beide hatten genug *Berührungspunkte*.

Ich habe die *Legende* für Skrodt entwickelt, zu Papier gebracht und durch meine Vorgesetzten bestätigen lassen. Skrodts Auftrag war, und so habe ich ihn eingetaktet:

1. Mögliche Dinge rauszuarbeiten, *warum* Kaminski sich nicht mit bestimmten Entwicklungstendenzen bei uns einverstanden erklärt. Was ist Kaminskis wirkliche politische Grundhaltung? Das gehört ja auch mit dazu. Ich muß wissen, was der Mann wirklich denkt. Denn darum ging es ja.

2. Vielleicht auch, um Kaminski zu destabilisieren. Um also herauszuarbeiten: Wie verbissen ist er? Es reicht ja, wenn der Blaue zu Kaminski sagt: »Bau deine Äppel an, dann haste deine Ruhe. Weißt du, die ganze Politik, du bist da nicht zu Hause. Guck mich an. Ich mach mit den Weibern rum, trinke, gehe zur Jagd. Laß die doch machen.«

3. Da war eine Geschichte, die habe ich rausgearbeitet, da hat er *illegal einen Kontakt zu seinem Jungen unterhalten*, der wurde seinerzeit fahnenflüchtig. Der war bei der Grenze. Vielleicht konnten wir ihm da was anhängen.

4. Noch eins hat Kaminski gemacht, er ist permanent *fremdgegangen*. Das hat die Partei auch sehr krumm genommen.

Skrodt war zwar am direktesten an Kaminski dran. Um diesen Mann krochen aber auch noch *ein paar* LPG-*Vorsitzende* herum, die auch irgendwie mit uns ein bißchen gekramt haben. Da waren eine Fülle von Informationen. Wir hatten überall die Beine drin.

Wir haben Kaminskis Telefon überwacht und seine Wohnung durchsucht.

Eine Wanze haben wir bei Kaminski nicht reingebracht. Wir haben das *Telefon* überwacht. Und wir haben seine Wohnung und die Büroräume *durchsucht*, während er auf der Parteischule war.

Seine Frau hatten wir mit einem Spielchen anderweitig gebunden. Wir hatten keine Schlüssel, sondern waren mit Schließtechnik drin. Dafür brauchtes wir Experten. Wir haben alles fotografisch dokumentiert, wie wir das vorgefunden haben, damit die Wohnung nachher so kunterbunt aussah, wie das anfangs dalag. Das, was wir für notwendig erachteten, haben wir an Ort und Stelle fotografiert. Die Schwerpunkte unserer Durchsuchung waren Schreibtisch, Kommoden, Schubfächer. Wir haben aber auch mal zwischen die Bettwäsche geguckt. Ich habe es schon erlebt, da haben wir Geld gefunden, da hab ich bald einen Herzschlag gekriegt, so viel Geld war das. Manchmal haben wir auch Kassetten gefunden. Die haben wir dann versucht zu »lüften«.

Abschluß der Operation: Dann wurde der Kaminski abgebürstet.

Unsere geheimdienstlichen Informationen ließ sich der *Erste Bezirkssekretär der Partei* auf den Tisch legen. Mit Skrodts Hilfe konnten wir nachweisen, daß Kaminski kein zuverlässiger Genosse war. Also wurde der Kaminski abgebürstet. Der war nämlich auch noch Mitglied der Bezirksleitung der SED in Potsdam.

Der Bezirkssekretär der SED hat Kaminski zu einem Gespräch bestellt. Er hat unser Material nicht gleich losgeschossen. Aber er hatte das Blatt Papier mit unserem Dossier vor sich auf dem Tisch liegen, das wir als Abschluß des Operativvorganges gegen Kaminski gefertigt hatten. Er konnte jetzt sagen: Hier hat ja das *Schwert der Partei*, also die Stasi, mir was aufgeschrieben, warum Du nicht tragbar bist. Kaminski wußte, daß er einem Ja-Sager Platz machen sollte, und hat ungefähr geantwortet: »Was Ihr wollt, weiß ich selbst. Ich nehme meinen Hut. Mit eurer Linie kann ich nicht mitgehen.« Er weiß bis heute nicht, wie wir ihn abgesägt haben und daß ein guter Freund von ihm unser bester Mann dabei war.

Kaminski wurde nach Abschluß unserer Operation zu einem Führungskaderlehrgang der SED zur Parteischule nach Liebenwalde geschickt. Als er wiederkam, war er weg vom Fenster. Er arbeitete im gleichen Betrieb, aber in einer anderen Funktion. Vorher war er Chef, jetzt war er Buchhalter.

Die Richtung, in die Skrodt von der Stasi gejagt wurde.

Skrodt hat davon keine unmittelbaren Vorteile gehabt und trotzdem erstklassig gearbeitet. Sicher ahnt Kaminski heute noch nicht, wer unser Mann war. Denn Skrodt war intelligent und kaltblütig.

Dabei ist für einen Geheimdienst auch immer die Frage, *in welche Richtung jage ich den Blauen?* Ich muß ihm nicht sagen: »Dem Kaminski will ich das Genick brechen. Und du wirst uns dabei helfen.« *Mit einer guten Legende kann ich den Blauen oft besser motivieren als mit der Wahrheit.* Wenn ich ihm erkläre, es gibt genug Hinweise – der Blaue hat ja keine Möglichkeiten, das zu überprüfen –, der Mann arbeitet für den Bundesnachrichtendienst oder ist das größte Ferkel

oder ein Krimineller durch und durch, und ich *spicke den noch rich-tig. Wenn einer dort 'n ehrliches Empfinden hat, geht der los wie ne Rakete. Dann ist der motiviert.*
Skrodt war gerne blau. *Wenn ich einen wirtschaftsleitenden Kader auf den anderen jage*, gehe ich erstmal davon aus, der macht's aus *Überzeugung.* Skrodt war von sich aus motiviert. Wir haben es unter anderem aufgezimmert über den Jungen, der fahnenflüchtig wurde, um Einzelheiten über Kaminski herauszuarbeiten:
Zu seiner Persönlichkeit und dazu, wie er dessen Flucht heute sieht, seine innere Einstellung. Vielleicht wußte Kaminski von der Flucht seines Sohnes schon vorher etwas. Dann hätten wir ihn mit Skrodts Hilfe sofort gehabt.
Daher haben wir Skrodt etwas über Kaminskis fahnenflüchtigen Jungen erzählt, auch unter dem *Anstrich, ihn zu schützen*, und be-hauptet, aufgrund seiner Position sei der Junge gefährdet, im Westen als Spion angeworben zu werden. Denn als Grenzsoldat hat er viel ge-wußt. Skrodt sollte aufklären, ob Kaminski noch Kontakt zu seinem Sohn unterhält.
Wir haben Skrodt davon überzeugt, daß Geheimdienste notwendig sind und daß sie *so* arbeiten, also mit konspirativen Mitteln und Me-thoden. Das ist ja auch nicht in jedem Falle negativ. Skrodt hat von uns die *Auslagen* wiedergekriegt und eine *finanzielle Stimulierung.* Wir haben ihm ein bißchen westdeutsche Munition und Balestol be-schafft. Das ist ein Waffenspray, ein hochwertiges Feinmechanikeröl. Ich will damit nicht sagen, daß im Westen alles besser ist. Aber der Jä-ger riecht schon, wenn er die Waffe in die Hand nimmt, womit diese Waffe gepflegt ist.
Geheimdienstarbeit ist spannend. Mir hat die Arbeit für die Stasi Spaß gemacht, weil ich kreativ war. Sonst hätte ich keinen Erfolg ge-habt und nichts auf die Beine gebracht.

TEIL 3: DER SPITZEL

Ohne Leute wie ihn hätte die Stasi ihre Arbeit nicht machen können. Er war in einer Leitungsfunktion, angesehener Wissenschaftler, der es materiell und ideell genoß, auf der richtigen Seite zu stehen. Leute wie er haben einen gedie-genen Geschmack, wenden sich schnell und fallen immer auf die Beine. Von al-len Spitzeln, die ich kennengelernt habe, ist er der kaltblütigste und gerissenste. Er vermittelt nicht den Eindruck, als würde er nach seiner Spitzeltätigkeit auch nur eine Minute unter Skrupeln leiden. Dr. Skrodt schläft gut und schickt seinen ahnungslosen Opfern zu Weihnachten und Ostern bunte Karten. Seine junge Frau liebt ihn, und die Nachbarn grüßen den angesehenen Wissenschaftler eine Spur respektvoller als andere Menschen ihrer Umgebung.

Als einziger Gesprächspartner hat er nicht erlaubt, das Gespräch mit ihm aufzuzeichnen. Dieser Text unterscheidet sich daher von den anderen Protokollen. Er stützt sich auf exakte Mitschriften. Skrodt ist Wissenschaftler und jener Blaue, der von seinem Führungsoffizier Werner auf Kaminski angesetzt wurde, gezielt dessen Freundschaft erworben und ihn ausspioniert hat.

Eine Kleinstadt im Bezirk Rostock. Die Menschen hier sind neugierig, bereits als ich mich nach der Straße erkundige, kommt die Frage: »Zu wem wollen Sie denn?« »Danke, ich finde dann schon.«

Ich klingele an Skrodts Villa und warte, daß er öffnet. – Ich weiß, Skrodt ist ein hochangesehener Wissenschaftler und ein erfahrener Jäger, der leidenschaftlich gern auf die Pirsch geht. Er ist ein glänzender Unterhalter und berühmt für seine Kunst, gut Witze erzählen zu können. Alle hören ihm dann gebannt zu und lachen zu einem Zeitpunkt, den einzig er kalkuliert. Wie kühl und selbstbeherrscht er sein kann, wenn es für ihn persönlich gefährlich wird, werde ich an diesem Nachmittag und Abend erleben.

Den Termin für unser Gespräch habe ich über seinen ehemaligen Führungsoffizier Werner vereinbaren lassen. Es wundert mich nicht, daß Skrodt einem Gespräch mit mir zustimmt. Er wird mindestens drei Gründe haben, mit mir zu reden:

Meine Recherchen für einen Film und ein Buch über die Stasi und ihre Spitzel rücken ihn einerseits noch einmal in den Mittelpunkt, in den ihn sonst seine Witze bringen. Andererseits wird für ihn als jahrzehntelanges SED-Mitglied nach der Wende das Bedürfnis gewachsen sein, endlich über ein Kapitel zu reden, das sich wie ein verborgener Faden durch sein Leben zieht. Ich bin der geeignete Gesprächspartner, weil ich Außenstehender bin. Außerdem habe ich ihn dekonspiriert. Ich kenne ein Geheimnis seines Lebens. Skrodt wird daran interessiert sein, das Bild, das ich von ihm zeichne, in seinem Sinne zu beeinflussen. Obwohl wir uns noch nie gesehen haben, gibt also einiges, das uns verbindet.

Ein älterer Herr in jägergrüner Kleidung öffnet mir und führt mich ins Wohnzimmer. An irgendjemanden erinnert er mich. Aber an wen? Es wird mir noch einfallen. Geweihe hängen an den Wänden. Jagdtrophäen. Auf dem Sims ein Kölner Dom in Kupfer. Eine Dame in Skrodts Alter serviert uns Kaffee. Ich wundere mich nicht, daß er sie mir als seine Schwiegermutter vorstellt. Seine Frau muß also erheblich jünger sein. Ich weiß, daß Skrodt ein Liebhaber schöner Frauen ist. Besonders die Zähne sollten makellos sein.

Skrodt dreht zunächst den Spieß um und fragt mich über mein Studium und meinen beruflichen Werdegang aus. Mir ist das recht. Ich hätte ihm sonst selber davon erzählt. Er soll mich abklopfen können, so gut das in der kurzen Zeit möglich ist.

Wir tasten uns ab. Skrodt erzählt, daß er vor dem Mauerbau mehrfach aus anderen Ländern Angebote hatte, eine wissenschaftliche Laufbahn im Ausland zu machen, z. B. in Schweden und Afrika. Aber er sei überzeugter Sozialist und habe diese Angebote stets abgeschlagen. Wenn schon Täter, dann möchte Skrodt wenigstens Überzeugungstäter gewesen sein.

Zugleich erzählt er mir, daß er in seinen Informationen für die Stasi zum Glück nie etwas Negatives zu melden gehabt hätte. Und wie leicht wäre das gewesen. Er habe ja böse Gerüchte aufgeklärt und mit seiner Arbeit diese Gerüchte widerlegt. Das sei doch etwas Gutes. Eigentlich habe er viel Schlimmes verhindert. *Mit allen Personen, die er ausgespäht habe, sei er noch befreundet, schreibe ihnen Briefe und treffe sie regelmäßig.* Praktisch hätten sich aus seinen Aufträgen langjährige Freundschaften entwickelt. Bis auf eine zufällige Ausnahme. Auch mit Kalle Kaminski sei er jetzt noch befreundet. Erst im letzten Herbst hätte er ihn wieder einmal besucht. Während Skrodt mir das auseinandersetzt, klingt seine Stimme warm und glaubwürdig wie die von Norbert Blüm. Ich bin beeindruckt.

Ich verstehe jetzt seine Strategie. Skrodt ist ein Wohltäter. Er hat gute Wahrheiten an die Stasi gemeldet. Schlechte Dinge hat er mit den Betroffenen unter vier Augen bereinigt. Im Gespräch mit diesem erfahrenen alten Fuchs werde ich die Wahrheit nur über Umwege erfahren. Skrodt reizt dieses Spiel offenbar. Um schließlich zu meinem Anliegen zu kommen, überreiche ich Skrodt einen Zeitungsartikel, der ein Foto seines ehemaligen Führungsoffiziers enthält. Skrodt lacht listig und erwähnt zunächst einen anderen Namen aus dem Artikel. Er will mich testen: Wieviel weiß ich wirklich?

Er vergleicht sich mit dem zeitweiligen Vorsitzenden der DDR-SPD Ibrahim Böhme, der aufgrund einer Intrige für einen Spitzel gehalten wurde. Und er vergleicht sich mit dem Rostocker Rechtsanwalt Wolfgang Schnur, der nach der Wende für kurze Zeit eine politische Karriere in einer konservativen Partei machte, einer Gruppierung, auf die er als Stasi-Spitzel angesetzt war. Skrodt: »Ich bin weder Böhme noch Schnur. *Dafür, daß ich mal 'n lebenslangen Irrtum begangen habe, kann ich nichts.* Das, was meine Ideale waren, ist nicht eingetroffen. Das ist ein Irrtum, den ich über vierzig Jahre betrieben habe. Ich stehe dazu. Aber ich habe nur gesagt, was ich sagen wollte. Sonst habe ich das persönlich bereinigt.«

Skrodt weicht schnell wieder vom Persönlichen ins Allgemeine aus.

Trotzdem unterläuft ihm dabei ein Vergleich, der mich überrascht: »Jetzt ist es ja so: Alle, die jemals mit der Stasi zu tun hatten, sind Verbrecher. Alle anderen sind die Guten. Es ging darum, die Erscheinungsformen des Klassenkampfes im Griff zu behalten. Eine gewisse Sicherung nach innen ist erforderlich. Solche Kräfte wird es immer geben müssen.

Ich kenne *viele* Stasi-Mitarbeiter, das waren anständige, fleißige Leute, die hatten einen Zwölf-Stunden-Tag. Denn das Mfs hatte sich viele Dinge an Land gezogen, die eigentlich in den Bereich der Kripo gehört hätten. *Genauso wie die ss seinerzeit* hat das Mfs alle anderen Polizeikräfte als inkompetent betrachtet. Dadurch war einerseits der Apparat überfordert, andererseits wurde er immer größer. Die Aufblähung ist nur dem überspitzten Sicherheitsbedürfnis des Kleinen Erich zu verdanken – Erich Mielke.

Ich habe erst Jahre später mitgekriegt, was in der Sache Kaminski gelaufen ist. Das gehört aber dazu, daß der Normale das nicht übersieht. Das Institut, das ich damals leitete, wurde von T. betreut. So kam der Kontakt zustande. Ich habe Berichte nie verfaßt, weder auf Tonband gesprochen noch geschrieben. Die mußte sich der Ressortoffizier T. selber schreiben. Über Mitarbeiter bin ich nicht befragt worden. T. hat erwartet, daß ich ihn von mir aus informiere.«

Ich konfrontiere ihn mit einem weiteren Fall, in dem er als Spitzel auf einen leitenden Mann der Wirtschaft angesetzt wurde. Skrodt wird etwas genauer. Aber nur etwas: »*Ich war meistens im Wissenschaftsbereich tätig. Zum Beispiel in der Frage: die Teltower hatten Probleme mit der Reinstmetallherstellung. Ich sollte rausfinden, ob es notwendig war, das Reinstmetall zu importieren. War es notwendig, eine Hochbedampfungsanlage anzuschaffen?*« Ich bin froh, daß unser Gespräch jetzt endlich ein wenig handfester wird und Skrodt, wenn auch immer noch fintenreich den Rückzug ins Allgemeine suchend, millimeterweit den Vorhang lüpft, hinter dem er seine jahrzehntelange Spitzeltätigkeit gegen andere Bürger vor jedermann zu verstecken gewohnt ist.

Plötzlich klopft eine junge, sehr attraktive Frau an die Scheibe des Wohnzimmerfensters, lächelt, betritt gleich darauf vom Garten kommend das Wohnzimmer und setzt sich zu uns. Skrodt stellt mir seine Frau *Mandy* vor. Er läßt sich seinen Stolz nicht anmerken, mustert sie aber von Kopf bis Fuß.

Mandy erweckt den Eindruck, über mein Kommen und den Zweck meines Besuches unterrichtet zu sein. Wieviel wird sie wohl wissen? Alles? Jedenfalls läßt Skrodt sich nicht anmerken, ob ihm Mandys Auftauchen angenehm oder unangenehm ist. Ich spreche ihn auf eine Stasi-Operation an, in deren Verlauf er durch seinen Führungsoffizier

Werner gezielt auf einen Wissenschaftler angesetzt wurde. Skrodt fährt auf meine präzisierenden Rückfragen hin fort:

»Mir wurde gesagt: In Rathenow arbeitet der und der. Da gab es Probleme in der Entwicklungsgeschwindigkeit. Es bestand der Verdacht, daß die Entwicklung bewußt verzögert wird: Entweder ist er ein Agent, er ist antisozialistisch eingestellt oder er konnte fachlich inkompetent sein. Das konnte man ja nur ermitteln über jemanden wie mich. Wir gingen zur Kur und wurden dann zusammengelegt. Das Vertrauen ergab sich automatisch über die gegenseitige fachliche Kompetenz.«

Plötzlich unterbricht uns Mandy und wendet sich an ihren Ehemann: »Warum mußt du das jetzt machen? Ich versteh das nicht. Da gibt's genug andere. Du mußt nicht noch weitertraben in solcher Richtung. Warum mußt du dich noch weiter damit beschäftigen. Warum kann nicht Schluß sein?!« Sie steht auf.

Klug und selbstbewußt greift Mandy in unser Gespräch ein; sie sorgt sich, daß ihr Ehemann sich um Kopf und Kragen redet. Wer weiß, was ich mit meinen Informationen mache? Obwohl sie berlinert, wirkt sie nicht proletarisch, eher wie eine Angestellte.

Skrodt widerspricht ihr vorsichtig. Ich merke, daß er von ihrem Angriff und von dessen Heftigkeit überrascht ist. Er blickt vom Sessel aus zu ihr auf, nimmt zu einem zärtlich-bittenden Ton Zuflucht: »Ich beschäftige mich ja nicht mehr.«

Mandy: »Ich möchte das nicht. Ich möchte nicht, daß Du darüber sprichst. Mal muß Schluß sein.« Dabei klingt ihre Stimme, obwohl energisch, immer noch zärtlich und warm. Sie geht aus dem Zimmer, nicht beleidigt. Sie geht, um ihre Ablehnung zu demonstrieren. Es geht um etwas Grundsätzliches, um eine Haltung, die sie zu ihrer Ehe einnimmt. Mein Besuch bei Ihrem Mann muß etwas in Bewegung gebracht haben, aber was?

Skrodt bewahrt seine Fassung und bleibt sitzen. Seine Kaltblütigkeit beeindruckt mich: Dieser berechnende Mann war in der Tat eine Spitzenkraft für die Stasi. Ein Jäger im doppelten Sinne: »Ich kannte Kaminski. Wir waren alte Freunde.«

Das stimmt nicht. Als ich mit Kaminski über seinen damaligen Bekanntenkreis sprach, erwähnte er beiläufig, daß *in jener krisenhaften Zeit* Skrodt plötzlich auftauchte als ungeladener Gast auf einem Geburtstag. Skrodt war immer da, wenn etwas im Busch war. Skrodt hat sich gezielt und auftragsgemäß an Kaminski rangeschoben. Skrodt war geschickt und kaltblütig wie jetzt. Kaminski verdächtigt ihn bis heute nicht. Der Spitzel ist für ihn jemand anders aus seinem Bekanntenkreis. Merkwürdig, daß Skrodt mich hier über den Zeitpunkt und den Charakter seiner Freundschaft zu Kaminski täuscht. Er weiß doch, daß ich nicht unvorbereitet zu diesem Gespräch mit ihm komme. Seine Eitelkeit siegt über seine Raffinesse.

Er fährt fort: »Mir war die Geschichte so offeriert worden: Wir haben Sorgen mit Kaminski. Der Sohn ist weg über die Grenze. Prüfe doch mal. Kaminski spielt ja beim Aufbau des HOG (Havelländischen Obstbaugebietes) eine Rolle. Er war ja von Hause aus Weinbauer. Er hatte sehr intensive Kontakte mit ungarischen Weinbauern. Er baute den Wein auf seinen privaten Flächen an. Die tauschten Schößlinge. Ich kannte den Kalle schon lange und seine Haltung, die im Prinzip kritisch war, aber nicht konterrevolutionär. *Mir wurde gesagt, daß seine Haltung zu wirtschaftlichen Schäden führen könnte.*«

Mandy Skrodt kommt wieder rein und stellt sich neben den Sessel. Sie beobachtet uns einen Augenblick und unterbricht unser Gespräch erneut. Ihre Stimme ist gefühlvoll und eindringlich: »Ich habe dir gesagt, daß ich das nicht möchte. Der soll nach nebenan gehen zu Joachim Schalander. Der kann ihm viel mehr erzählen.«

»Darf ich Ihnen mal erzählen, was ich eigentlich vorhabe?«

Mandy: »Ich lasse mich auf keine Diskussion ein. Es gibt keinen Grund, darüber noch großartig zu schreiben.«

»Ich recherchiere für ein Buch und einen Film. Ich möchte dazu einfach die *Wahrheit* herausfinden.«

Mandy: »Dann sollen die das selber zum Ausdruck bringen, die das selber gemacht haben.«

»Aber Ihr Mann war ein ganz *hochkarätiger* Inoffizieller Mitarbeiter.«

Mandy: »Was soll dein Wissen noch großartig dazu beitragen! Kommst du mal bitte mit in die Küche?«

Skrodt erhebt sich etwas mühsam aus seinem Sessel – er hat sich gleich zu Beginn seiner Ehe ein Wirbelsäulenleiden zugezogen – und folgt Mandy in die Küche. Während der nächsten Viertelstunde höre ich Stimmen aus der Küche. Skrodt hat sich zwar nicht entschieden, mir die Wahrheit zu sagen, sondern spielt Katz und Maus mit mir, aber irgend etwas an unserem Gespräch ist ihm wichtig.

Ich möchte mich noch ein wenig näher an die Wahrheit herantasten. Der Konflikt zwischen Mandy, ihrem Mann und mir hilft mir dabei sogar. Wenn Skrodt mich gleich hinauswerfen wird, bleibe ich erstmal auf der Couch sitzen. Vor Leuten wie ihm hatten die Menschen hier immer Angst. Alle wußten, daß es Skrodts gibt, aber keiner kannte sie genau. Jetzt wird der Deckel abgenommen von der geheimnisvollen schwarzen Dose, und Skrodt muß mir dabei helfen.

Er kommt wieder herein. Wird er mich jetzt rausschmeißen? Der alte Fuchs lächelt. Plötzlich schießt mir durch den Kopf, an wen er mich erinnert: Der Mund, diese Lippen. Sogar die Haare. Er sieht aus wie

Edward G. Robinson, der amerikanische Schauspieler, berühmt für seine Darstellung von Figuren aus der schwarzen Serie, in »Little Caesar« (1930), »Blackmail« (Erpressung) 1940, »House of Strangers« (Blutsfeindschaft) 1972. 1973 veröffentlichte Robinson seine Memoiren unter dem Titel: »All my Yesterdays«. Darum geht es mir auch.

Ich frage ihn: »Wie war das mit Kaminski?«

»Ich bin gebeten worden, zu eruieren, ob mein Freund Kalle irgendwo schief anläuft. In dieser Hinsicht habe ich mir nichts vorzuwerfen. Natürlich, ich habe mit dieser Organisation zusammengearbeitet. Wäre jemand anders an Kalle herangebracht worden, dann hätte er Schwierigkeiten gekriegt. Ich habe dem Beargwöhnten sogar einen Dienst erwiesen. Ich persönlich bin der Meinung, daß ich dem Kalle durch meinen Einsatz geholfen habe.«

»Mein Freund Kaminski«, sagt er. Aber es war im Falle dieses hochkarätigen Spitzels natürlich umgekehrt: IMB Skrodt kannte Kaminski gar nicht, sondern hat sich im Auftrag seines Führungsoffiziers Werner, ganz wie es die Stasi-Richtlinie 1/79 vorschreibt, »unauffällig ins Blickfeld der zu bearbeitenden Person« Kaminski gebracht, zu ihm »Kontakt hergestellt« und sein »Vertrauen erworben«.

Mandy betritt wieder den Raum. Sie macht einen erneuten Versuch, unser Gespräch abzubrechen. »Es gibt keinen Grund, darüber noch zu reden. Das ist ein Minuspunkt, den man im persönlichen Leben hat.« Skrodt baut seine Rechtfertigung weiter aus: »Es wäre ein leichtes gewesen, in einem solchen Fall Verdachtsmomente zu konstruieren.« Er redet mit mir, adressiert seine Erklärung aber in zunehmendem Maße an seine Frau. Ich frage mich, was wohl der Grund dafür sein mag.

»Als Arbeit habe ich das ja nie betrachtet. Es war eine Aufgabe zur politischen Sicherung. Das war eine rein persönliche Verbindung, die hier eine Rolle spielt. *Das Risiko muß man eingehen, daß sich rausstellt, der Kalle ist ein Radieschen, außen rot, innen weiß.* Kalle war im Detail sehr kritisch. Kalle war ja auch schon sehr lange Parteimitglied. Ein Phänomen der Partei war die Erziehung zur Parteidisziplin. Sie bestand in der Intonation des Slogans ›Die Partei hat immer recht‹. Der Genosse muß seine eigene Meinung überprüfen, warum sie nicht übereinstimmt.«

»Ja schön. Aber was war denn nun der eigentliche Auftrag, den Sie Kalle Kaminski gegenüber hatten? Was sollten Sie für die Stasi aus ihm herauskriegen?«

»Das ist mit zwei Sätzen gar nicht gesagt. Ein bestimmtes Vertrauensverhältnis bestand zu dem, ich benutze mal Ihren Ausdruck, Führungsoffizier. Wir konnten nun auf der Basis einer Gemeinsamkeit zu einer bestimmten Einstellung Gespräche führen.«

»Ich möchte noch mal zurückkommen auf den Auftrag. Was sollten Sie herausfinden?«

»Werner verstand, die Geschichte so darzustellen: Du kennst ja den Kalle Kaminski gut, wie würdest Du den einschätzen? Wie erklärst Du Dir, daß sein Sohn verschwinden konnte? Wußte er davon? Hat er die Sache selber angeschoben? Mir ging es darum, zu klären, daß der Kalle die Flucht seines Sohnes selber initiiert haben könnte. Wie erklärst Du Dir die ungarischen Geschichten? Es ging um Beziehungen, die, persönlich gefärbt, sich dann betrieblich auswirkten. Es ging nur darum, Punkte, die ich bisher nicht sonderlich beachtet hatte, zu klären. Wenn ich eine Schwäche gesehen hätte, hätte ich versucht, sie selber zu korrigieren.«

»Sie geben an: Sie haben nichts Negatives über Herrn Kaminski herausgefunden. Das konnten Sie aber vorher nicht wissen. Oder?«

»*Das ist wie ein Skispringer, wenn er auf der Schanze steht, weiß er auch nicht, wie er unten ankommt.* Wenn ich den Verdacht gehabt hätte, daß private Dinge hier abgekocht werden sollen, wäre der Ofen aus gewesen. Hier bei Kaminski fühle ich mich jetzt 'n bißchen mißbraucht. Siegfried Marnier (Landwirtschaftssekretär der SED, Name geändert) war fachlich inkompetent. In der Bezirksleitung der SED war er auch nicht besonders geschätzt. Ich nehme an, nicht mal Werner wird gewußt haben, daß Marnier hinter der Geschichte stand.«

Mandy geht.

Die Antwort scheint mir eine Spur offener zu sein als Skrodts bisheriger Eiertanz. Vielleicht kommt doch noch ein richtiges Gespräch zwischen uns zustande? Ich wage einen neuen Vorstoß. »Sie haben sich ja einen ungewöhnlichen Decknamen gewählt.«

Skrodt mustert mich. Er wirkt betroffen. Mehr noch als Mandys Streit mit ihm trifft ihn diese Frage. Es schockiert ihn, daß ich weiß, *wie* konkret seine Verbindungen zur Stasi waren. Der Deckname ist wie ein Schlüssel zu seinen Geheimnissen. Zunächst vermutet er, daß ich bluffe. Er testet mich: »Welchen Decknamen meinen Sie?« Skrodt hat offenbar mehrere Decknamen gehabt. Ähnlich wie der Blaue Wolfgang Schnur.

»Wie sind Sie auf den Namen Altmärker gekommen?« Skrodt wird bleich. Er weicht zunächst aus. »Ich habe immer gesagt, laßt mich mit eurem Räuber- und Gendarm-Spiel in Ruhe.«

»Hat Ihr Deckname etwas mit ihrem Jagdrevier zu tun, mit dem Hegen des Wildes, daß man das Kranke vom Gesunden trennt?«

»In der Zeit hatte ich gerade wieder einen Löns bei den Ohren. Wenn Sie Löns kennen, er bildet Personennamen gerne nach Ortsnamen. Altmärker kommt von Altmark. Löns hat in seinen Romanen solche abgeleiteten Namen.«

Daß das völkische Heimatgeraune von Hermann Löns (1866–1914) ausgerechnet einem strammen Kommunisten die Anregung für seinen Decknamen gibt, verblüfft mich einen Augenblick.

Mandy kommt wieder rein.

Ich frage ihn: »Was hat Sie an der Arbeit für das MfS gereizt?«

»Es ist eine Mischung aus einer bestimmten Pflichtübung, keine Situationen entstehen zu lassen, die der von mir vertretenen Gesellschaft schaden.«

»Du redest immer noch mit ihm.«

Skrodt sieht die Situation streng rational: »Was für einen Sinn hätte es, ein begonnenes Gespräch nicht weiterzuführen?«

»Weil du zu weit gehst.«

Was meint sie damit? Warum will sie immer noch unser Gespräch abbrechen? Was steckt dahinter?

Skrodt berührt bittend Mandys Knie: »Ich habe keine Veranlassung, über diese Dinge nicht zu sprechen.«

Er redet mit mir, um mir sein Selbstverständnis zu demonstrieren: nicht als Stasi-Spitzel, sondern als Patriot möchte er erscheinen.

Mandy tritt aufgewühlt hinter ihren Sessel und schüttelt den Kopf: »Ich habe immer gedacht, wir beide vertrauen uns grenzenlos. Aber du erzählst ihm hier Dinge, die ich selber nicht weiß. Das ist ein Vertrauensbruch.«

Sie verläßt den Raum. Schlüssel klappern. Sie verläßt das Haus. Sie muß an die frische Luft. Skrodt bleibt äußerlich kühl wie ein Frontsoldat. Für Mandy hat sich hier ein Abgrund aufgetan. Sie hat entdeckt, daß dieser väterliche, gebildete Mann und hervorragende Wissenschaftler, mit dem sie verheiratet ist, noch eine andere Seite hat. Zwei Unwahrheiten hat sie entdeckt: Skrodt erzählt einem Buch- und Drehbuchautor intime Dinge, von denen sie nicht einmal die Spur einer Ahnung hatte. Und er erzählt sie so, als wäre gar nichts dabei. Aber warum hat er *ihr* dann nichts erzählt?

Dieser Konflikt ist typisch für die DDR: Ein ganzes Volk hat gelernt, in *zwei Sprachen* zu sprechen. In einer *offiziellen* und in einer *privaten*. Mandy merkt, daß der Bereich des Privaten, den sie mit ihrem Mann geteilt hat, kleiner war, als sie dachte.

»Ihre eigene Frau hat nicht gewußt, daß Sie bis zum Ende der SED-Herrschaft für die Stasi gearbeitet haben?«

»Wir sind erst seit zweieinhalb Jahren verheiratet. Die Frage entstand in dem Zusammenhang gar nicht.«

Natürlich, wie sollte Mandy auch nach etwas fragen, was sie erst durch meinen Besuch erfährt. Auch als Skrodts Führungsoffizier Werner mich anmeldete, hat Skrodt seiner Frau weniger als das Nötigste erzählt. Skrodt bleibt souverän.

Ich frage ihn, wie er von der Stasi angeworben wurde. Nach dem, was Werner erzählt hat, war auch etwas Druck im Spiel, weil er als SED-Mitglied außereheliche Verhältnisse zu anderen Frauen unterhielt. Die prüde Parteimoral machte ihn erpreßbar.

Skrodt weicht aus: »Das war allgemein bekannt bei mir. In dem Zusammenhang fällt mir ein Witz ein: Die Mädchen werden immer hübscher, die Röcke immer kürzer und die Partei immer strenger. Wie können wir diesen Antagonismus auflösen? Antwort: die illegale Arbeit verstärken.« Offenbar war tatsächlich *Druck* im Spiel bei Skrodts Anwerbung. Aber dieses Detail kann er schlecht mit seiner Selbstdarstellung mir gegenüber vereinbaren, andere Menschen nur aus *Überzeugung* bespitzelt zu haben. Der Täter möchte nicht Opfer sein.

Durch die vier Bohrungen des Jakkenknopfes wurde fotografiert. Der Fotoapparat befand sich unsichtbar in einem Container hinter dem Knopf. Der Apparat ist ein Produkt aus einer Spezialwerkstatt des KGB.

Der Fall Kaminski ist ein Beispiel für einen OV. Ein unbequemer Bürger wird mit Hilfe des Ministeriums, das sich die Sicherheit des Staates auf die Fahne geschrieben hat, ins berufliche Abseits befördert, ohne daß er es merkt. Die Stasi leitete gegen Kaminski einen Operativvorgang ein, obwohl ihm keine Straftat zur Last gelegt werden konnte. Dieser Fall ist leider keine Ausnahme. Was ist ein Operativvorgang?

● **OV: Operativvorgang – Das Ministerium schlägt zu und bricht die Verfassung, um dem Bürger Rechtsbrüche nachzuweisen.**

OV: die höchste und intensivste Form, in der das Stasi-Ministerium gegen Bürger vorging. Ziel war immer, *Beweise* für eine vermutete Straftat zu erarbeiten und die jeweilige Handlung zu unterbinden. Die streng geheime Richtlinie 1/76 des Ministerrats der DDR legte fest, wie, wann und wozu Personen in einem OV ausspioniert (»geheimdienstlich bearbeitet«) wurden und was danach mit ihnen geschehen sollte. Die Stasi-Offiziere nannten sie daher ihre Vorgangsrichtlinie.

Ein einzelner Offizier oder ein ganzes Referat dieser Behörde versuchte mit geheimdienstlichen Mitteln zu beweisen, daß ein Bürger gegen geltendes DDR-Recht verstößt.

Dazu wurden zum Beispiel

● Die Briefe des Bürgers geöffnet (Maßnahme »M«, Postkontrolle)

● man brach heimlich in seine Wohnung ein (vgl. Konspirative Wohnungsdurchsuchung durch die Abteilung VIII)

● beobachtete ihn heimlich (ebenfalls durch die Abteilung VIII)

● setzte Spitzel auf ihn an (Einsatz eines IM durch den federführenden Offizier)

● hörte sein Telefon ab (Maßnahme 26A)

● baute Wanzen in seine Wohnung ein (Maßnahme 26B)

● baute ein stecknadelkopfgroßes Video-Objektiv in seine Wohnung ein (Maßnahme 26D)

● fotografierte ihn heimlich (Maßnahme 26F)

● drückte ihn von seinem Arbeitsplatz weg (durch operative Spiele/Kombinationen)

● baute eine Wanze oder einen Peilsender in sein Auto ein

● man verleitete den Bürger zum Handeln und Reagieren durch operative Spiele/Kombinationen. Der Bürger sollte dazu gebracht werden, sich durch unbedachte Handlungen selber zu belasten oder entlasten. So wurde zum Beispiel bei einem Bürger unter Bruch der Verfassung der DDR eine Wanze eingebaut, anschließend wurde er offiziell zum Verhör zur Stasi bestellt. Ziel war, zu hören, was er zu Hause seiner Ehefrau oder möglichen Komplizen über die Vernehmung erzählte.

OV-**Abschlüsse**

Der Staat schloß die geheime Aktion gegen den oder die Bürger je nach Einzelfall und Ergebnis ihrer Ausforschung ganz unterschiedlich ab.

1. die Fachabteilung der Behörde *übergab ihre Ergebnisse an die Vernehmer* der Abteilung IX, der Bürger wurde zur Vernehmung vorgeladen oder gleich festgenommen, in ein stasi-eigenes Gefängnis gesteckt (Abteilung XIV) und jetzt offiziell durch die Stasi (Abt. IX) vernommen. Anschließend kam er vor ein ordentliches Gericht.

2. Begrenzung des politischen Schadens: Wenn der Leiter der Hauptabteilung oder der Minister fanden, daß politische Gründe dagegen sprachen, den Bürger festzunehmen, weil z. B. ein Staatsbesuch bevorstand, *wurde der Fall auf Eis gelegt und ein genehmerer Zeitpunkt abgewartet.*

3. Scheinwerbung: der Bürger wurde *zum Schein als Spitzel geworben*, um ihn besser unter Kontrolle zu bekommen.

4. Das Ministerium machte ihm zum *Doppelagenten.* Dieser Ausdruck wurde nicht benutzt; man sprach lieber von »Überwerbung«. Der Bürger wurde »überworben«, d. h. er arbeitete offiziell für den gegnerischen Geheimdienst, erkaufte sich aber seine Freiheit, indem er von jetzt an für die Stasi arbeitete. Er arbeitete von jetzt an also nur noch zum Schein mit dem westdeutschen BND zusammen.

5. *Scheinbare Überwerbung*: er wurde zum Schein geworben, um den steuernden gegnerischen Geheimdienst zu verunsichern, d. h. um diesem Geheimdienst zu zeigen, »wir sind an eurem Mann dran und wissen, was läuft.«

6. *Der Staat ruinierte den Ruf des Bürgers*: Gegen den Bürger wurde eine Indiskretion organisiert. Ziel war (entsprechend der geheimen Richtlinie 1/76 des Ministerrats der DDR) die »systematische Diskreditierung des öffentlichen Rufes, des Ansehens und des Prestiges auf der Grundlage miteinander verbundener, wahrer, überprüfbarer und diskreditierender sowie unwahrer, glaubhafter, nicht widerlegbarer und damit ebenfalls dikreditierender Angaben«.
Gegen den Bürger wurde ein Psycho-Krieg entfacht, ohne daß er wußte, warum. Bei Ausländern beispielsweise lancierte die Stasi Hinweise an deren Vorgesetzte.

7. *Der Staat verbaute die Karriere der Bürger*: Die »systematische Organisierung beruflicher und gesellschaftlicher Mißerfolge zur Untergrabung des Selbstvertrauens einzelner Personen« (Richtlinie 1/76). Die Stasi sprach heimlich mit den Vorgesetzten des Bürgers und sorgte dafür, daß er umgesetzt oder beruflich kaltgestellt wurde. Die Stasi nannte das »Herauslösen aus dem Beruf«.

8. Bei Ausländern verhängte die Stasi eine *Einreisesperre*

9. Die Behörde verweigerte ihr Jawort zum Studienwunsch oder zur angestrebten Leitungsfunktion des Bürgers, oder sie hinderte ihn daran, in einen bestimmten Betrieb einzutreten.

Es gab zahllose bestätigungspflichtige Positionen im Staat. So mußte zum Beispiel die Zustimmung der Stasi eingeholt werden, wenn jemand beruflich ins westliche Ausland reisen wollte.

10. Die Informationen über die Bürger wurden dem Zoll oder der Volkspolizei übergeben.

Teilweise rüstete die Behörde zur Bespitzelung der Bürger herkömmliche Kameras um. Das Objektiv befand sich hinter dem Adreßfenster der Tasche und war völlig unsichtbar.

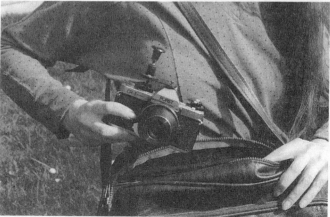

▌»Ich bin ein perfekter Einbrecher!«

Herbert Waigel ist groß, ein liebevoller Familienvater, freundlich, wirkt großzügig, warm, hat lockiges Haar, und die sanfte ruhige Ausstrahlung eines geduldigen Tüftlers. Er ist ein sympathischer Mann und ein perfekter Einbrecher, im Beruf kaltblütig und mit einer Lust an prickelnden Situationen. Panzerschränke öffnet er mit dem »Sputnik«, Kronenschlösser mit dem »T 54«. Während er mir sanft lächelnd erklärt, wie mein modernes Zeiss-Ikon-Zylinderschloß von innen aussieht, wieviele Kammern es hat, entriegelt er es unter meinen Augen mit dem »Schließbesen«, drückt die Zylinderstifte mit der Art Metallkamm unter den Kern, dreht den Rotor und öffnet es mühelos. Wir treten in meine Wohnung. Das Ganze hat 21 Sekunden gedauert. Kaum ein Schloß widersteht seinen geschickten Händen länger als 30 Sekunden. Hat er einen Schlüssel als Vorlage, dann fräst er mit seiner mobilen Drehbank in einer halben Minute einen Nachschlüssel. In 45 Minuten zaubert er noch vor Ort von fast jedem Schloß den Schlüssel nach, ohne dabei einen anderen Schlüssel als Vorlage zu benötigen. Herbert Waigel war Offizier der Stasi und zuständig für konspirative Wohnungsdurchsuchungen. Zum Schluß seiner Wohnungsdurchsuchung gab er über Funk seinen Kollegen, die draußen Schmiere standen, die Anweisung: »Bitte kratzen«. Die Schmiersteher kratzten an der Wohnungstür. Das war das markante Stasi-Signal, das sich von jedem zufälligen Klingeln oder Klopfen unterschied, und bedeutete: »Die Luft ist rein, ihr könnt rauskommen, kein Mieter des Hauses wird euch dabei sehen.«

Aus Berlin haben wir die Bombe kommen lassen.

In Riesa trafen sich in der Sakristei der Kirche am Marktplatz Leute, die uns interessierten. Wir wollten wissen, worüber die dort reden und hatten keinen Spitzel. Darum sollte in die Sakristei die »26« eingebaut werden, eine Wanze, damit wir ein Ohr drin hatten und mithören konnten. Aber in der Kirchentür war ein Koronaschloß westlicher Herkunft mit überlapptem Profil und unten geschwungen. Es wäre nur mit viel Zeitaufwand zu öffnen gewesen. Weil auf dem Marktplatz in Riesa zuviel los war, konnte ich das Schloß nicht »nachschließen«.
Darum haben wir aus Berlin die »Bombe« kommen lassen, *einen mobilen Röntgenapparat, mit dem die Berliner das Schloß der Kirchentür 15 Minuten lang geröntgt haben.* Dazu mußte der gesamte Marktplatz von Riesa mitten am Tage unter einer Legende abgesperrt werden. Spitzel und unsere Volkspolizei haben uns dabei geholfen, ohne daß wir sie in Einzelheiten eingeweiht haben. Die Berliner Spezialisten hielten die Bombe leicht schräg und haben das Schloß von außen durch die Tür hindurch durchleuchtet. Nicht einmal ich sollte ihnen dabei zusehen. Ich bekam eine Art Zahnarztröntgenbild und

konnte danach die Schlüssel fräsen. Das Schloß hatte verschiedene Stifthöhen. Das konnten nur die und die Schlüssel sein. Und sie haben sofort gepaßt. Wir sind nachts zur Ortsbesichtigung in die Kirche rein, um zu sehen, wo wir später die Wanze einbauen.

Für einen Wohnungseinbruch wie bei Kaminski gab es Durchführungsbestimmungen des Ministers.

Wir bekamen in der Abteilung VIII ein *Auftragsersuchen*, z.B. im Fall Kaminski von der Abteilung XVIII (Wirtschaft). Darin war festgelegt, was das Ziel unseres Einbruches war, z.B. eine Wanze einzubauen, oder festzustellen, ob Kaminski etwas von der Republikflucht seines Sohnes wußte, ob es Briefe darüber gab oder ob Kaminski geheime Verschlußsachen aus der Bezirksleitung der SED bei sich zu Hause aufbewahrte.

Bevor wir in die Wohnung eines DDR-Bürgers eingebrochen sind, haben wir ein *Aufklärungsprotokoll* geschrieben. Denn für unsere Wohnungseinbrüche gab es Durchführungsbestimmungen des Ministers, die alles bis ins Kleinste geregelt haben. In einem großen roten Buch, das wir uns alle durchlesen mußten, waren die Ministerbefehle für die Durchführung von konspirativen Maßnahmen festgehalten. Im Aufklärungsprotokoll haben wir die Wohnung beschrieben, in die wir einbrechen wollten. Kaminski wohnt in einem Einfamilienhaus. In den angrenzenden Häusern wohnen drei Mietparteien, die Objektperson Kaminski wohnt in der Mitte. Seine Haustür ist mit einem Einbauschloß und einer Zylindersicherung gesichert. Das obere Schloß läßt sich nicht nachschließen, daher ist ein Abdruck seines Schlüssels zu besorgen. Dazu haben wir mit einem Blauen eine Kombination gemacht bei der Objektperson Kaminski, zu Hause oder in seinem Betrieb und dazu dem Blauen einen Abdruckkasten gegeben, mit dem er für uns mal kurz Kaminskis Schlüssel gezuppt und abgedrückt hat. Ich habe nach dem Abdruck den Nachschlüssel gefräst. Der *vorgangsführende Mitarbeiter* und der Leiter der *konspirativen Maßnahmegruppe* der Abteilung VIII sprachen alles miteinander ab und erstellten einen *Sicherungsplan*, den der Abteilungsleiter unterschrieb. In dem Sicherungsplan stand: Welcher Mieter ist wo? Mit welcher Legende gehen wir rein in das Haus? Z.B. als Störungstrupp von der Post oder wegen Gasalarm. Wie wird das Ganze abgeblockt, wenn etwas passiert und die Maßnahme abgebrochen werden muß? Zum Beispiel mit einem Ausweis der Kriminalpolizei. Zu welcher Zeit durchsuchen wir die Wohnung?

Kaminski mußte gebunden werden.
Damit wir nicht entdeckt wurden, haben wir hohe Anforderungen an die Sicherheit gestellt: die Objektperson mußte *gebunden* werden, z. B. ein IMB hat Kaminski zu sich nach Hause eingeladen und sich mit ihm so lange unterhalten, bis wir seine Wohnung durchsucht hatten, oder wir haben ihn auf eine Behörde bestellt. Die Nachbarhäuser mußten frei sein oder die Personen dort mußten ebenfalls unter Legende gebunden werden. Neben Kaminski wohnte eine Rentnerin, die wir nicht aus ihrer Wohnung rausholen konnten, sie wurde von einem angeblichen Kriminalbeamten in ein Gespräch über einen angeblichen Diebstahl verwickelt und war froh, daß sie jemanden zum Reden hatte. Dazu hatten wir kontaktfreudige Spezialisten, die das schon jahrelang machten und die die Leute, wenn es sein mußte, stundenlang in Gespräche verwickeln konnten.

Wenn wir abgeklingelt hatten und die Etage, in der wir einbrechen wollten, frei war, also niemand auf unser Klingeln geöffnet hatte, postierten sich eine halbe Treppe höher und eine tiefer *Sicherungsposten*, um plötzlich auftauchende Personen zu blockieren.

In meinen Werkzeugtaschen hatte ich schön geordnet in einzelnen Taschen jede Menge *Spezialwerkzeug* dabei: Kleines Schließzeug für Kassetten und Schränke, Sperrhaken für Vorhängeschlösser und alte Türen. Es gab nichts, was mir im Wege stand. Während ich schloß, hielt mein Kollege Zimmermann das Werkzeug. Jeder Handgriff ist gelernt, das geht ruckzuck. Wir waren gut geschult.

Hatte ich die Tür geöffnet, das dauerte so 20 bis 25 Sekunden, dann sicherte mein Kollege die Tür von innen mit einer unsichtbaren Schloßsicherung, so daß der Wohnungsinhaber seine Tür von außen nicht aufschließen konnte. Es mußte laut Dienstanweisung unseres Ministers gewährleistet werden, daß während der Maßnahme niemand herein konnte. Unterdessen ging ich in die Wohnung und sah nach, ob alle Zimmer leer waren.

Wir durchsuchten Kaminskis Wohnung arbeitsteilig: »Du fängst hier an, ich fange dort an.« Wir hatten in der Nähe unter einer Legende eine Wohnung belegt, die wir als *Stützpunkt* nutzten. Manchmal konnten sich die Mieter denken, daß wir nebenan einbrachen, manchmal wußten sie es, manchmal waren sie ahnungslos. Ohne die Duldung der DDR-Bürger wäre unsere Arbeit nicht möglich gewesen. Unsere Rückrufe gingen alle in den Stützpunkt zum Leiter der Sicherungsgruppe und zum Leiter der Maßnahmegruppe. Sie konnten von hier aus über Funk den Abbruch der Maßnahme anordnen.

Zunächst habe ich mit einer Polaroidkamera eine *Übersichtsaufnahme* gemacht, damit, nachdem wir alles durchsucht hatten, alles wieder an seinen Platz kam. Was uns interessierte an Dokumenten und Gegenständen (z. B. Wertsachen westlicher Herkunft) haben wir mit einem hochempfindlichen 55DIN Film und gemindertem Blitzlicht fotografiert. Nachts sind wir dazu in den Korridor gegangen. Das Gerät läßt sich aufklappen, die 17m-Kassette reicht für 400 bis 500 Bilder im Halbformat. Mit unseren weißen Stoffhandschuhen haben wir nur gearbeitet, wenn die Objektperson im Verdacht stand, für einen Geheimdienst zu arbeiten, also fast nie.

Kaminski hatte einen Jagdhund in der Wohnung, mit dem hatten wir aber keine Probleme. Denn wir haben ihm ein tierärztliches Spray, ein leichtes Betäubungsmittel, auf die Nase gesprüht, so daß er ruhig blieb und gleich wieder abhaute. Leider bewahrte Kaminski seine Briefe in einem stark verstaubten Koffer auf, so daß wir dort nicht rankonnten: Denn unser Grundsatz war: Konspiration hat Vorrang, also keine Durchsuchung auf stark verstaubten Dingen.

Die staatliche Behörde betätigte sich als Einbrecher. Spitzel erhielten diesen Schlüsselabdruckkasten, um von den Schlüsseln ihrer Nachbarn, Kollegen und Freunde Abdrucke zu besorgen, sofern sich der Staat für sie interessierte.

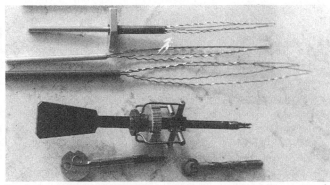

Spezialisten entriegelten mit diesen Schließbesen die Schlösser. Mit dem »T 54« wurden Kronenschlösser geöffnet. Westliche Geheimdienste benutzen ähnliche Werkzeuge.

**KW: Konspirative Wohnungsdurchsuchung.
Das Ministerium als Einbrecherbande**

Zu welchem Zweck brach die Behörde heimlich in Wohnungen ein?
1. Um eine Bespitzelung mit technischen Mitteln vorzubereiten:
● Um festzulegen, wo Wanzen installiert werden sollten, und wenn sie keinen Spitzel hatte, der ihr dazu Auskunft geben konnte.
● Um festzulegen, wo eine Kamera installiert werden sollte, wenn die Stasi den Bürger optisch beobachten wollte (Maßnahme D).
2. Um den Bürger mit technischen Mitteln zu bespitzeln:
● Um Wanzen einzubauen, sofern sie nicht von außerhalb der Wohnung installiert werden konnten.
● Um zu kontrollieren, ob beim Anbohren der Wände, von der Nachbarwohnung aus, verdächtige Spuren entstanden sind, z. B. Putz heruntergefallen ist (Maßnahme D)
● Um Präparationen anzubringen: Mittel zur Unterstützung von Fährtenhundeinsätzen, um Schriftgut mit geheimen Substanzen zu kennzeichnen, damit es sich besser auffinden ließ, wenn es aus der Wohnung gebracht und zum Beispiel über die Grenze geschmuggelt wurde.
3. Um Beweise zu sichern:
● Um Verstecke zu suchen, wo Geheimschriftmittel, Waffen, Funkgeräte heimlich aufbewahrt sind, um diese dann bei einer offiziellen Durchsuchung schneller zu finden.
● Um Beweismaterial für vermutete Straftaten zu finden. Der staatliche Einbruch als Mittel der Beweissicherung hatte zwar keine Beweiskraft, ging aber oft der offiziellen Hausdurchsuchung voraus.
Der Stasi-Chef mußte den Einbruch vorschriftsmäßig genehmigen:
Der Offizier der Fachabteilung erarbeitete einen *Vorschlag* für die konspirative Wohnungsdurchsuchung: Anlaß, Ziel, *Sicherungsplan*. Der BV-Chef und der Stellvertreter ›Operativ‹, der Hauptabteilungsleiter und sein Stellvertreter unterschrieben ihn.
Anlässe waren: Operatives Ausgangsmaterial, noch weit im Vorfeld eines möglichen Verdachtes, eine operative Personenkontrolle (OPK, vgl. Kasten), ein Operativ-Vorgang (OV; vgl. Kasten).
Gründe waren *Spionage*, politisch *Andersdenkende* (wer steht z.B. in seinem Adreßbuch?), *Wirtschaftsvergehen*, unerwünschte Tätigkeit im *Umweltschutz*, Antiquitätenschmuggel, Raub, Brandstiftung, Verbindung zu Westbürgern, Hinweise auf Flucht, Ausreiseantrag, Feststellen von Geräuschen, wo hält sich die Person häufig auf, dort zielgerichtet durchsuchen.

Einbruchsbeteiligte:

Die operativen *Offiziere* der Fachabteilungen und *Spezialisten*, z. B. Schließtechniker. Zu beachten war, daß immer ein Fachmann dabei sein mußte, der sich mit dem gesuchten Gegenstand auskannte, d. h. bei staatsfeindlicher Hetze Spezialisten der Abteilung XX, bei Spionage Leute der Abt. II. Wurde die Wohnung eines Spitzels durchsucht, war der »IM-führende Mitarbeiter« dabei.

Auftraggeber für Einbrüche waren meist die Abteilungen II, VI, XVIII, XIX, XX.

So arbeiteten die Stasi-Einbrecher:

● Die Wohnung wurde vorher aufgeklärt, entweder durch Spitzel oder, indem eine gleichartige Wohnung besichtigt wurde. Oder die Stasi verschaffte sich legendiert Zutritt zur Wohnung (»Guten Morgen, wir sind von der Post.«)

● Der Fachoffizier hatte einen Plan entwickelt, um Nachbarn zu binden, damit niemand die Einbrecher störte oder überraschte. Dazu wurden auch Kombinationen angewendet und zum Teil ganze Häuser unter einem Vorwand geräumt. Legenden waren dabei: Bombenfund, Bombendrohung, Nachbarn wurden zum Röntgen bestellt zu einem Arzt, der ebenfalls Spitzel war. Oder Nachbarn wurden zu Behörden vorgeladen, zur Polizei, Rentenstelle. Gasalarm: Dazu hatte sich die Stasi aus den Leuna-Werken den Geruchsstoff besorgt, der dem Leuchtgas beigemengt wird. Ein Stasi-Mitarbeiter versprühte den Stoff im Haus. Anschließend rückten die als Havariedienst und Volkspolizei verkleideten Stasi-Einbrecher an. Die Stasi organisierte sogar Rentnerausflüge durch die Volkssolidarität, um in Ruhe in eine bestimmte Wohnung einbrechen zu können. Sie verschaffte ihrem Opfer unter Umständen eine Ferien- oder Dienstreise, um in Ruhe eine Wanze einbauen zu können. Die Behörde brach auch im Stil ganz gewöhnlicher Einbrecher in einen Bungalow ein.

● Der Wohnungsinhaber wurde »operativ gebunden«, solange der Einbruch dauerte.

● Das Einbrecherteam hatte einen Polaroid-Fotoapparat dabei, mit der vor Beginn der Durchsuchung Übersichtsbilder gefertigt wurden, um nach Beendigung des Einbruchs hundertprozentig den alten Zustand wiederherzustellen.

● Was den Geheimdienst besonders interessierte, wurde fotografiert.

● Nach dem Einbruch kontrollierte die Stasi, oft mit Hilfe von Spitzeln, ob jemand etwas bemerkt hatte. Wurden Wanzen eingebaut, achtete der Abhörspezialist darauf, ob die Einbrecher dekonspiriert worden waren.

In die Wohnung eines Bürgers einzubrechen und sie konspirativ zu durchsuchen, ist *außerordentlich aufwendig*. Die konspirative Wohnungsdurchsuchung ist immer Teil einer umfassenderen geheimdienstlichen Ausforschung. Beispiel:

Oft wurden Bürger zur Vernehmung bestellt, zum MfS, zur VP oder Kripo. Die Stasi wollte sehen, wie der Bürger darauf reagiert und hatte ihm eine Wanze eingebaut. Anschließend hörte die Stasi über die Wanze mit, wie der Bürger zu Hause gegenüber seinem Ehepartner die Vernehmung kommentierte, was er zum Beispiel dort *nicht* gesagt hatte. Der Einbau der Wanze und die Vernehmung waren also Bestandteil einer geheimdienstlichen *Kombination*: Die Stasi löste beim Bürger Aktivitäten aus, die ihr neue Erkenntnisse über ihn brachten. Seine Akte wurde dicker.

Die konspirative Wohnungsdurchsuchung ist nicht Stasi-spezifisch, sondern wird auch von westlichen Geheimdiensten angewandt. Beispiele zeigen: Überall, wo Geheimdienste arbeiten, brechen sie immer wieder auch die Verfassung.

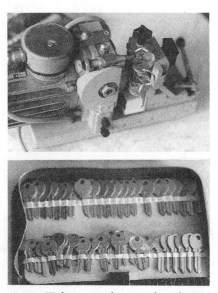

Brach der Staat in eine Wohnung ein, besorgte ihm oft ein Nachbar, der als Spitzel mit dem MfS zusammenarbeitete, für einige Minuten den Wohnungsschlüssel des betroffenen Bürgers. Die staatlichen Einbrecher hatten Rohlinge für sämtliche Schloßtypen dabei und eine mobile Schlüsselfräse, so daß sie in der Wohnung direkt nach dem Original einen Nachschlüssel fräsen konnten.

»Ich bin eigentlich doch irgendwo ehrlich gewesen.«
Der Top-Spitzel mit festem Gehalt und Rente

Klaus war ein IMB. Er kannte sie alle, die DDR-Oppositionellen, und war mit ihnen befreundet oder gut bekannt: Ralf Hirsch, Bärbel Bohley, Stefan Krawczyk, Gerd Poppe. Die Liste ist endlos. Seine Wohnung war für viele eine *Anlaufstelle*. Wenn Klaus sie zum Essen und Trinken einlud, zahlte in Wahrheit die Stasi die Zeche. Die kleinen Spitzel vom Typ IMS liefern zu. Auf der allerhöchsten Ebene ist die Tätigkeit eines Spitzels immer *ein Geben und Nehmen*. Ihm selber war seine hochkarätige Rolle angeblich wenig bewußt. Seine Stasi-Offiziere beschreiben ihn als skrupellos und raffiniert und außergewöhnlich ergiebig. Er selber sieht sich nicht so. So war Klaus aktiver Bestandteil der Opposition, hielt Vorträge und arbeitete an Zeitschriften mit. Die Stasi zahlte ihm dafür ein festes Gehalt. Keiner der Offiziere hätte seinen Platz einnehmen können. Er ist in der Oppositionsbewegung *groß geworden*, das hat ihn unersetzlich gemacht. Das, was er an psychischen und geistigen Anstrengungen unternommen hat, um Teil der Opposition zu werden, hat ihn für die Stasi immer wertvoller werden lassen. Jetzt blickt Klaus auf sein Leben zurück. Mehr als die Hälfte davon steht unter dem Zeichen des Judas.

Stasi-Offiziere berichten, er selber habe sie darum gebeten, bei ihm eine Wanze einzubauen, weil er sich unmöglich noch alles merken könne, was in seiner Wohnung gesprochen werde. Er und einer seiner vielen Führungsoffiziere streiten das allerdings ab. Schließlich hat er es mit einer List doch geschafft und rechtzeitig noch vor der Wende die Stasi davon überzeugen können, daß er nicht mehr weitermachen könne. Klaus ist aus eigener Kraft ausgestiegen.

Nur *Mutter* weiß, daß ich für die Stasi tätig war.
Als die Stasi mich anwarb, war ich sechzehn Jahre alt, heute bin ich dreiundvierzig, und für mich ist alles sehr kompliziert jetzt. Denn ich lebe natürlich in einer ungeheuren Angst. Einerseits habe ich *Angst vor meinen Freunden*, Angst, sie könnten sich von mir abwenden, wenn offenbar wird, daß ich sie jahrzehntelang bespitzelt und verraten habe. Noch größer ist meine *Angst vor diesen Stasi-Leuten*; denn ich bin immer noch erpreßbar; sie haben mich in der Hand. Die Stasi ist für mich mit das Scheußlichste, was es gibt. Ich habe in dem Verein mitgearbeitet, dadurch ist meine Angst entstanden. Sie ist da, steckt in mir drin und macht mich einsam inmitten all der vielen Menschen, mit denen ich zusammen bin.

Nur *Mutter* weiß, daß ich für die Stasi tätig war. Nach zehn Jahren hab ich es ihr zu Ostern erzählt. Es lastet auf der Brust und ist nicht auszuhalten. Heute spreche ich zum ersten Mal mit einem Menschen über das, was ich jahrelang mit mir rumschleppe. Ein Freund aus Rügen hat sich offenbart, und alle haben sich von ihm abgewandt. *Angenommen, das platzt bei mir und alles wendet sich ab, dann lebe ich nicht mehr lange,* weil ich Tag und Nacht mit den Menschen gelebt habe, über die ich Berichte geschrieben habe.

Ich habe mich im Laufe der Jahrzehnte, die ich für die Stasi gearbeitet habe, gewandelt, gewehrt und versucht, dagegen anzugehen. *Aber da waren immer meine Gedanken, meine Entschuldigungen, mein Mich-selber-Streicheln, mein Mich-Selber-Belügen.* Ich wußte, daß ich mich belog in manchen Dingen. In manchen wußte ich es auch nicht. Ein Dachdeckerkollege würde mich übern Tisch ziehen, mir 'n paar einschenken und dann wäre Ruhe. Damit ist mir nicht geholfen. Und dem auch nicht. Nachts wache ich schweißgebadet auf. Ich bin zerrissen, ich fühle mich als Täter, aber auch als Opfer.

Mit dreizehn Jahren las ich Spionageliteratur, mit sechzehn wurde ich Spitzel.

Ich komme aus einem Elternhaus, in dem ich ziemlich rot erzogen worden bin. Mein Vater ist Lehrer und SED-Mitglied, Parteisekretär. Ich hänge sehr an meiner Mutter. Sie ist für mich immer noch der wichtigste Mensch in meinem Leben. Schon in meiner Kindheit reichte die Literatur von Ernst Thälmann bis eben auch zur Tscheka, dem sowjetischen Geheimdienst. Der Geheimdienst hat mich schon immer beeindruckt. Aber damals war auch Jerry Cotton für mich ein Held. Mit dreizehn Jahren las ich Spionageliteratur, mit sechzehn wurde ich Spitzel.

Ich war Lehrling, Dachdeckerlehrling. Eines Tages kam ein Mann auf die Baustelle. Ich war damals in Kreisen drin, die nicht so beliebt waren: Langhaarige. Es war die Rolling-Stones- und Beatles-Zeit. Im Wohnbezirk war ich auch nicht sehr beliebt. Der Mann hat mich unter Druck gesetzt: Ich sollte für die Stasi arbeiten. Aber er brauchte mich nicht sehr unter Druck zu setzen; denn ich war ziemlich willig. Was ich über Spione im Film gesehen und an Büchern gelesen habe, fand ich toll. Darum hatte die Staatssicherheit für mich nichts Schlimmes. Mein erster Auftrag war, einen jungen Mann zu überprüfen, der etwas mit Funk zu tun hatte, einen DXer. Ich sollte herauskriegen, mit wem der Kontakt hatte. Der Stasi-Offizier hat mir die Adresse gegeben, mich in die Nähe gefahren, und da bin ich hin.

Ich habe der Stasi über meine eigenen *Kollegen* berichtet, wie sie dachten, und meine jugendlichen *Kumpels,* mit denen ich zusammen war, ob sie etwas gegen den Staat machten. Diese Art von Überprüfung oder Überwachung meiner Kameraden und später meiner Freunde habe ich bis zuletzt gemacht. Es waren Kumpels, keine

Freunde, die ich bespitzelt habe, ich hatte früher eigentlich nie Freunde gehabt. Meine Kumpels damals waren Typen, die lange Haare trugen, nicht arbeiteten und trotzdem Geld hatten: Das imponierte mir; eigentlich hatten die alles, was ich nicht durfte, weil meine Mutter es mir verbot. Biermann hat einen guten Satz dafür gehabt: Was verboten ist, macht uns gerade scharf. Langsam ging es dann los, daß ich mir auch die Haare habe wachsen lassen.

Mit Egon, meinem Führungsoffizier, habe ich mich meistens im Auto getroffen. Das ging alles ziemlich lax: Die Chargen, Leutnants und Oberleutnants, kamen oft angetrunken zum Treff. Ich bin zu Egon ins Auto, die Berichte habe ich ihm ins Tonband diktiert. Damals jedenfalls habe ich mir wirklich eingebildet, daß Spitzeltätigkeit richtig ist, daß der Staat wissen muß, was in seinem Lande los ist. Schon damals habe ich Geld bekommen, aber wenig; mal zwanzig Mark, mal fünfundzwanzig Mark.

Weil ich ein guter Kugelstoßer und Hammerwerfer war, bin ich zum Leistungszentrum delegiert worden, und zwar ohne Hilfe dieser Leute von der Stasi. 1970 bin ich zur Armee gekommen, zu den Grenztruppen nach Berlin. Wieder war ich Spitzel: Ich hatte zu überwachen, wer abhauen könnte. Ins Herz gucken konnte man keinem, aber ich habe der Stasi Tips gegeben. Die Führungsoffiziere haben nicht konkret gefragt, will der abhauen, sondern es ging darum: Wer hört Westsender, wer schreibt sich mit Bekannten im Westen? Ich habe zu der Zeit geglaubt, das ist richtig, und viele Bücher über die Tscheka und andere Geheimdienste gelesen. In den Romanen kam es nicht vor, daß der Held einen Kollegen bespitzelt hat, weil er Westsender hörte, aber ähnliche Dinge. Bei der Armee habe ich für meine Spitzeltätigkeit kein Geld bekommen.

Es war wie ein Pakt mit dem Teufel.
Um meinen Lebensweg haben die Stasi-Genossen sich nicht viel gekümmert. Nicht einmal meine Dachdeckerlehre habe ich beendet. So egal war ihnen das, daß sie mit mir darüber kein Wort geredet haben. Nach der Armeezeit habe ich eine Wohnung bekommen, die für viele Leute ein Konzentrationspunkt wurde. Ich hatte damals eine glückliche Zeit, in der ich fast zwei Jahre raus war aus dem Spitzelgeschäft und vom Ministerium nichts gehört habe.

1975, ich war damals bei der Reichsbahn, ereignete sich ein Vorfall, der mein Leben veränderte. Ich war in einer Kneipe, es gab Theater mit einem Mann, der mit einer Frau nach Hause wollte. Die Frau bat mich, ich solle ihn zurückhalten. Darum habe ich ihn verprügelt. Als ich in der Gerichtsverhandlung zu neun Monaten Freiheitsentzug verurteilt wurde, habe ich mich an Egon von der Stasi gewandt, mit der

Bitte, ob da was zu machen wäre, und habe Bewährung gekriegt. Von dem Tage an hatte die Behörde mich wieder in der Hand. Es war wie ein Pakt mit dem Teufel.

Egon wollte viel wissen: *Was machen die Leute*, z.B. die Tramper? Wo ist jetzt ein Festival, ein informelles Treffen? In Stralsund, in Rostock? Wer ist mit wem sehr oft zusammen? Ich half der Stasi mit meinen Informationen, Bewegungsprofile zu erstellen: Es taucht der Müller dann und dann auf. Diese Person taucht wieder auf in Hiddensee und dann wieder in Berlin.

Im Frühling waren meistens *Pfingsttreffen*. In der Zeit habe ich Geburtstag, und wir haben große Feten gefeiert, um Leute mit langen Haaren usw. davon abzuhalten, am offiziellen Pfingsttreffen der FDJ teilzunehmen. Die Stasi hat die Fete finanziert mit Bier, Brot und Wein und Lammkoteletts und wollte im Anschluß daran detailliert wissen: »Was für Gespräche sind gelaufen?« Immer wenn mehrere Leute zusammen waren, hat die Stasi vermutet, es werde eine Konterrevolution ausgeheckt, das zog sich wie ein roter Faden hin. Natürlich wurde nie so etwas beredet, und manchmal saß ich dort in der konspirativen Wohnung beim Treff und konnte denen wirklich nichts erzählen, weil nur über Frauen, Fußball und Musik gesprochen worden war. Politisch wurde meistens geredet über Vorfälle in den Städten, Übergriffe von Polizei und Stasi, die nicht in den Zeitungen standen. Die Stasi ließ sich von mir über ihre eigenen Aktionen und die Meinung der Leute dazu berichten.

Später verschaffte sie mir ein *fingiertes Arbeitsverhältnis* bei Leuna, wo ich nie gearbeitet habe, und ich bekam offiziell von den Leuna-Werken im Monat 500 Mark. Es ließ sich gut damit leben, das will ich gar nicht verschweigen. Im Laufe der Jahre steigerte sich mein Gehalt, so daß ich nie arbeiten zu gehen brauchte. Heute noch denken meine Kumpels, das Geld kam von meinen Eltern.

Ab 1975/76 bin ich in andere Kreise reingekommen, aber ohne Auftrag. Es kam einfach eine andere Qualität von Leuten zu mir.

Ich habe Künstler bespitzelt, die ich wirklich sympathisch finde.
Ich bin in eine Kneipe geraten, in der viele Künstler und Intellektuelle verkehrten. Über die Leute wollte die Stasi *alles* wissen: An was für Projekten arbeiten sie? Mit wem treffen sie sich? Wer hat mit wem was zu tun? Und alles das habe ich preisgegeben. Allerdings hat mich der Umgang mit den Künstlern, die ich dort kennengelernt habe, verändert, durch sie habe ich angefangen nachzudenken. Ich entwickelte tiefere Beziehungen zu diesen Menschen, nicht nur Sympathien, richtige Nähe. *Es war für mich furchtbar, sie zu mögen, bei ihnen am Tisch zu sitzen und der Stasi Informationen über sie zu liefern.* Ich

wußte, daß meine Spitzelberichte dazu verwendet wurden, die Leute zu gängeln und zu unterdrücken. Ich habe ja mitbekommen, was mit Biermann und seinen Nachfolgern passiert ist.

Aus Angst habe ich nicht aufgehört. Als ich die Schnauze voll hatte, habe ich eines Tages einen Zettel bei mir an die Tür geheftet: Besucht mich nicht mehr, MdI und Mfs sollen mich in Ruhe lassen. Danach das war Wahnsinn, drei Tage lang Verhöre durch die Stasi im Büro vom ABV wegen meiner Glaubwürdigkeit. »Wenn du nicht spurst, fährst du ein«, meinte der Vernehmer. Da wurde der Zwiespalt größer.

Mitte der achtziger Jahre hatte ich dann richtig tiefe Freundschaften mit den Leuten und *immer die Angst in mir drin, mich anzuvertrauen*. Ich hab einen Freund in Berlin, da ist 1983 rausgekommen, daß er mit der Stasi was zu tun hatte. Von dem haben sich alle abgewandt. Dieses Bild hatte ich immer vor mir.

Als Ausweg habe ich mir vorgenommen zu tun, was in meiner Möglichkeit steht: *Dabei zu sein als Spitzel* und trotzdem *was zu tun* und zu schützen und zu helfen. Ich glaube, daß die Stasi mit vielen Informationen von mir nichts anfangen konnte. Als ein prominentes Mitglied der *Initiative Frieden und Menschenrechte* mich anrief und mich mit einem Journalisten besuchen wollte, sollte eine Abhöranlage bei mir eingebaut werden, wogegen ich mich strikt verwahrt habe. Ich habe ihnen ganz klar gesagt, es geht nicht mehr weiter. Daraufhin hat die Stasi mir mißtraut.

Das Verrückte war, ich habe mir immer selber ausgesucht, was zu »machen« war. Die haben mir nicht gesagt: Klaus, du mußt das und das machen. Im Gegenteil, die Stasi wollte mich aus vielem raushalten, weil es auch für sie zu gefährlich wurde, daß ich auf der einen Seite *für die Staatssicherheit* arbeitete und auf der anderen Seite zum *Konterrevolutionär* heranwuchs.

Ich habe einen *riesigen Bekanntenkreis*. Das war für mich auch ein gewisser Schutz. Wenn ich einen Anruf aus Westberlin bekam: »Klaus, da kommt ein Journalist aus Frankreich und wird dich besuchen«, dann habe ich natürlich der Stasi gemeldet, daß ich mich mit dem treffen soll. Das haben die Führungsoffiziere mir untersagt, ich habe mich trotzdem getroffen.

In der Friedensbewegung habe ich selber nichts mit angefaßt, sondern den Stasi-Genossen immer erzählt: »In der und der Gruppe herrscht Mißtrauen, ich könnte ein Spitzel sein.« *Als ich in eine Friedensgruppe lanciert werden sollte*, habe ich sofort erstmal von mir aus einen Streit vom Zaun gebrochen mit den führenden Leuten dieses Kreises und sie mir richtiggehend zu Feinden gemacht, weil ich da nicht rein wollte. In einer *Kircheninitiative* sollte ich wiederum *nicht* mitmachen. Da habe ich aber mitgemacht.

Stefan Krawczyk und Freya Klier habe ich wirklich sehr gerne.
Klaus geht innerlich mehr und mehr in Opposition zur Stasi. Sein Führungsoffizier hat mir erzählt, daß er Ärger mit dem General bekam, weil Klaus zu aktiv wurde. Bezeichnend ist, daß Klaus von den Streitereien, die seine Aktivitäten auslösen, nichts mitbekommt. Er wundert sich nicht, als er von der Kreisdienststelle an die Bezirksverwaltung abgegeben und seitdem direkt von dort geführt wird. Dabei zeigt dieser Wechsel deutlicher als alles andere: Klaus war einer der wichtigsten Spitzel der Stasi. Bei ihm war durch die vielen Kontakte, über die er berichtete, so viel abzuschöpfen, daß seine kleinen Verweigerungen nicht mehr ins Gewicht fielen. Nicht zeitweilige Haltungen zählen, sondern Ergebnisse.

Wir hatten einen *politischen Arbeitskreis*, sehr zum Ärger der Bezirksverwaltung, weil meine Freundin und ich den selber ins Leben gerufen haben. In unserer Stadt gibt es ein großes, traditionelles Volksfest. Die Mitglieder des Arbeitskreises wollten dort hin und öffentlich politisch auftreten. Ich hab gesagt: »Nee, wir machen das nicht. Wir müssen auch an die Frauen denken.«
Denn in unseren Arbeitskreis kamen viele Leute, die die Gefährlichkeit der Stasi nicht kannten und gar keine Ahnung hatten, was passieren könnte. An dem Tag, für den die Aktion geplant war, »holte« die Stasi alle Arbeitskreismitglieder aus ihren Wohnungen und verhörte sie, mich ebenfalls.
Unmittelbar nach diesem Konflikt wurde ich von der Kreisdienststelle an die Bezirksverwaltung übergeben. Vorher hab ich meine Führungsoffiziere alle vierzehn Tage bis drei Wochen getroffen und ihnen meine Spitzelberichte geliefert. Danach fanden die Treffen schon wöchentlich statt. Es kamen auch immer mal Offiziere aus der Hauptverwaltung in der Normannenstraße mit zum Treff.
Da ich nun einmal in dem Arbeitskreis mit drin hing, wollten sie natürlich auch Spitzelberichte von mir haben: Wer kommt alles? Was für Leute sind das? In welchem Alter? Welche Namen? Wer hat was gemacht? Ich habe versucht, ihnen nicht alles zu erzählen. Die Stasi konnte nicht wissen, ob ich früh bis um fünfe mit Gerd Poppe diskutiert habe, oder sie hätten es mir beweisen müssen. Ich habe Gefühle.
Trotz dieser Tätigkeit bei diesem Verein habe ich Menschen auch lieb gewonnen. Auch den Stefan Krawczyk und die Freya Klier, die habe ich wirklich sehr gerne. Aber ich habe niemanden. Ich kann mich *denen* nicht anvertrauen. Und die Stasi liebe ich auch nicht.
Mit den Führungsoffizieren traf ich mich in verschiedenen konspirativen Wohnungen. Die eine gehörte Leuten, die im Fernen Osten arbeiteten. Die andere befand sich in einem Hochhaus, war komplett eingerichtet, wurde aber nur von der Stasi benutzt. Wenn ich dort donnerstags, meistens um elf oder zwölf Uhr, zum Treff gegangen

bin, dann mit Widerwillen. Kam zusätzlich ein Treff dazwischen, haben sie mich angerufen. Ich bin mit dem Auto hingefahren und mit dem Fahrstuhl hoch. Mein Führungsoffizier Ullmann war schon da, manchmal mußte ich auch eine Viertelstunde auf ihn warten. Als *Freizeichen*, daß alles in Ordnung war, gab es im Sommer ein offenes Fenster. Ich habe ihm was in die Schreibmaschine gehackt mit vier, fünf Durchschlägen, wer alles bei mir war, was die Leute geredet haben. Das muß für die eine Qual gewesen sein, weil ich immer schnell wieder weg wollte. Trotzdem habe ich *oft drei, vier Stunden* gesessen und Spitzelberichte geschrieben. Denn ich war die ganzen Jahre nie alleine: *an jedem Abend waren bei mir manchmal drei, manchmal dreißig Personen*. Als sie dann noch tote Briefkästen für mich einrichten wollten, habe ich gesagt, solchen Schwachsinn mache ich nicht mit.

Die Stasi gab mir *immer wieder* Aufträge, bei denen ich speziell auf jemanden *angesetzt* wurde, z.B. auf einen Journalisten, der viel mit Kunst zu tun hatte, über den sollte ich gezielt berichten. Hoch angebundene Stasioffiziere waren an ihm interessiert und wollten alles über ihn wissen, vielleicht sogar der General selber. Allerdings über den haben sie von mir kaum Informationen gekriegt. Ich bin selten hingegangen und habe das immer damit begründet, daß es zu auffällig wäre.

Eigentlich habe ich ihnen nur noch Informationen geliefert, die sie sowieso erfahren hätten. Sie stellten mir immer die Frage: »Was ist geplant worden? Es muß doch was geplant werden.« Ich sagte: »Nee, es ist nichts gewesen.« Das Gegenteil konnten sie mir schließlich nicht beweisen.

An einem großen privaten Sommerfest habe ich teilgenommen, auf das viele Künstler kamen, über die die Stasi alles wissen wollte. Aber ich habe, weil ich gut Musik spielen kann, mich gleich auf die Musik gestürzt, damit ich gar nicht erst mit Dingen in Berührung kam, über die ich ihnen als Spitzel hätte berichten müssen.

Die Stasi hat mich nach R. geschickt, um das Vertriebsnetz der... (*Name einer oppositionellen Zeitung*) aufzudecken. Sie wußten, daß die Zeitung vom Robert (Name geändert) kommt. Das hab ich ihnen gesagt. Sofort wollten sie wissen: wo gelangt die Zeitung überall hin? Ich wurde selber als Verteiler tätig und habe das der Stasi gegenüber so gerechtfertigt: »Das sind Freunde von mir, die erwarten, daß ich handfest mitarbeite. Ziehe ich mich davon zurück, werden sie sofort mißtrauisch, und ich würde mich dann unglaubwürdig machen. Drei, vier Adressen habe ich dem Mfs preisgegeben, aber nicht das gesamte Verteilernetz.

Ich habe versucht, das Beste daraus zu machen

Klaus hört ein unmerkliches Geräusch im Haus und meint: »Ich glaube, wir müssen erstmal aufhören.« Seine Freundin betritt den Raum und geht gleich wieder. Eine Frau Mitte vierzig, Mutter zweier Kinder.

Vielleicht glaubt meine Freundin mir, daß ich innerlich gegen die Stasi war, obwohl ich Spitzel war. Sie war in der letzten Zeit immer mit dabei und weiß, was wir an Material rangeholt und verteilt haben. Einmal hat sie gesagt: »Irgendwo in unserer Mitte sitzt ein Spitzel«, das war ein beklemmendes Gefühl, weil ich ja die letzten Jahre *nicht mehr im Zwiespalt gelebt habe*, jedenfalls nicht mehr für mich, *zwar noch mit denen zu tun hatte* und Spitzel war, aber wirklich versucht habe, *das Beste daraus zu machen*. Ich mache mir selber nur den Vorwurf, nicht eher ausgestiegen zu sein, und kann dafür nur meine Angst anführen, mehr nicht. Das Gehalt war es nicht, wirklich nicht. Ich kann mir auch nicht auf die Schulter klopfen für die guten Dinge, die ich wahrscheinlich getan habe.

Hinterher ist man immer klüger. Ich habe Angst gehabt, furchtbare Angst vor Gewalt und vorm Eingesperrtwerden. *Ich hab jetzt noch Angst, wenn die von unserm Gespräch jetzt erfahren würden.* Ich wußte, wie aus dem Westen Druckmaschinen in die DDR gekommen sind, und habe es nicht berichtet. Ich habe viele Zuarbeiten gemacht für große westliche Zeitungen. Wenn ich einen Anruf bekommen habe vom ZDF, wir kommen, dann habe ich denen das mitgeteilt. Dann haben wir uns getroffen im Hotel. Aber was wir konkret beredet haben, habe ich denen nicht mitgeteilt. Das ist auch jetzt meine Angst, wenn die jetzt erfahren, daß ich gar nicht in ihrem Sinne gearbeitet hab. Ich glaube nicht, daß die Staatssicherheit schon zerschlagen ist. Als Ihr Anruf kam mit meinem Decknamen, da hab ich gedacht, es geht weiter, die brauchen mich noch. Wenn das so gewesen wäre. Ich weiß nicht. Ich glaube, dann hätte ich mich vielleicht jemandem anvertraut.

Für mich hat sich nichts geändert. Als die Mauer fiel, gab es immer wieder Anrufe von einem Stasi-Offizier, der mich aufforderte, nicht nach dem Westen zu fahren.

Bis zum heutigen Tag glaube ich nicht, daß man dort einfach aufhört; einmal Spitzel, immer Spitzel. Ich konnte mit niemandem reden, außer mit meiner Mutter. Sie war die einzige. Ich habe mir gesagt: »Ich muß dort weg, ich muß dort weg.« Aber wie? Also habe ich oft mit dem Offizier drüber gesprochen und schließlich fünf, sechs Seiten geschrieben, warum ich aufhören muß. Sofort kamen seine Vorgesetzten, höhere Dienstgrade, zum nächsten Treff und beknieten mich. Ich wollte immer aufhören und verstehe nicht, daß die Stasi so an mich geglaubt hat als hochkarätigen, wertvollen Mitarbeiter. Jetzt sind die weg, die uns so bedrückt haben. Jetzt, wo ich ehrlichen Herzens was tun könnte, kann ich es nicht. Das wird mir immer anhängen.

Frisch geworbene Spitzel sind zu mir gekommen und haben mich um Rat gefragt.

Ich habe mich jahrzehntelang nicht zu sagen getraut: »Leckt mich am Arsch, ich komm nicht mehr, sperrt mich ein.« Dafür verfluche ich mich so. Aber mich tröstet, daß zu mir Leute gekommen sind, die von der Staatssicherheit frisch angeworben worden waren und die zu mir Vertrauen hatten. Sie haben sich mir offenbart und gefragt: »Was soll ich machen, was rätst du mir?« Ich habe mich an meine Schreibmaschine gesetzt und der Staatssicherheit einen Brief geschrieben: »Ich habe von Marga Anderson (Name geändert) Kenntnis erhalten, daß sie von Ihnen unter Druck gesetzt worden ist, für die Staatssicherheit zu arbeiten. Nach unserer Verfassung ist das nicht drin. Ich kenne geeignete Schritte und Wege, um zu verhindern, daß Marga als Spitzel arbeiten muß.«

Mir fiel es leichter, anderen Leuten Empfehlungen zu geben, weil ich wußte, mir als Spitzel kann die Stasi nichts. Denn das MfS hat mich selber in diese Position *wachsen* lassen.

Ich bin mir in den letzten Jahren nur ehrlich vorgekommen. Immer mit dem Gedanken, natürlich *doch* Informationen geliefert zu haben. Zum Beispiel wußte ich von Sprühaktionen. Die haben da mich ansetzen wollen. Ich wußte Namen und Adresse, wer's gemacht hat. Aber ich habe denen nichts gesagt. *Ich bin eigentlich doch irgendwo ehrlich gewesen.*

Ich strahle eine große Glaubwürdigkeit aus.

Da ich von mehreren Offizieren weiß, daß bei Klaus immer wieder Wanzen eingebaut wurden, ist anzunehmen, daß in der Zeit, in der die Stasi ihn in ihren Villen bewirtete und schulte, bei den Wanzen die Batterien gewechselt und seine Wohnung konspirativ durchsucht wurde. Die Schulung diente also zugleich dazu, Klaus zu »binden«. Er konnte die Stasi nicht bei ihrer Arbeit überraschen, weil er in ihrer Hand war.

Klaus hat nach meinen Informationen niemanden in den Knast gebracht. Aber er war eine hochkarätige »Quelle«. Weil er sich mit den Opfern seiner Spitzeltätigkeit verbunden fühlt, hält er sich nicht für einen Spitzel. Damit ihn das Gewicht seiner Doppelrolle nicht erdrückt, hat er sich zurechtgelegt, daß er die letzten Jahre gar kein Spitzel mehr war. So als wäre er gar nicht mehr zu den Treffs mit der Stasi gegangen. Um nicht zusammenzubrechen, leistet er ein ungeheures Stück *Verleugnungsarbeit.* Den Rest erledigt der Alkohol. Was dann noch bleibt, schlägt sich nieder in dem traurigen Flair, das Klaus umgibt. Die einen leiden an ihrem Haß, er leidet an seiner Angst.

Bis 1975 fühlte ich mich als Spitzel. Bis dahin war ich gut einsetzbar. Denn ich kann mir sehr schnell eine Meinung bilden über Leute, erkenne sie eigentlich sofort, habe auch meistens recht damit. Ich habe Menschen immer nur gebraucht, mißbraucht eigentlich nicht. *Ich habe aber meine Kenntnis, meine Überlegenheit raffiniert benutzt. Denn ich strahle eine große Glaubwürdigkeit aus auf viele*, die in den letzten Jahren aber auch ehrlich war. Zwar habe ich zunächst an die Sache geglaubt, aber seit 1975 nicht mehr.

Natürlich wächst *es* in einen ein. Es wäre Quatsch zu sagen, ab 1976 war ich es nicht mehr. Ich brauche auch keine Ausrede. Das ist mein Gefühl. Aber die Hand ins Feuer für mich lege ich ab 1983 auf keinen Fall mehr. Ich kann nichts anderes sagen, als was ich selber fühle. Ich sehe da einen gewaltigen Unterschied, ob ich Informationen liefere, ob in der Wohnung die zwanzig Leute zusammengesessen haben, die das und das geredet haben, *oder* ob an dem Tag dort eine Bombe in die Luft geht oder so, wo Leute sofort in den Knast kommen. Von wieviel Leuten habe ich gewußt, daß sie abhauen wollten!

Hin und wieder haben sie mich in die Puszta verfrachtet in irgendwelche toll eingerichteten Objekte, um mich ideologisch wieder zu stärken oder zurechtzurücken. Mein Führungsoffizier, der Ullmann, sagte, wir müssen mal wieder miteinander reden. Zwischen uns herrschte, wie in einer Familie, ein Ton herzlicher Vertrautheit. Das gab's schon. Ich bin mit Ullmann vorausgefahren. Wir haben Skat gespielt und Cognac und Sekt getrunken. Einen Tag später kam sein Vorgesetzter Linke und noch einer. Kaffee wurde gekocht, geraucht, und mir wurde klargemacht, daß das doch alles Staatsfeinde sind, mit denen ich verkehre. Es ging der Stasi darum, die Leute menschlich ins Abseits zu stellen und mir klarzumachen, daß das doch Feinde sind. Mein Standpunkt wurde mit anderen Argumenten wieder zunichte gemacht, weil nicht sein kann, was nicht sein darf. Linke war ein alter Stalinist. Appelmann paßt gut in den Westen, das war ein ganz cleverer. Der ist jetzt bei der DSU. Und Ullmann hatte überhaupt nichts zu sagen, der war Hauptmann und nur Lakei, hol mal das, hol mal das. Wenn ich was gesagt habe, haben sie Notizen gemacht.

An mein persönliches Leben habt Ihr überhaupt nicht gedacht.

Wie bei vielen Spitzeln, ist es der Stasi auch bei Klaus geglückt, ihn eng an sich zu binden. Bei aller Zwiespältigkeit und Bitternis, die er jetzt an den Tag legt, hat er doch seine Wünsche nach Geborgenheit und Fürsorge an sie adressiert. Dabei stolpert Klaus, anders als Altmärker, über sein Ehrgefühl. Wenn er heiratet, muß seine Lebensgefährtin vorher in sein Geheimnis eingeweiht sein: Sie soll wissen, sie heiratet einen Spitzel. Darum hat Klaus bis heute nicht geheiratet.

Aus meiner Spitzeltätigkeit ergaben sich für mich auch private Konflikte. Wenn ich sagte: »Ich brauche mehr Geld«, hieß es: »Klaus, das geht nicht, das muß alles das Volk erwirtschaften.« Allerdings habe ich die letzten Jahre ein festes Gehalt gehabt von um die 1000 Mark netto. Es gab einen Vorgesetzten, der besonders scharf war. Als ich erkrankte, kam er mit einem weiteren Mitarbeiter nachts zu mir, beide verkleidet mit Schnurrbärten und Kitteln, also wie Ärzte angezogen, um sich von mir berichten zu lassen. Hauptsache, sie bekamen ihre Informationen. Ich habe ihm gesagt: »*An mein persönliches Leben habt ihr überhaupt nicht gedacht.* Wenn's viel war, ist es nur Geld gewesen. Heiraten? Ich sehne mich nach Kindern. Wie soll ich eine Frau heiraten, der ich mich nicht anvertrauen kann!« Das hat die überhaupt nicht interessiert. Dabei gaben sie sich immer so menschlich und verbunden. Ne Frau kennenlernen; Strübing sagt: »Das ist doch überhaupt kein Problem, ne Frau kennenzulernen.« Na, wo denn? Soll ich mich ihr anvertrauen? *Stasi ist kein gutes Wort.*

Ich war Wanderer zwischen zwei Welten. Deswegen gab es für mich nur ein Ziel: aussteigen, weg dort! Ich habe es noch vor der Wende geschafft. Ich will mir nicht einreden, daß ich ein Schwein war, denn ich hab Angst gehabt, auch in der Zeit, als ich noch bei dem Verein war. *Heulen konnte ich bloß bei meiner Mutter.*

Eine Art Kamera mit ausfahrbaren Zinken diente dazu, Zylinderschlösser sehr einfach zu öffnen. Das Gerät ist die Erfindung eines Dresdner Mitarbeiters des MfS.
Für Leistungen dieser Art konnte der Richard-Sorge-Wimpel verliehen werden, ein spießiges rotes Fähnchen.

Im Stasi-Jargon hießen Spitzel *beschönigend* »Inoffizielle Mitarbeiter«, vor Schulklassen wurden sie auch gern in der Abenteuersprache kindlicher Indianerspiele »Kundschafter« genannt und genossen offiziell die *hohe Wertschätzung* des Ministeriums für Staatssicherheit.

In Wirklichkeit gab es eine ganz klare Rangordnung. Welten lagen zwischen dem Selbstverständnis eines Stasi-Offiziers und seinen Spitzeln. Freundschaftliche Plaudereien beim Treff konnten daran nichts ändern. Wie tief Spitzel auch in der Wertschätzung der Stasi standen, zeigt die Geschichte eines Stasi-Offiziers und seines weiblichen IM, die sich ineinander verliebten und heiraten wollten. Die Stasi entfachte einen regelrechten Krieg, um die Ehe von Offizier und Spitzel zu verhindern.

Die Frau, um die es hier geht, hat nicht nur ihren Führungsoffizier geheiratet, sondern auch den Mann, der sie erpreßte. Denn der Mitarbeiter des Ministeriums hatte sich in diesem Fall dafür entschieden, den »Kandidaten mit Hilfe kompromittierender Materialien« zu werben (geheime Richtlinie 1/79, S.45). Die Behörde drohte der jungen Frau damit, ihre Ehe zu zerstören, indem sie mit Fotos ihren Ehebruch belegte. Sie stützte sich dabei auf »ihre konkreten Moralnormen, ihr Rechtsbewußtsein, auf ihre charakterliche Feinfühligkeit und Gefühlswelt«. Denkbar wäre sogar, daß der entsprechende Kandidat eigens dazu auf sie angesetzt wurde. Denn wie hätte das MfS wissen sollen, daß die Frau einen Partner kennenlernen würde, und rechtzeitig eine Truppe von Fotografen auf sie ansetzen können?

Die Behörde redete gern von »politisch-moralischer Verantwortlichkeit«, hatte aber zu den Spitzeln ein verächtlich instrumentelles Verhältnis und schreckte auch nicht davor zurück, sie zu erpressen. Bürokratisch penibel gibt das Ministerium dafür *eine Gebrauchsanweisung*:

Die Mitarbeiter der Behörde unterscheiden, ähnlich wie bei der Folter, *drei Stufen der Erpressung*. Sachlich wie von einem Schnitzel reden sie von der »Persönlichkeit« des Kandidaten, den sie erpressen wollen: »Der Einsatz des kompromittierenden Materials hat in Abhängigkeit von seiner Beschaffenheit und der Persönlichkeit des Kandidaten differenziert zu erfolgen durch

● die *kompakte Anwendung* des kompromittierenden Materials, um in ihrer feindlichen Einstellung verhärteten Kandidaten den Ernst der Lage bewußt zu machen,

● die *ausgewählte, teilweise Anwendung* des kompromittierenden Materials, um damit Impulse zur selbständigen Stellungnahme der Kandidaten zu geben,

● den *Verzicht auf den direkten Einsatz* des kompromittierenden Materials, dessen Vorhandensein die Kandidaten vermuten, um damit die Bereitschaft zur Zusammenarbeit, verbunden mit *positiven Haltungen zu den operativen Mitarbeitern* zu entwickeln.«

Jurek hat sich für die Variante 1 entschieden:

▍Das MFS und die Liebe

WIE HEIRATE ICH MEINEN FÜHRUNGSOFFIZIER?

Ich treffe Petra mit ihrem Mann auf einer Ostsee-Insel. Sie vermieten dort Zimmer an Urlauber. Sie wirkt wach, intelligent, kontaktfreudig, freundlich und ein bißchen naiv. Sie hat eine üppige Figur, auf die sie unbefangen stolz zu sein scheint. Auch schüchternen Männern dürfte es leicht gefallen sein, auf diese Frau mit ihrer warmen, offen erotischen Ausstrahlung zuzugehen. Männer können sich ihr überlegen fühlen, ohne es zu sein.

Sie ist jetzt zum zweiten Mal verheiratet. Ihr jetziger Mann, der Stasi-Offizier Jurek, ist ein väterlicher Herr mit vollem weißen Haar, jungenhaftem Gesicht und schlanker Figur. Er nimmt sich nicht wichtig, ist aber auch nicht schüchtern. Er trägt Jeans, ein offenes Hemd und wirkt nicht wie ein klassischer Geheimdienstler, sondern flößt Vertrauen ein. Trotzdem ist zu spüren, daß er auch ganz anders auftreten kann, wenn es darauf ankommt.

Mein heutiger Mann hat mich als Blaue angeworben.
Ich habe bei Berlin in einem sowjetischen Kulturhaus als *Plakatmaler* gearbeitet. Wir waren acht deutschsprechende Mitarbeiter, alle anderen waren Russen, selbst unser Direktor war ein Russe.

Wir hatten einen Klub mit Kantine, Kegelbahn, Kinosaal und Konferenzsaal. Es gab Kinoveranstaltungen und viele kalte Buffets. Mitarbeiter des MFS und der sowjetischen Tscheka sind hier ein- und ausgegangen und haben hier ihre Freizeit verbracht.

Ich war Plakatmaler und habe das ganze Jahr über *riesige Bilder von Lenin* und anderen Kultfiguren gemalt und *Spruchbänder* geschrieben, diese großen roten mit der weißen Schrift. Für die Bilder wurde im Kinosaal ein Diapositiv von Lenin oder einem anderen Helden auf die Leinwand geworfen. Die Motive, die ich malen mußte, wechselten immer von einem Feiertag zum nächsten.

Zunächst war ich noch nicht für die Stasi tätig. Denn nachdem 1968 meine Tochter Martina zur Welt kam, blieb ich erstmal drei Jahre zu Hause.

Beim Tanzen machte ich Andeutungen,
daß ich bereit wäre, mitzuarbeiten.
Mit Jurek, das war nicht meine erste Berührung mit der Staatssicherheit. Ich hatte schon einmal während einer Tanzveranstaltung eine Begegnung mit einem Geheimdienstoffizier. Ich wußte, mein Tänzer ist für die Stasi tätig, und habe ihm beim Walzer ein paar Andeutungen gemacht, daß ich bereit wäre, bei der Stasi mitzuarbeiten. Wahr-

scheinlich habe ich mich aber ziemlich dumm angestellt. Damals tobte der Vietnamkrieg, ich war ziemlich idealistisch und hätte sonst-was getan, um dem ein Ende zu machen. Mein Interesse für die Stasi rührte aus Büchern und Filmen her, die etwas mit dem Geheimdienst und schönen Agentinnen zu tun hatten. Da war ich noch ganz jung und wollte mehr tun, als eines Tages nur ein SED-Mitglied zu sein.

Mein damaliger Verlobter diente bei der Armee. Eines Tages war er auf Urlaub zu Hause und wurde von drei jungen Männern niederge-schlagen. Das war für die Stasi die Gelegenheit, sich als Kriminalpoli-zei auszugeben und den Kontakt zu mir herzustellen. Sie bestellten mich zur Vernehmung und ließen mich aussagen. Ich habe nicht so-gleich bemerkt, mit wem ich es zu tun hatte, allerdings ist mir im nachhinein aufgefallen, daß die Fragen, die sie stellten, über die Schlä-gerei weit hinausgingen und typische Stasi-Fragen waren.

Kurze Zeit später tauchte ein Mann in meiner Umgebung auf, der im Gefängnis gesessen hatte und den ich flüchtig kannte. Meine Eltern waren verreist. Ich war mit meiner Freundin allein im Haus. Er klin-gelte. Als wir ihn nicht reinlassen wollten, hat er sich mit Gewalt Ein-tritt verschafft. Wir haben zusammen in der Bodenkammer über-nachtet und uns unterhalten, dabei ist er sehr negativ gegen unseren Staat aufgetreten. Er sollte mich aushorchen, und ich sollte ihn aus-horchen.

Wieder wurde ich unter einem Vorwand in eine Dienststelle der Kri-minalpolizei bestellt. Die Stasi hat offenbar erwartet, daß ich sage: »Der Krause ist ein ganz krummer Hund.« Sie wollten mich testen, ob ich geeignet bin und alles mitmache. Ich hätte *plaudern* müssen, dann wäre ich geeignet gewesen. Statt dessen war mir der Kontakt zu die-sem negativen Menschen unangenehm, und ich habe ihn verheim-licht. Daraufhin hat die Stasi die Finger von mir gelassen und die Kon-takte abgebrochen.

Nach der Kur bekam ich einen Telefonanruf von der Stasi.
Inzwischen war ich verheiratet und trat 1972 einen Kuraufenthalt hier an der Ostsee an. Während der Kur lernte ich einen Westdeut-schen kennen und hatte eine Liebesaffäre mit einem verheirateten Mann aus der DDR.

Nach meiner Kur arbeitete ich wieder. Ich stand im Kinosaal auf der Leiter und malte an drei riesigen Männerprofilen für den 1. Mai, als ich zum Telefon gerufen wurde. Ein Mann bestellte mich zur VP (Volkspolizei)-Dienststelle zur Klärung eines Sachverhaltes.

Ich fuhr sofort hin und wollte gerade in die VP-Dienststelle gehen, als mich ein gut aussehender energischer Mann ansprach und sagte: »Wir unterhalten uns im Auto über den Sachverhalt.« Kaum war ich eingestiegen, da meinte er: »Wir machen mal eine Fahrt.« Spätestens als ich im Auto saß, wußte ich am ganzen Auftreten, mit wem ich es zu tun hatte. Er hat Fragen gestellt. Wenn ich Gegenfragen gestellt habe, hat er kategorisch nicht geantwortet. Ich war beeindruckt, und das bin ich bis heute. Ich habe nicht aufgemuckt oder aufgezuckt. Ich war, wie man immer so schön sagt, ihm untertan. Wir sind mit seinem Dienst-Wartburg nach Berlin gefahren in eine Wohnung.

**Dort habe ich »ja« gesagt und
gleich einen neuen Namen bekommen.**

Ich habe mich gewundert, daß wir in eine fremde Wohnung gingen, aber keine Fragen gestellt, sondern alles auf mich zukommen lassen. In der Wohnung waren ein älterer Mann und eine ältere Frau, die dort gewohnt haben. Die haben uns reingelassen. Ein zweiter Mann erwartete uns bereits. Er hörte im wesentlichen nur zu.

Wir haben bei Kaffee und Kuchen ein längeres, zwangloses Gespräch geführt, in dessen Verlauf mein jetziger Mann versuchte, mir die Arbeit für die Stasi schmackhaft zu machen. Am Ende der Unterhaltung griff er plötzlich in seine Aktentasche, holte eine Reihe Fotos vor und legte sie nacheinander vor mir auf den Tisch. Ich war wie erschlagen: die Fotos zeigten mich recht eindeutig mit meinem Kurschatten. Drei, vier Fotos von unterschiedlichen Tagen, immer wieder unterschiedlichen Situationen. Ich hatte davon überhaupt nichts bemerkt. Er sagte, wenn ich nicht einverstanden wäre, für die Stasi zu arbeiten, und ablehnen würde, würden die Fotos von der Affäre meinem Ehemann zugespielt. Das war ein Schurkenstück, und ich wurde regelrecht, kann ich sagen, *erpreßt*. Mir schoß durch den Kopf: »Die Stasi weiß alles, hier kommst du nie mehr raus.« Also habe ich genickt und »ja« gesagt, daß ich für das MfS tätig sein will. Noch am selben Tag habe ich einen neuen Namen bekommen. Ich mußte eine Verpflichtung schreiben, für das MfS zu arbeiten. Dort stand sinngemäß auch drin, daß ich ins Gefängnis komme, wenn ich kein Stillschweigen bewahre.

Als Decknamen habe ich mir den Namen Loretta ausgesucht. *Denn es war ein alter Traum von mir, Loretta zu heißen.* Loretta hat für mich etwas Spanisches, etwas Temperamentvolles, klingt abenteuerlich und geheimnisumwittert. Jetzt konnte ich die werden, die ich schon immer sein wollte.

Ich sollte für die Stasi die Bewegungen innerhalb des sowjetischen Kulturhauses beobachten und sämtliche Besucher, die dort ein- und ausgingen, namentlich erfassen. Als ständige Kontaktperson wurde mir Jurek genannt. Zu dem sollte ich Verbindung halten und am Telefon sagen: »Ich möchte gerne mal den Jurek sprechen. Hier ist Loretta

Krause.« Ich wußte damals noch nicht, daß sein Vorname echt war, sondern habe lange Zeit gedacht, alles an ihm sei falsch.

Wochen später hat mich ein Arbeitskollege plump ausgehorcht, immer gebohrt und mir keine Ruhe gelassen, so daß ich gemerkt habe, der arbeitet auch für das MfS. So merkte ich allmählich, daß die Stasi auch nur mit Wasser kocht. Von meiner Person haben sie achtzig Prozent gewußt. Die anderen zwanzig Prozent haben sie durch Spitzel herausbekommen. Ich bin sehr ehrlich und offen, das ist natürlich genutzt worden, so daß sie mich hundertprozentig gekannt haben.

Ist mein Cousin ein Spion?

Mein Cousin hat 1963 illegal die Grenze überschritten. 1976 besuchte er meine Eltern und suchte mich plötzlich auf. Er hatte gesehen, daß wir wertvolle Briefmarken da hatten. Da hat er gesagt: »Ich nehme mal ein Album mit und lasse es mal schätzen. Dadurch war der Kontakt gegeben. Er kam dann, wenn er zu Besuch war, auch immer zu mir, hat mich in die Bar eingeladen und mir mächtig alkoholische Sachen eingeschenkt. Ich war zu dem Zeitpunkt noch verheiratet und hatte das Gefühl, er wollte mich betrunken machen. Er hat auch mitgetrunken, war aber immer Herr seiner Sinne. Er fragte mehrmals nach dem sowjetischen Kulturhaus, in dem ich arbeitete, so daß der Verdacht in mir aufstieg: Ist mein Cousin ein Spion, ist der auf mich angesetzt?

Nachts, wenn mein Mann schlief, schrieb ich meine Berichte für die Stasi.

Ich habe damals viele Berichte schreiben müssen. Ich war noch verheiratet und mußte mich immer in der Gewalt haben. Also habe ich gewartet, bis mein Mann eingeschlafen war. Dann konnte ich unbeobachtet schreiben. Um die fertigen Berichte für die Stasi zu verstecken, habe ich sie im Kinderzimmer unter die Matratze meiner Tochter geschoben und mich dann raufgelegt. Mein Doppelleben hat mich sehr belastet, zunächst nur seelisch, allmählich aber auch gesundheitlich. Ich bekam Darmbluten und war nervlich total am Boden. Trotz der Belastung wurde der persönliche Draht zu Jurek immer besser.

Nur mit meiner Ehe ging es bergab. Allerdings war das eigentlich schon immer eine gespannte Ehe. Denn intim hat es zwischen uns nicht richtig hingehauen. Aber wir konnten uns nicht aussprechen. Er war richtig verklemmt. Alle beide waren wir das.

Dazu kam noch die Verschiedenheit unserer Charaktere. Er war sparsam bis zum Geiz, ich großzügig. Er war korrekt, ich kontaktfreudig. Er wollte zeitig ins Bett, ich gerade das Gegenteil. Ich bin impulsiv, auch mit Vorwürfen, kann aber schnell wieder gut sein. Er war das

Gegenteil: er brauchte vierzehn Tage oder vier Wochen, bis er wieder mit mir gesprochen hat. Wir haben um Nichtigkeiten gestritten, und sexuell hat sich auch bei ihm nichts mehr abgespielt. Es kam vieles zusammen in unserer Ehe, so daß ich mir gedacht habe: es muß noch etwas anderes geben im Leben als diesen korrekten Mann, der an dem, was schön ist, so wenig Spaß hat.

Er hat mich sexuell überrumpelt:
Ich habe gedacht, das gehört dazu.
Die Treffs mit Jurek fanden in zwei unterschiedlichen Wohnungen oder manchmal im Freien statt. Die Spannungen in meiner Ehe habe ich natürlich bei unseren Treffs auch angesprochen, wir wußten persönlich voneinander, was ablief, und haben uns darüber kennengelernt. Sympathie wuchs, und für Jurek war ich der ruhende Pol.

Nach einem Jahr hat Jurek die ersten Versuche gemacht und mich verführt. Er war der IM-führende Mitarbeiter und hat mich sexuell regelrecht überrumpelt. Ich habe mich nicht gewehrt, sondern gedacht, das gehört dazu. So naiv war ich wirklich. Ich dachte, das gehört zum Testen und war ihm hörig. Von Liebe konnte ich damals nicht reden, aber ich konnte ihn gut leiden. Von jetzt an waren wir regelmäßig heimlich zusammen. Jurek ließ sich scheiden. Aber die Firma durfte es trotzdem nicht wissen. Und mein Mann durfte es nicht wissen.

Nach einem Jahr hat Jurek es der Firma gesagt. Er war fix und fertig. Er wurde hin- und hergeschüttelt. Er hat geweint. Sie haben auch mit mir gesprochen. Die Stasi hat mich im Krankenhaus besucht und auf mich geschossen, indem sie sagten, ich wäre nur auf das viele Geld aus, das ein Stasi-Offizier verdient. Sie haben ihm meine sämtlichen negativen Charaktereigenschaften vorgehalten und ihn in der Firma mit anderen Frauen zusammengebracht, nur damit er nicht den IM heiratet, den er geführt hat. Aber es hat sich nicht auf unsere Beziehung ausgewirkt, im Gegenteil, der Kontakt zwischen uns wurde durch den Druck von außen noch fester.

Rache: Die Stasi fälschte Gerichtsakten:
Als die Scheidung lief, haben Jurek und ich uns eine Zeitlang nur selten getroffen. Denn mein damaliger Mann sagte: »Das Kind kriegst du nicht. Das Kind ist meins.« Ich wollte Martina nicht verlieren. Ich war eigentlich diejenige, die sich um Martina gekümmert hat.

Schließlich mußte das Gericht entscheiden, wer von uns beiden das Sorgerecht für das Kind bekommt. Aber die Stasi hatte auch hier schon gute Arbeit geleistet. Vor Gericht erfuhr ich: Die *Jugendhilfe und Heimerziehung* hatte bei mir im Wohnhaus eine *Befragung* unter den Mietern durchgeführt und das Ergebnis in einem Gutachten an das Gericht weitergeleitet. In dem Gutachten war ausgeführt, die Mieter im Haus hätten gesagt, Martinas Vater sei besser als ich geeignet, unser Kind zu erziehen. Als ganze Hausgemeinschaft würden sie den Vater unterstützen bei der Erziehung des Mädchens.

Die Folge: Das Gericht nahm mir mein Kind weg und entschied, Martina wird ihrem Vater zugesprochen. Das war ein schwarzer Tag in meinem Leben. Damit *wäre die Ehe zwischen Jurek und mir niemals glücklich geworden*. Ich war fix und fertig und habe Jurek kaum noch gesehen. Die Stasi hatte ihn in einen fernen Winkel der DDR versetzt. Nur alle sechs Wochen ist er mal gekommen.

Aber ich wollte nicht aufgeben und entschloß mich, um Martina zu kämpfen. Sollten die Bewohner im Haus wirklich so über mich geredet haben? Das konnte ich mir nicht vorstellen und bin darum von Wohnungstür zu Wohnungstür gegangen und habe die Mieter gefragt: »Ist bei Ihnen jemand gewesen von der *Jugendhilfe und Heimerziehung*?« Das wurde verneint. Bei niemandem war jemand gewesen, bei nicht einem einzigen. Alle Mieter haben zu meinen Gunsten unterschrieben.

Der Fälscher im Jugendamt sitzt vermutlich noch heute auf seinem Sessel.

Damit war erwiesen: Die Unterlagen des Jugendamtes für das Gericht waren gefälscht, die Stasi steckte dahinter, und der Fälscher saß auf dem Jugendamt.

Mit den Unterschriften der Mieter konnte ich nachweisen, daß niemand die Mieter befragt hatte, und legte beim Bezirksamt *Berufung* ein. Monate vergingen, in denen ich völlig alleine war. Nur ab und zu kam ein kurzer Brief von Jurek.

In der zweiten Instanz wurde Martina mir zugesprochen. Aber niemand hat gegen das Jugendamt und den Fälscher dort ermittelt, der im Auftrage der Stasi mein Glück zerstören wollte und vermutlich heute noch unerkannt auf seinem Sessel sitzt. Ich hatte meine Tochter wieder und konnte endlich zu Jurek ziehen.

WIE HEIRATE ICH MEINEN SPITZEL?

W enden wir uns jetzt Petras *Führungsoffizier* Jurek zu, der noch einmal die gleiche Liebesgeschichte, aber aus *seiner Sicht* erzählen wird. Die Stasi war ein militärisch strukturierter reiner Männerverein, bei dem Frauen es in aller Regel nicht weiter bringen konnten als bis zur Sekretärin, die für die

Männer Hilfsdienste verrichtete. Knapp dreißig Prozent der Stasi-Spitzel aber waren Frauen. Beim Umgang mit weiblichen Spitzeln hatten die Offiziere besondere Vorsichtsmaßregeln einzuhalten, die sie vor den Anfechtungen des Fleisches schützen sollten. So war es zum Beispiel üblich, daß zu konspirativen Treffs mit Frauen gleich *zwei* Offiziere gingen, die sich gegenseitig neutralisierten. Jurek bekleidete im MfS einen höheren Rang und konnte sich über diese Regel hinwegsetzen.

Er hat Petra als Stasi-Spitzel angeworben, gemerkt: das ist meine Traumfrau und sie geheiratet. Gegen den Widerstand der Stasi. Wie gesagt, Jurek ist ein ruhiger Mann. Aber wenn er von seinen Kämpfen mit der Stasi berichtet, wird seine Stimme laut, und unbewußt trommelt er mit der Faust auf den Tisch.

Unsere Beobachtungsgruppe aus Invalidenrentnern hat wunderbare Sachen gemacht.

1953 bin ich eingestellt worden als Wachmann zur Absicherung, wurde ein Jahr später operativer Mitarbeiter, habe mich hochgearbeitet zum stellvertretenden Leiter einer Kreisdienststelle, bis ich in die Abteilung II, Abwehr, der Bezirksverwaltung versetzt wurde, wo ich auch das sowjetische Kulturhaus zu betreuen hatte, in dem Petra arbeitete.

Im sowjetischen Klub verkehrten viele Menschen – auch Botschaftsmitglieder. Unmittelbar daneben lag die Dienststelle des KGB. Unsere Zielstellung als MfS war, die sowjetischen Geheimdienstspezialisten abzusichern. Wir wußten, daß der Amerikaner und der BND sich dafür interessierten. Personen von drüben hatten das Objekt bereits fotografiert. Also brauchten wir dort Inoffizielle, die für uns Augen und Ohren offenhielten. Die schöne Petra schien mir sehr geeignet.

Ihre Kur war ein halbes Jahr im voraus geplant. Wir hatten also ebenfalls ein halbes Jahr Zeit, Pläne zu schmieden, an deren Ende sie dann eine Verpflichtungserklärung schreiben würde. Ich habe mir gesagt: »Die gucken wir uns mal genauer an.« Die Möglichkeiten dazu hatten wir ja reichlich. Zu dem Zeitpunkt, da ich sie für das MfS werben wollte, hatte ich allerdings noch nicht im Hinterkopf: das ist eine knackige Braut für mich. Vom *Bild* her, was Petra so bot, schon, aber der *Gedanke* war noch nicht da.

Beim ersten Kontaktgespräch habe ich Petra in eines unserer konspirativen Objekte mitgenommen. Diese Kontaktgespräche sind in KWs (konspirativen Wohnungen) durchgeführt worden, die perspektivisch in den nächsten ein, zwei Jahren *weggingen*, also *abgeschrieben* wurden. Damit war die Sicherheit wieder gewährleistet.

Petra war unbefangen und wollte viel wissen. Aber es war nicht üblich, daß der Bürger der Stasi Fragen stellt, darum habe ich ihre Fragen nicht beantwortet. *Erst wurden unsere Fragen beantwortet.* Um Petra zu werben, habe ich sie mit *Fotos aus ihrem Liebesleben* erpreßt. In Kurorten sind die Menschen ja von sich aus frei und unbelastet. Nach zehn Tagen machen sie, was sie so denken, und fühlen sich bei ihrem Treiben nicht beobachtet. Das sind existentielle Ausnahmesituationen, die haben wir uns zunutze gemacht.

Wir brauchten kompromittierendes Material als Weichmacher, mit dem wir was anfangen konnten. Wir haben die Kurgäste überprüft und dazu im Kurort *aus Rentnern und Invalidenrentnern*, stabil natürlich noch, eine ganze *Beobachtungsgruppe* zusammengestellt. Wir haben sie geschult und mit Spezialgerät für heimliches Fotografieren ausgerüstet. Die haben wunderbare Sachen gemacht. Wir brauchten nur Fotos mit bestimmten Dingen ins Spiel bringen, dann konnten wir schon zulangen.

Ich bin immer von dem Standpunkt ausgegangen: Wir lassen uns lieber ein bißchen mehr Zeit in der Vorbereitung und »klären die Person auf«, *so daß wir sie besser kennen als sie sich selbst.* Das Prinzip war: Wir mußten mehr wissen, als die Person wußte. Wir wußten, welches ihre Umgangspersonen sind, wie sie sich verhält, wie ihr Reaktionsvermögen ist, welche geistigen Fähigkeiten sie hat.

Im sowjetischen Kulturhaus fingerte ja noch einer für uns. Also sind wir durch andere Spitzel an sie ran und kannten so ihre subjektiven und objektiven Möglichkeiten. *Objektiv* gab es natürlich immer ein paar Einschränkungen, Kinder und Mann zum Beispiel.

Petra sollte sich um die Leute kümmern, die auffällig Kontakt suchen und ständig mit den sowjetischen Spezialisten zusammen sind. Leider hat sie nie etwas feststellen können; der ganze jahrelange Aufwand war umsonst.

Wir haben Petras Cousin überprüft und wollten wissen: eignet dieser Mann sich dafür, einen Stützpunkt aufzubauen? Wir kannten seinen Kontakt, seine Bewegungen in der DDR, das wollten wir nutzen. Aber in einer *Persönlichkeitsanalyse* haben wir festgestellt, daß er sehr labil ist, und gesagt: »*Nicht geeignet, jetzt machen wir Schluß, das war's.*« Wir wußten, daß er kriminell ist, Antiquitäten verschiebt und sehr scharf ist, Geld zu machen. Er brachte Pornos rein, Antiquitäten raus. Damit haben wir ihm das Genick gebrochen und ihn an der Grenze hochgezogen; er bekam Einreiseverbot in die DDR.

In meiner Ehe gab's nur Ärger, und der wurde immer schlimmer. Das letzte Jahr hatten wir sexuell überhaupt keinen Kontakt mehr. Zwei Jahre vorher hatte ich die Scheidung schon einmal beantragt. Da hatte die Firma mich überredet, und wir sind zusammengeblieben. Es war ja so: Wenn sie etwas sagen, mußt du nicken. Wenn du nicht nickst, bist du schon runter vom Stuhl.

Ich hatte während meiner ersten Ehe ein Verhältnis. Das war schon zehn Jahre her, aber meine Frau hat es mir immer noch nachgetragen und keine Ruhe gegeben. Darum habe ich gesagt: Jetzt ist Schluß. Das war 1976.

Zu den Treffs mit Petra bin ich immer gerne gegangen, und kulturvoll gekleidet habe ich mich schon. Petra ist neunzehn Jahre jünger als meine Frau und auch ein anderer Typ. Der Unterschied war kraß. Ihre ganze Persönlichkeit hat mich gereizt. Und ich habe sie dann auch liebgewonnen.

Schließlich kam die Zeit, da dachte ich mir: Jurek, jetzt mußt du mal ein Stück weitergehen, und ich habe den Plan gefaßt, jetzt ist sie fällig. Ich habe sie in eine unbewohnte konspirative Wohnung bestellt, und wir haben den sexuellen Kontakt gehabt.

Ein Jahr lang haben wir unsere Liebe geheim gehalten und uns nur in der konspirativen Wohnung geliebt. Das war der sicherste Ort. Später bekam ich Angst, daß in den Wohnungen Abhörgeräte sein könnten, darum haben wir uns viel im Freien getroffen, in Berlins wunderschöner Umgebung.

Es herrschte Krieg zwischen mir und der Firma.

Als ich mir mit Petra einig war, habe ich gesagt: jetzt muß ich das offiziell gestalten; ich spreche mit meinem Vorgesetzten. Der hat sich das angehört, genickt und gesagt: »*Na gut, dann müssen wir das eben weitermelden.*«

Jetzt ging das Theater los. Ich mußte eine *schriftliche Erklärung* abgeben: seit *wann* das Verhältnis bestand und *wieso* und den ganzen *Werdegang.* Meine Meinung und Schlußfolgerung: Wie soll es weitergehen? Ich sollte mir ein Kilo Asche aufs Haupt streuen und mußte *mehrere Aussprachen* über mich ergehen lassen. Zweimal mußte ich zum *General.* Er saß da, so einen kleinen kitschigen goldenen Panzer auf seinem Schreibtisch, trommelte mit den Fingern und hat mir erklärt, daß mein Liebesleben zu verurteilen sei, weil ich die *Dienstanweisung* für den Umgang mit Blauen nicht beachtet hätte. Zum Schluß ist er aufgestanden und hat mir *mit der Entlassung gedroht.* Moralisch war ich fertig, aber ich habe gesagt: »Dann muß ich eben gehen.« Jetzt herrschte *Krieg zwischen mir und der Firma.*

Meine *Akten* haben sie eingezogen, die *Treffs* mußten eingestellt werden. Die *Partei* forderte: »Genosse, nimm Abstand von der Beziehung, dann passiert dir nichts. Du kannst sogar hier in Berlin bleiben.« Es klang toll. Aber mein Prinzip war: Da muß ich durch, nachgeben werde ich diesmal nicht.

Ich habe Petra gesagt: Ich heirate dich. Das ist meine Linie gewesen. Ich konnte keine Rücksicht nehmen auf die Stasi. Im Laufe der Jahre hatte ich zu viel mitbekommen von anderen Mitarbeitern.

Wieder mußte ich zum General. Er hat mir gesagt, daß Petra ein billiges Flittchen sei und nur aufs Geld aus. Das hat mich natürlich gereizt. Ich kannte sie ja besser und habe geantwortet: »Ich bleibe bei meinem Standpunkt und dem, was ich geschrieben habe. Ich heirate diese Frau. Ich habe das abgesprochen mit ihr. Egal, was ist, die Vergangenheit oder diese Seite oder die andere Seite, das interessiert mich in diesem Fall nicht. Ich bleibe dabei.« Da ging es dann wieder von vorne los. Der General fing wieder an: »Wie kannst du diese Frau heiraten! Willst du deine Entwicklung aufs Spiel setzen?«

Es ging ums Prinzip, weil so etwas nicht sein durfte. Eine Frau aus der Firma hätte ich heiraten dürfen. Da liefen ja genug rum. Aber nicht *diese* Frau. Petra war als IM eine verbotene Frucht.

Sie haben mich beobachten lassen. Wollte ich telefonieren, standen immer dieselben Leute in der Nähe und wollten herausbekommen, wen ich anrufe. Auch wenn wir uns trafen, lauerten schon die unauffälligen Herren auf uns. Geld spielt ja beim Geheimdienst keine Rolle. Nervlich war das eine große Belastung. Ich konnte nachts nicht schlafen. Aber ich beharrte darauf: »Es ändert sich nichts.« Also hat die Stasi die Bespitzelung gegen mich nach einer Weile abgebrochen. Über ein halbes Jahr dauerte die Untersuchung gegen mich. Dann war die Überprüfung abgeschlossen, und die Strafe kam.

Ich hatte drei Tage Zeit, meine Sachen zu packen.
Ich wurde in einen Saal bestellt. Dort saßen alle meine Kollegen. Vor versammelter Mannschaft hat die Stasi mich dreifach bestraft. Mir wurde ein schriftlicher Befehl vorgelesen: »Befehl Nr. 134/86. Jurek X. hat sich schuldig gemacht, indem er mit einem inoffiziellen Mitarbeiter eine Liebesaffäre eingegangen ist. Aus diesem Grunde wird festgelegt...«

Ich wurde *von meiner Funktion als Referatsleiter abgelöst*, mein *Gehalt* wurde geschmälert, ich *strafversetzt*, weit weg in die kleinste Objektdienststelle, die es überhaupt gibt. An das entlegenste Ende der DDR. Den Befehl hatte der General unterschrieben. Das war am 22. Dezember. *Innerhalb von nur drei Tagen* mußte ich weg aus Berlin. Also unbedingt noch kurz vor Weihnachten. Ich mußte umziehen und konnte Petra kaum noch sehen.

Die Stasi wollte Petra mit Hilfe eines Spitzels im Jugendamt die Tochter wegnehmen. Meine berufliche Entwicklung war tot. Mir war klar: der General rührt jetzt keinen Bleistift mehr für mich. Und es ist auch so gewesen. Jedes Jahr kam der 7. Oktober, ein Feiertag, zu dem Beförderungen ausgesprochen wurden. Meine Kollegen wurden befördert. Ich ging Jahr für Jahr leer aus. Ich hätte längst befördert werden müssen. Aber da war nichts. Trotz fünfunddreißig Jahren Dienst für die bewaffneten Organe.

Bei der geheimdienstlichen Ausforschung gab es eine *dreistufige Rangfolge*:
1. *Sicherheitsüberprüfung* als einfachste Form der Ausforschung dauerte nicht länger als ein, zwei Monate.
2. *Operative Personenkontrolle*, eine etwas umfangreichere Form der Ausforschung, dauerte ein halbes bis ein Jahr.
3. *Operativvorgang*, der größte Aufwand, der betrieben wurde, konnte bis über mehrere Jahre laufen (vgl. Fall Kaminski).

● **Die Stasi schöpft bereits leichten Verdacht:**
OPK – Operative Personenkontrolle

Personen wurden geheim operativ kontrolliert, d. h. aufgeklärt und wenn bereits operativ *bedeutsames Ausgangsmaterial* vorlag, häufig älteres und neueres. Die Stasi sah bei einem solchen Bürger bereits *Anhaltspunkte* für eine Straftat, sie hatte aber noch keinen konkreten Verdacht geschöpft.

Die OPK bedeutete, daß das Ministerium einen *mittleren* operativen Aufwand betrieb, um den Bürger, ohne daß er es merkte, auszuforschen. Im Prinzip konnten hier bereits *alle geheimdienstlichen Mittel* angewendet werden, Spitzel, Postkontrolle, konspirative Wohnungsdurchsuchung, konspirative Arbeitsplatzdurchsuchung, selten jedoch Wanzen.

Beispiele:

1. Ein DDR-Bürger, der Geheimnisträger war, traf sich auf einem Rastplatz an der Transitstrecke mit einem Westbürger. Wenn ein DDR-Bürger etwas tat, was die Stasi nicht logisch in sein Umfeld einordnen konnte, leitete sie eine OPK ein.

2. Ein Bürger betätigte sich *oppositionell*. Er sammelte zum Beispiel Informationen zum Wahlergebnis und schrieb anschließend an staatliche Stellen Protestbriefe, weil er meinte, das Wahlergebnis sei gefälscht.

3. Ein DDR-Bürger wurde regelmäßig an militärischen Anlagen beobachtet.

4. Selbst Liebesverbindungen zu Ausländern konnten mitunter ausreichen.

5. Ein DDR-Bürger unterhielt Kontakte zu Angehörigen der sowjetischen Armee.

6. Ein DDR-Bürger verfügt über einen Druckkasten für Kinder und kauft paketweise Schreibmaschinenpapier. Die Stasi will herauskriegen, ob er »schriftliche Hetze« betreiben will.

7. Betriebsleiter und andere *hochkarätige Bürger* wurden vorbeugend mit geheimdienstlichen Mitteln ausgeforscht.

8. Der Bürger wohnt in der Nähe eines militärischen Objektes oder hat dort sein Wochenendgrundstück.

OPK-Abschlüsse: Wohin die »Aufklärung« führte.

Die operative Personenkontrolle konnte zu unterschiedlichen Ergebnissen führen:

1. Der Verdacht gegen den Bürger erhärtete sich. Dann wurde ein OV (vgl. S. 81) eingeleitet. Ziel war dann: handfeste Beweise gegen den Bürger zu finden. Er wurde geheim »bearbeitet«.

2. Der Verdacht bestätigte sich nicht.

3. Der Stasi-Offizier hatte sich jetzt ein halbes Jahr oder länger mit einem DDR-Bürger beschäftigt, der davon gar nichts ahnte. Er kannte den Bürger ganz genau, obwohl er ihn vielleicht noch nie gesehen hatte. Gelegentlich versuchte die Stasi, wenn sich der Verdacht nicht bestätigte, die Ergebnisse der Ausforschung wenigstens in der Form für sich zu nutzen, daß sie den Bürger als Spitzel (IM) anwarb. Denn die Stasi wußte jetzt sehr viel über diesen Bürger: Sie kannte seine Freunde und Kollegen, sie kannte seine Stärken (z. B. redegewandt, kontaktfreudig, selbstbewußt, flexibel, intelligent, zuverlässig), seine Schwächen (geht gerne fremd, ist leicht alkoholabhängig, geltungsbedürftig, übersteigertes materielles Interesse). Sie brauchte den Mann nicht erst zu überprüfen. Er war geheimdienstlich vollkommen »aufgeklärt«. Wenn die Schwächen allerdings überwogen, »ging er in die Asche«, d. h. in die Ablage.

Keine Akte ging verloren, mit dem Formular F 10 fing alles an: Der Mitarbeiter der Stasi füllte es aus und erhielt obige Antwort. Damit erfuhr er: Ist der Bürger schon erfaßt? Wer verwaltet seine Akte? Welche Abteilung ist an dem Bürger dran?

Der folgende Spitzel gehört in die Gruppe, die die Stasi IMS nannte, ›Inoffizielle Mitarbeiter Sicherheit‹. Sie dienten zur »politisch-operativen *Durchdringung* und Sicherung des Verantwortungsbereiches« (Richtlinie 1/79, S. 15). Der Verantwortungsbereich aller dieser Spitzel zusammen war die DDR. Der bürokratische Ausdruck »durchdringen« verdeutlicht, daß sie *flächendeckend* eingesetzt wurden.

Während im Rechtsstaat nur deliktbezogen ermittelt wird, wenn sich ein Bürger etwas hat zuschulden kommen lassen, sollen geheimpolizeiliche Spitzel, wie es hier unverhohlen heißt, »in hohem Maße *vorbeugend*... wirken und mithelfen, neue Sicherheitserfordernisse rechtzeitig zu erkennen sowie durchzusetzen.« Im Unterschied zur Polizei geht der Geheimdienst auch gegen den Bürger vor, gegen den nichts vorliegt. Gegen ihn wird *vorbeugend* ermittelt. Methodisch vergleichbar arbeitet der bundesdeutsche Verfassungsschutz mit seinen Spitzeln.

Aufgabe dieser Spitzel war es, Hinweise auf feindlich-negative Handlungen bzw. operativ bedeutsame Anhaltspunkte zu erarbeiten. Spitzel sollten *Negatives* über ihre Freunde, ihre Kollegen, Bekannten berichten. Sie sollten, wie es in der verkrüppelten Stasi-Sprache heißt, »operativ bedeutsame Verletzungen der sozialistischen Gesetzlichkeit, Sicherheit, Ordnung und Disziplin« feststellen und aufklären.

Sie wurden auch herangezogen zum »Realisieren politisch-operativer Sicherungsmaßnahmen wie Sicherheitsüberprüfungen, Kontrollmaßnahmen zur Sicherung *operativ* bedeutsamer und *interessierender Personen*«. Wir sollten uns, was hier in einer Richtlinie der höchsten Geheimhaltungsstufe unverhohlen ausgesprochen wird, auf der Zunge zergehen lassen: Die Stasi setzte Spitzel auf *operativ interessierende* Personen an. Das konnte *jeder* Bürger der DDR sein und *jeder*, der in die DDR einreiste. Die Stasi sprach sich das Recht zu, jeden auszuspionieren, der operativ interessant war: Wenn er nicht *verdächtig* war, ließ sich aus ihm vielleicht mit Hilfe der Informationen eines Spitzels ein *neuer Spitzel* machen.

Mit anderen Worten: für die Stasi war *alles* interessant, und dafür brauchte sie Informationen im ganzen Land. Darum umfaßte diese Kategorie Spitzel vom rechtsradikalen Kellner bis zum kommunistischen Ingenieur.

Es ist klar, daß ein geheimdienstlicher Apparat, der seine Ziele mit Hilfe einer paranoiden Sicherheitsdoktrin so allumfassend definiert, Budgets – Gelder und Sachmittel – in ungeheurem Ausmaß verschlingt. Die DDR-Bürger mußten, wie in jedem Staat, ihr eigenes Spitzelsystem finanzieren.

Der Mitropa-Kellner:
»Ich war ein Acht-Groschenjunge«

Er bezeichnet sich selber als »Braunen«. Seine ersten Besuche im Westen nutzte er, um mit Polizeibeamten Verbindung aufzunehmen, die bei den rechten Republikanern aktiv sind. Hier hoffte er, Gesinnungsfreunde zu treffen. Seine braune Sicht auf die Wirklichkeit hat die Stasi nicht davon abgehalten, jahrzehntelang mit ihm zusammenzuarbeiten. Im Laufe eines halben Menschenlebens hatte er neun verschiedene Führungsoffiziere. Er ist ein Mann von der etwas oberflächlichen Freundlichkeit eines traditionellen Berufskellners, ein Typ, den wir im Westen oft in Ausflugsgaststätten antreffen. Er kann einen verbindlichen Ton wählen und mir dabei das Gefühl vermitteln, daß er doch ganz anders denkt, mich entweder beneidet oder verachtet. Er hat volles Haar, eine vom Alkohol leicht gerötete, dünne Haut und ist von drahtiger Statur. Ich sehe ihm an, daß er gewöhnt ist, hart und ausdauernd zu arbeiten. Den Kaffee serviert er mir flink und mit der gewohnheitsmäßigen Eleganz eines Profis. Seine Wohnung, in der er mit seiner zweiten Frau lebt, ist aufgeräumt und sauber. Sie unterscheidet sich in Geschmack und Einrichtung nicht von der vieler Stasi-Offiziere. Ohne es offen auszusprechen, befürchtet er, ich könne ihn für unglaubwürdig halten, weil er Kellner, Faschist und Spitzel ist, und bemüht sich, in seine Erzählung viele für mich überprüfbare Einzelheiten einzubauen.

Die Arbeit in der DDR war für mich wie ein ununterbrochener Bummelstreik.

Auf den Tag genau ein Jahr vor dem Mauerbau bin ich aus der Bundesrepublik in die DDR gekommen. Damals war ich neunzehn und wollte nicht zur Bundeswehr. Meine Frau stammt aus der DDR, also sind wir zurück. Wir haben uns 1960 in Baden-Baden kennengelernt. Ich habe dort im Spielkasino als Kellner gearbeitet.

Ich hielt das DDR-System für entwicklungsfähig und wurde Kellner in einer Mitropagaststätte. Hier konnte ich mich anders bewegen als unter der disziplinarischen Gewalt des Kasino-Pächters in Baden-Baden. Bei der Mitropa lief alles lockerer und schlampiger.

Ich hatte keine Probleme mit der Arbeit. Ich bin fleißig und war Tempo gewöhnt. Daher war die Arbeit in der DDR für mich wie ein ununterbrochener Bummelstreik. Ich habe das Gefühl, wir haben in diesem Land vierzig Jahre Dienst nach Vorschrift gemacht. Dabei war ich noch schnell; denn ich kam ja aus dem Westen. Auch meine *Freundlichkeit* hatte ich mitgebracht und habe sie mir bis heute erhalten.

Wenn Gäste meinten, im Westen sei alles besser, habe ich geantwortet, daß mir das nichts nutzt, wenn ich dort als armer Schlucker vor dem Schaufenster stehe und mir doch nichts kaufen kann.

Eines Tages bin ich von einem Gast angesprochen und um ein Gespräch gebeten worden, nach Feierabend am gleichen Tag. Er hatte seinen Wagen draußen stehen, einen VW-Käfer. Daher war ich mißtrauisch, weil ich in der Bundesrepublik wehrpflichtig war und annahm, das ist jemand, der mich aus der DDR rauslotsen will. Er hat sich ausgewiesen als Mitarbeiter der Staatssicherheit, und ich war beruhigt. Denn ich war neugierig auf das Flair eines Geheimdienstes.

Er hat mich eingeladen in das Gästehaus des FDGB, eine verdeckte

Adresse des Mfs. Öffentlich hatte ich dort keinen Zutritt. Ich war beeindruckt von dem Flair der Konspiration und der Atmosphäre, ein
gediegenes Haus, eine Villa. Ich habe mich von Äußerlichkeiten ver-
leiten lassen. Gleich beim erstenmal kam es zu meiner Verpflichtung.
Er hat mir gesagt, meine Arbeit für die Stasi habe einen *hohen ideel-
len Stellenwert*. Ich habe mir den Decknamen Hermann ausgesucht.
Alle Dinge liefen unter Hermann. Über viele Monate war diese Villa
die Adresse zum Treff. Josef hat mir auferlegt, mit niemandem darüber zu sprechen, auch meiner Frau nichts davon zu sagen.

Ich habe mich gefühlt wie eine Leuchtdiode, die nicht erkannt wird.
Meine Aufgabe war, die Mitropagäste zu bespitzeln: Wer pflegt mit
wem *Kontakt*? Wer gibt welches *Geld* aus? Wer spielt den dicken
Krösus? Josef meinte, interessant sei alles. Zielgruppen waren Ge-
werbetreibende, Einzelhändler, Handwerker, Leute mit viel Geld,
Studenten und alle, die viele Bücher lesen.
Ich war Kellner, der zahlende Gäste bediente, und ich war Inoffizieller
Mitarbeiter des Geheimdienstes. Im Stillen habe ich das *Machtgefühl*
genossen und mir gesagt: Mensch, hier läufst du durch wie eine
Leuchtdiode, die zwar funktioniert, aber nicht aufleuchtet, und *keiner weiß es*.
Kellner ist ein ehrbarer, harter Beruf. Aber Spitzel zu sein, das war für
mich ein Gefühl, *als hätte ich irgendwo einen großen Geldraub gemacht, und keiner kommt dahinter*. Ich war nicht euphorisch, aber
ich ging wie ein roter Punkt durchs Geschehen.
Oftmals haben Gäste mich verdächtigt, ein Stasi-Spitzel zu sein. Denn
alles, was im Publikumsverkehr arbeitet, ist verdächtig. Kellner, Taxichauffeure, Friseure, Kosmetiker, Physiotherapeuten, Ärzte. Menschen in diesen Berufen können ihre Arbeitszeit dazu nutzen, andere
zu bespitzeln.

Irgendwo wird schon ein Goldfischlein drinne sein.
Meine Informationen über unsere Mitropagäste habe ich schriftlich
abgegeben und auf Tonband. Josef hat alles aufgenommen, alle Ne-
benerscheinungen, Billiges und Seichtes. Man könnte es sich so vorstellen: *Die Mitropa ist ein Schmodder, ein Teich, ein Sumpfloch.
Das wühlen wir jetzt um. Und irgendwo wird schon ein Goldfischlein drinne sein.*
Honorar habe ich nicht gekriegt für meine Spitzeldienste. Das Maxi-
male waren mal 30 Mark oder mal 50 Mark für die Ausgaben in den
Gaststätten. Die Quittungen dafür habe ich mit meinem Decknamen
Hermann unterschrieben. Ich bin keine Top-Person gewesen, sondern
lediglich, wenn man so will, ein Acht-Groschenjunge. Daran kom-

men wir nicht vorbei, an dem Begriff. Josef sagte zu mir: Gucken und horchen, was auffällt, alles, was ein bißchen außerhalb der Norm ist, aber nichts aus den Fingern ziehen.

Mir wurde nie Aufschluß gegeben, wo meine Spitzeltätigkeit Erfolg hatte. Ich habe aber, das weiß ich heute, auf eine sehr unfeine Art dem System in die Tasche gearbeitet. Über den strukturellen Aufbau des Amtes ist mir dabei nie etwas vermittelt worden.

Skrupel hatte ich nicht. Denn ich bin mit den Leuten, die ich bespitzelt habe, nicht privat umgegangen. Das waren nie Personen, die mir ans Herz gewachsen waren. Ich mußte keine jahrelangen Bekannten ausgucken, sondern normale Gäste, denen gegenüber ich keine moralischen Verpflichtungen hatte. Ich habe Westkontakte feststellen müssen und beabsichtigte »R-Flucht« (Republikflucht). Die habe ich auch mitgekriegt. Und die habe ich auch mitgeteilt. Ob die Menschen, die ich verraten habe, in den Knast eingefahren sind, weiß ich nicht, viele habe ich nicht wieder gesehen.

Angenommen, in meiner Familie wäre für die Stasi ein Leckerbissen dabei gewesen, ein Rosinchen, und sie hätten mich gefragt, kannst du dich nicht überwinden? Das wäre schon möglich gewesen. Aber das Ansinnen hat die Stasi mir nicht gestellt.

Ich war inhaftiert wegen faschistischer Propaganda.

Das war ja das Kuriosum: Einerseits *arbeitete* ich für die roten Brüder und Schwestern. Andererseits war es in dem Staat möglich, *mich zu denunzieren* und wegen einer rassistischen Äußerung zu inhaftieren. Meine eigene Schwägerin hat mich denunziert: Wir haben uns in einem Biergarten ganz normal gestritten, familiär, ohne politischen Hintergrund. Meine Frau hatte in ihrer Empörung dem Schwager einen Schirm über den Hals gezogen. Und dabei fielen meinerseits Äußerungen wie »Juden raus. Sorben raus. Runter von der Straße, wenn ein Deutscher kommt.« Ich habe das zu öffentlich gemacht. Ja, vielleicht habe ich verdeckte rassistische Züge. Das ist mir egal.

Darauf sind die zu den Grünen (Volkspolizei) und haben zu Protokoll gegeben, ich hätte den Staat *verleumdet* und gesagt, die DDR-Führung ließe von Berlin bis Leipzig bloß Zuchthäuser bauen. Ich habe *eine* Äußerung gemacht, eine weitere wurde mir angehängt. Die VP kam, die habe ich *beschimpft*. Und damit hatte ich *drei* Delikte am Hintern.

Aufgrund meiner konspirativen Verbindungen zur Stasi, die ja niemand kannte, habe ich die grüne Polizei gar nicht für voll genommen. Im Prinzip ging die Polizei für mich erst ab einem Oberstleutnant los. Ich Idiot hätte bedenken müssen, daß ein *gewöhnlicher Polizeibeamter* viel gefährlicher ist in seiner Dienstgeilheit als ein studierter Offizier anderer Firmen, ob Zoll, Stasi oder Kripo. In meiner Arroganz habe ich mich hinreißen lassen und mir gedacht: Was will der grüne Arsch? Und jedesmal mit Hilfe der Stasi solche Dinge abzublocken, das ging nicht. Die sind oft genug für mich in die Bresche gesprungen. In der Haft habe ich den nackten Kommunismus kennengelernt und bin braun geworden. Über die *Mauer* habe ich mir nie Gedanken gemacht. Das einzige, was mich gekränkt hat, war, daß ich meine Mutter in Baden-Baden nicht mehr besuchen konnte zu Lebzeiten.

Nachdem ich acht Wochen in der U-Haft gesessen hatte, hat meine Frau sich das Leben genommen. Die Kripo hat zu ihr gesagt: »Mit wem wir uns befassen, der ist automatisch eingestreift«, trägt Sträflingsklamotten. An der Frau habe ich gehangen, ich würde sie mit den Händen ausgraben. Wenn ich schon immer hier in der DDR gelebt hätte, wäre das vielleicht nicht ganz so schlimm gewesen. Ich war sieben Jahre verheiratet. Und das war so unmenschlich: ich durfte nicht zu ihrem Begräbnis. Der Anstaltsleiter, Herr X, hat mich herzlos gefragt: »Waren Sie lange verheiratet? Haben Sie sich geliebt? Ich soll Ihnen im Auftrag des Staatsanwalts mitteilen, Ihre Frau ist aus dem Leben getreten. Reißen Sie sich zusammen, treten Sie ab!« Meinen beiden Zellengenossen wurde gesagt: »Paßt ein bißchen auf, daß der hier keinen Fez macht und sich irgendwas antut.« Dem Leiter der U-Haftanstalt ging es nur darum, daß ich die Gerichtsverhandlung nicht platzen lasse; in der *Strafhaft* hätte ich Säure trinken können, das wäre ihm egal gewesen.

Diese Erfahrungen haben mich verändert. Ich sehe zwischen den ganz Linken und den ganz Rechten keinen Unterschied. Radikale Truppen sind es beide. *Selber sehe ich mich als Braunen.* Ich war nach dreißig Jahren in Frankfurt am Main. Wenn dort der Oberbürgermeister für eine multinationale Bevölkerung plädiert, dann ist der Mensch nicht ganz sauber. Ich kann in Frankfurt niemanden mehr nach der Straße fragen, alten Omas werden die Handtaschen entrissen. Ich habe dort bei den Republikanern einen Polizeibeamten gesprochen, der mir aus vollem Herzen recht gegeben hat. Genau wie ich hat er nichts gegen Türken, wenn sie in der Türkei leben.

Ich wurde freigesprochen.

Vor der Kripo und vor Gericht habe ich alle Vorwürfe bestritten, auch die rassistische Äußerung, die ich wirklich gemacht hatte. Denn konsequent zu lügen, ist der beste Weg. Einzuräumen, »es könnte« und »es hätte«, das ist alles Schnulli. So zog meine Aussage sich durch sämtliche Protokolle wie ein roter Faden.

Ich habe den *Führungsoffizier der Stasi im Knast* verständigen lassen, mich ihm anvertraut und wurde im Prozeß freigesprochen.

Trotzdem hatte sich durch das Hafterlebnis und den Tod meiner Frau mein Verhältnis zum Staat und zum MfS geändert. Als Roter bin ich reingegangen in den Knast, als Brauner bin ich rausgekommen.

Bei meinen Führungsoffizieren hatte ich das Gefühl, daß die selber gar nicht so links orientiert waren. Ich bin mir oft nicht sicher gewesen, ob die nun tatsächlich reinen Herzens kommunistisch sind. Ich spürte, daß sie solche roten Dinge nur aufgrund ihrer Parteidisziplin von sich geben: Thälmann war tabu, aber mal »Nigger« sagen, das war überhaupt nicht wild für die. Und warum gab es denn hier bei uns keine Zigeuner und kaum Juden? Alles, was hier an gesellschaftlichen Einrichtungen bestand, gab es unter einem anderen Namen schon einmal.

Daß ich nun etwas *nach rechts abgedriftet* bin, das hatte auch gesellschaftliche Ursachen. Hier in der DDR sind Ungerechtigkeiten entstanden. Wenn zum Beispiel ein Ungar oder ein Neger eine weiße Frau begrapscht, und der Ehemann verteidigt die Frau ganz emotional und schlägt den Neger, dann bekommt er kein recht. Das ist doch Wahnsinn. Das ist Vergewaltigung, wenn der Schläger drei Jahre wegen Rassendiskriminierung in den Kerker geht.

Einmal habe ich einen Gast geschlagen. Ich wußte doch aber nicht, daß er im russischen Spezialhandel arbeitet. Ich habe ihn an den Haaren gepackt, ihn mit dem ganzen Gesicht über die Theke gezogen, ihn in der Ecke zum Kauern liegengelassen und mit Fußspitze und Absatz behandelt. Denn der hatte sich gegen einen älteren Herren an der Garderobe mies benommen. Ich habe gedacht, ich muß den alten Mann schützen. Das war nach Dienstschluß in der Mitropa, ich hatte nicht mehr die weißen Klamotten an und war nicht mehr befugt, das Hausrecht auszuüben. Ich kann maximal ans Telefon gehen und die VP rufen. Ich mache das nie wieder, mich persönlich zu engagieren.

Damals war bei der Kripo der Verdacht aufgekommen, ich sei bei der Fremdenlegion gewesen und habe eine Spezialausbildung mitgemacht. Altersmäßig kann das stimmen. Die Art des Schlagens war dem Gericht zu brutal. Die Richterin sagte: »Der Geschädigte konnte sich ja gar nicht wehren.« Ich antwortete: »Der *sollte* sich auch gar nicht wehren.« Die Richterin meinte: »Also, Sie zeigen keine Reue.« »Nein«, sagte ich, »es ist passiert. Und Sie schenken mir dafür jetzt gleich etliche Zeit Strafhaft ein.« Das Urteil fiel dementsprechend aus, ich habe fast zwei Jahre gesessen dafür.

Ich war Buffetier in einem Betriebsferienheim.

Als ich wieder draußen war, wurde ich weiterhin für die Stasi tätig, ohne daß sie meine Einstellung gestört hätte. In meiner Lahmarschigkeit habe ich es weiterlaufen lassen. Ich hätte ihnen sagen müssen:

Hier ist Ende! Ich entpflichte mich jetzt selbst. Aber dazu habe ich mich leider nie durchgerungen, sondern befürchtet, daß sie vielleicht mit versteckten Repressalien antworten.

Ich habe dann in einem Betriebsferienheim als Buffetier gearbeitet. Die Leiterin des Betriebes hat in großem Umfang Manipulation betrieben. Ich habe toleriert, daß dort manches unsauber war, weil ich auch nicht immer eine saubere Weste hatte. Ich habe im Laden Schnaps gekauft und habe ihn über die Theke verkauft und so den Betrieb um die Gewinnspanne geprellt. In zehn Tagen habe ich schlappe 150 Mark hinzuverdient. Ich wollte es ja nicht übertreiben.

So wie ich es gemacht habe, hat es die Leiterin *in großem Stil* gemacht: Sie kam an das Geld ran und hat angeblich Wolldecken, Sekt, Edelkonserven gekauft. Aber nur zum Schein. Sie hat auch schwarz vermietet.

Eines Tages hat sie für die Kripo eine Betriebsfeier ausgerichtet und hat sogar die unsachgemäß abgerechnet. Die Kripo fing an, zu ermitteln, hat aber zu plump gearbeitet und die Bevölkerung im Ort abgefragt, so daß die Leute aus dem Ort es der Frau ins Ohr gepustet haben. Darum hat die Stasi der Kripo den Fall entzogen und mich angesprochen. Ich sollte Augen und Ohren offenhalten: Schwarzvermietung, Manipulation, wo kommt Ware her, die nicht durch die Bücher geht, größere Mengen, wo die Gaststätte nur als Umschlagplatz dient. Ich habe alles berichtet, was dort unsauber sein könnte. Ich bin ja aus dem Gewerbe. Die Frau hat sechseinhalb Jahre gekriegt.

Alles werde ich nicht erkannt haben. Vielleicht hatte die Stasi auch noch jemanden drin. Und selbst wenn es die Reinemachefrau ist. So lief das ja bei uns: Bis hin zur Toilettenmuddel, alles arbeitete für den Geheimdienst. Das war die Perfektion.

Ich bin jetzt nach der Wende wegen meiner Spitzeltätigkeit nicht am Boden. Aber ich genieße es, daß wir eine Zeit haben, wo ich mich jemandem mitteilen kann. Ich kann mir vorstellen, daß es Leute gibt, die sich nach dem Zusammenbruch des SED-Regimes mit Selbstmordgedanken beschäftigen. Dazu gehöre ich nicht; ich bin ein fröhlicher Mensch.

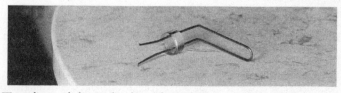

Wenn die staatlichen Einbrecher in der Wohnung waren, blockierten sie mit einem solchen Gerät das Türschloß des Bürgers.

Das Ministerium für Staatssicherheit war mit schönen Vorsätzen angetreten. Im Protokoll der Verhandlungen des III. Parteitages der SED (20.–24.7.50) heißt es auf Seite 57:

»Der III. Parteitag der SED orientierte darauf, die Wirksamkeit des sozialistischen Rechts insgesamt zu erhöhen. Gemeinsam mit den anderen Schutz- und Sicherheitsorganen und der Justiz trägt das *Ministerium für Staatssicherheit* dafür Sorge, *bei strikter Wahrung* und in konsequenter Durchsetzung der sozialistischen Gesetzlichkeit alle Straftaten und anderen *Rechtsverletzungen zielstrebig aufzudecken* und *entsprechend den Gesetzen des Staates* zu ahnden. Es wird nicht zugelassen, daß die Geborgenheit, das Leben und die Gesundheit der Bürger durch Gewalttätigkeiten, Rowdytum, asoziales Verhalten und andere gegen die öffentliche Ordnung und Sicherheit gerichtete Handlungen gefährdet werden. Dadurch festigt sich auch das *Vertrauen der Bürger zu ihrem Staat*.«

Die Stasi-Praxis erreichte das genaue Gegenteil: Sie ruinierte das Vertrauen der Bürger in ihren Staat. Nicht Geborgenheit stellte sich ein, sondern Erstarrung gesellschaftlicher Bewegung als Fundament der Herrschaft von SED, CDU und der anderen Blockparteien.

Statt ausschließlich *Rechtsverletzungen zielstrebig aufzudecken*, trat die Stasi das Recht mit Füßen. Sie verletzte zum Beispiel das Briefgeheimnis und stahl Pakete. Die *Post- und Paketkontrolle* gehörte zu den Stützpfeilern des Stasi-Staates. Sie wurde von der *Abteilung M* betrieben. In jedem größeren Postamt hatte die Stasi-Räume in Beschlag genommen, um hinter verschlossenen Türen die Postsendungen der der DDR-Bürger zu filzen. Allein in Ost-Berlin war ein Heer von 600 Stasi-Offizieren damit beschäftigt, die Post zu überwachen. Im Berliner Hauptbahnhof hatte die Stasi eine eigene Etage.

Die Kontrolleure waren darauf gedrillt, Tausende von Adressen im Kopf zu haben, »abzufahnden« und herauszufischen. Sie handelten *ohne gesetzliche Grundlage*. Stasi-Chef Mielke hatte es nicht geschafft, den Bruch des Postgeheimnisses zu legalisieren.

»Lieber einen Brief mehr rausfischen.«
Wie die Stasi die Post
ihrer Mitbürger durchschnüffelte
Ein Fahndungsoffizier berichtet

Er ist stolz auf sein fotografisches Gedächtnis. Er ist der Typ des geduldigen Spürhundes. Er trägt eine getönte Sonnenbrille und sieht aus wie ein ruhiger Briefmarkensammler, unauffällig und verschlossen. Ich kann mir gut vorstellen, wie er beharrlich Millionen Briefe in die Hand genommen und gesichtet hat. Er selber hat sie nicht gelesen, er hat sie nur aussortiert. Als guter Geheimdienstler wußte er, daß gerade die unverdächtigen Briefe hoch verdächtig sind. Also konnte jeder Brief derjenige sein, nach dem er jahrelang fahndete. Eine absurde Situation. Denn das für jeden Geheimdienst typische Mißverständnis von Aufwand und Erfolg – für ihn wird es handgreiflich. Er erklärt mir seine Arbeit und redet dabei langsam und mit lexikalischer Genauigkeit. Definitionen und Dienstanweisungen sind seine Welt. Für ihn ist wichtig, daß die Postsäcke nicht Postsäcke, sondern Postbeutel heißen. Von Kollegen, die nicht so penibel gearbeitet haben wie er, hält er nicht viel.

Vor mir sitzt der Mann, der mit seinen vierzig Mitarbeitern rund um die Uhr in Dresden im *Verteileramt* der *Post* für die Stasi die Briefe herausgefischt und später wieder in den Postverkehr eingeschleust hat.

- ◗ Kollegen *öffneten* sie über Dampf,
- ● andere *fotokopierten* sie samt Briefumschlag,
- ● die Fachabteilungen *lasen* die Post und werteten sie aus,
- ● zum Schluß *klebten* Stasi-Mitarbeiter die Briefe wieder zu, ein Kurier brachte sie zu einem Spezialisten, der sie wieder in den normalen Postverkehr einschleuste.

Die Waschküche.

Meine Arbeit für das Ministerium war ein Job wie jeder andere; denn jeder Staat macht das. Natürlich war das eine Arbeit, die manchmal unterhalb der Gürtellinie vollzogen wurde. Aber wir waren gut, wir haben nicht umsonst den Ruhm gehabt, nach dem Mossad und den Franzosen an der Spitze der Welt zu liegen.

Zuweilen habe ich mich sehr geärgert, z. B. wenn wir uns gegenseitig geheimdienstlich bearbeitet haben. Zweimal habe ich gemerkt, daß meine Post kontrolliert wurde, obwohl der Mitarbeiter mich kannte und gesehen hat, daß ich der Absender war. Ich habe mich sofort beschwert, aber meine Beschwerde ist im Sande verlaufen.

Wie jeder Geheimdienst war auch die Stasi ein Intrigennest. Wenn wir uns bei 'ner Zigarette unterhalten haben, gab es die ganzen Jahre Feiglinge unter meinen Kollegen, die mit zwei Gesichtern gelebt und den Chefs unsere Stimmungen und Meinungen zugetragen und uns madig gemacht haben. Dann mußten wir beim Parteisekretär antanzen und kriegten Nettigkeiten unter die Weste gejubelt: Du hast gar keinen festen Standpunkt, du mußt noch viel ML studieren (Marxismus-Leninismus). Aber das haben die nicht umsonst gemacht die ganzen Jahre. Mit denen habe ich noch was vor. Als richtiger Geheimdienstler habe ich nämlich ein Elefantengedächtnis.

Jeder Bezirk hatte die Abteilung M. Wir waren eine fünfzigköpfige Außenstelle dieser Abteilung, die in einem Postamt versteckt war. Die Postbeamten dort wußten natürlich, wer wir sind, aber die konnten es nicht beweisen. Sie brachten die Briefe waschkorbweise zu uns. Darum hieß unsere Abteilung bei den Postlern die Waschküche.

Unsere Legende, mit der wir die Postler täuschen sollten, war: Wir sind vom Ministerium für Post- und Fernmeldewesen, die Kontrollstelle 12. Wir hatten offiziell die Postler zu kontrollieren: die Durchlaufzeiten, ob die Post ordentlich sortiert und postalisch sauber ist, ob die Stempel auf den Briefsendungen ordentlich angebracht sind.

Lieber einen Brief mehr – Was einmal weg ist, kommt nie wieder.
Die Abteilung M hat vorwiegend Aufträge für andere Diensteinheiten erledigt, d. h. *Informationen und Zuarbeiten*, z. B. gab uns die Abteilung XX, die sich unter anderem mit der Kirche beschäftigt hat, den Auftrag: kontrolliert alle Post, die der Pfarrer Z. bekommt oder abschickt.

Ich selber habe in einer rein operativ-technischen Diensteinheit gearbeitet, die für die geheimdienstliche Fahndung zuständig war. Das heißt: Briefe bestanden für mich prinzipiell nur aus dem *Briefumschlag*. Alles andere ging mich nichts an. Immer nur Briefumschläge. Abertausende jeden Tag. Im Schichtsystem haben wir in unserem vierzehnköpfigen Arbeitskollektiv rund um die Uhr geheimdienstlich relevante Briefe herausgefiltert. Und geheimdienstlich relevant war vieles.

Es gab ständig untereinander Reibereien, weil jeder gedacht hat, er ist der Größte. Wir mußten uns immer sehr konzentrieren und im Zweifelsfall lieber einen Brief mehr kontrollieren lassen. Denn: Was einmal weg ist, kommt nie wieder. Unsere Arbeit ist anstrengend und nicht sehr dankbar gewesen.

Wenn sich endlich mal ein operativer Erfolg abzeichnete und wir einen wichtigen Brief *rausgezogen* hatten, dann haben sich die operativen Mitarbeiter in den jeweiligen Fachabteilungen das unter den Nagel gerissen und gefeiert. Dabei haben wir doch geistesgegenwärtig diese *eine* Sendung rausgenommen aus dem normalen Postverkehr und damit die Grundlage für den Erfolg geschaffen.

Unsere Arbeit war kein Idiotenjob, sondern eine intellektuelle Herausforderung. Sehr viel geographische Kenntnisse und postalische Kenntnisse gehören dazu. Ebenso das Wissen, wie man einen Postbeutel bindet, eine Fahne anbringt, wie man verplombt. Sonst hätten die Postangestellten gesagt, was sind das für Pfeifen da oben, wenn die schon von der Post sind, warum machen die dann die Fahne nicht richtig.

Wir mußten die Fachbegriffe der Postler genau kennen. Wenn man zu einem Postangestellten hingeht und sagt, gib mir mal den Postsack, dann greift er sich an den Kopf. Meine Vorgesetzten haben das bei der Einarbeitung neuer Mitarbeiter gröblichst mißachtet.

Unsere ganze Arbeit vollzog sich unter Zeitdruck und war mit einer immensen Anspannung verbunden. Zum Beispiel Weihnachten: Die Post muß ja weg. Die Durchlaufzeit der Post mußte eingehalten werden. Ich brauchte sehr viel Stehvermögen. Die Leute bei uns haben gearbeitet bis zum Umfallen, damit das Zeug rauskommt. Meine Vorgesetzten in der Abteilung haben das nicht genug gewürdigt. Es gab nämlich einen Vertrag zwischen der Bundesrepublik und der DDR, ein Postabkommen, daß die Abgangspost innerhalb einer bestimmten Zeit über die Grenze zu sein hat. Dafür bekam die DDR im Jahr eine Pauschalsumme in DM. Wurde die Zeit nicht eingehalten, dann gab es Abzüge.

Da wir ja zwischengeschaltet waren, unsere Kontrollstelle, kam es immer wieder mal zu Durchlaufzeiten von drei, vier, fünf Tagen, die jeder Beschreibung spotteten. Das Postaufkommen wurde mehr, aber unsere Leute wurden nicht mehr. Mit den gleichen Leuten mußten wir immer mehr Maßnahmen zur gleichen Zeit machen. Was meinen Sie, wie meine Ehe darunter gelitten hat.

Ruckzuck, so kam die Post vom Briefkasten zu uns.

Die Post war angewiesen, *alle* Briefsendungen über uns laufen zu lassen. Das hat sie auch gemacht. Man muß unterscheiden vom postalischen Prozeß her zwischen drei Arbeitsgruppen der Stasi:

● *Nationaler Briefverkehr*. Hier interessierte die Stasi nur, was von Berlin nach Dresden ging oder von Dresden nach Berlin. Bei speziellen Sondermaßnahmen wurden Stichproben gemacht zu bestimmten Fragen, z.B. bei Briefen, die nach Karl-Marx-Stadt gingen oder nach Leipzig.

● Internationaler Briefverkehr (einschließlich BRD und Westberlin) *Abgang* von der DDR.

● Internationaler Briefverkehr *Eingang*.

Der *Bürger* wirft ein, die Post fährt ihre *Leerungsrunden*, alles kommt aufs *Verteileramt*, wird dort grob sortiert nach den Leitgebieten, geht durch die Maschinen und wird von den Maschinenkräften nach Leitbereichen aufsortiert. Das Leitgebiet 8 Bayern hatte zum Beispiel 13 Leitbereiche, z.B. 89 Augsburg. Diese »Bunde« – so der Fachausdruck – sind dann *zu uns hochgekommen*. Die Stasi hat für ihre Zwecke alles in Waschkörben aufsortiert und auf Tischen nach Leitstrecken aufgebaut. Jetzt konnten wir anfangen, dort zu filtrieren und nachrichtendienstlich zu fahnden.

Kam ein Brief aus Berlin, Hauptstadt der DDR, wurde er schon in Berlin von der Abteilung M bearbeitet, d.h. nach bestimmten Kriterien untersucht.

So wurden Hunderttausende von Sendungen täglich auf der Friedrichstraße auf nachrichtendienstliche Relevanz geprüft. In Berlin hat die Abteilung M auch Briefkästen der Stadt geleert. Wir in Dresden haben bei Sondermaßnahmen ebenfalls Briefkästen geleert.

Im *nationalen Briefverkehr* gab es einen riesengroßen Katalog, in dem die Sondermaßnahmen verzeichnet waren. Wir hatten Fahndungsblätter mit Postleitzahl, Ort, Straße, Hausnummer und den Namen. Wenn die Fachabteilung *gedeckt* vorgehen wollte, dann waren *mehrere* Hausnummern angegeben, so daß wir nicht genau wußten, wonach wir suchten. Solche Sondermaßnahmen liefen unter Codierungen, zum Beispiel unter der Codierung »Pazifist«.

Fahndungskriterien waren für uns zum Beispiel Anschriften. Die Abteilung XX wollte z.B. Informationen über Kirchenmaterialien haben. Die meisten Pfarrer waren ja zum Glück absolut regimetreu. Aber es gab einige Schwerpunkte für uns, wie den Herrn Superintendenten Ziemer, dann die evangelische Landeskirche in Sachsen, das bischöfliche Ordinariat, das Bischofsheim auf der Tiergartenstraße.

Wenn ein Brief mit dieser Adresse auftauchte, dann ging der raus, wurde geöffnet, gelesen und mußte von uns wieder eingeschleust werden. Wenn die sich dann oben in der Technik ausgemährt haben oder wenn die jeweilige Fachabteilung das Original haben wollte, dann mußten wir sehen, wie wir die Sendung wieder einschmuggeln. Unser Handicap dabei war immer der Poststempel.

So legte ich Müller Andreas in die Fahndung ein.

In den Arbeitsgruppen gab es Schwerpunkte. Die, die *nationalen Briefverkehr* gemacht haben, haben sich zum Beispiel mehr mit *Kirchensachen* beschäftigt.

Die Arbeitsgruppe nationaler Briefverkehr leistete reine Zuarbeit, z.B. für die Abteilung XX, die sich unter anderem mit der Kirche beschäftigte. Die Sendungen kamen in Postbeuteln oder eben in Wannen, so eine Art Waschkörbe.

Unsere Spitzel waren überall. Wenn zum Beispiel aufgrund eines Hinweises eines unserer inoffiziellen Mitarbeiter *eine operativ relevante Person in Radebeul* mit gewissen Äußerungen anfällt – nehmen wir mal so einen kleinen Strolch vom Neuen Forum namens Müller, Andreas – landen seine Äußerungen auf dem Tisch einer Fachabteilung. Die Fachabteilung XX schrieb für die Abteilung M, in der ich tätig war, den *Fahndungsauftrag* aus. Ich legte Müller Andreas in die Fahndung ein. Ab jetzt stand wieder ein neuer Name auf einer langen, langen Liste.

Im nationalen Briefverkehr schätze ich für den Bezirk Dresden – ohne die Sondermaßnahmen – die Liste auf 400 Namen. Ich kann sagen: Die Namen hatte ich alle im Kopf. Ich hatte ständig 1500 Namen und Adressen im Kopf und war dadurch schneller fertig. Manche Stasi-Ehe ist durch Überstunden kaputtgegangen.

Jetzt sprachen wir uns ab: der Leiter der Arbeitsgruppe der Stasi mit dem *Leiter des Dresdener Verteilerpostamtes*. Wir haben das so or-

ganisiert, daß der Postbeutel von Radebeul verplombt ins Verteileramt kam als »Schichtleiterbeutel«.

Die Postangestellten hatten die dienstliche Anweisung, die Schichtleiterbeutel in den Fahrstuhl zu schmeißen und zu unserer Kontrollstelle
hochzuleiten. Oben haben wir den Beutel geöffnet. Die Fahndungs-
angabe lautete, Müller, Andreas, Ernst-Thälmann-Str. 19. Damit wir
auf der Außenstelle nicht mitbekamen, wen sie wirklich suchen, hat
der Mitarbeiter der Abteilung M die Ernst-Thälmann-Straße von der
15 bis zur 21 in Fahndung gelegt. Ich habe die aussortierten Briefe genommen, geguckt: ist die Sendung mit dabei? – und habe sie in eine
Folie gepackt. Zum Beispiel lief der Müller, Andreas unter der Kategorie *Pazifist*. Mehr brauchte ich nicht zu machen. Denn unten auf
der Außenstelle bei uns wurde nur *gefiltert*.

Früh um sechs habe ich den Brief in eine Kuriertasche gesteckt
Ich habe nur gefahndet. Geöffnet und heimlich gelesen wurde woanders. Früh um sechs habe ich den Brief an Müller, Andreas in eine
große schwarze Kuriertasche gesteckt, die aussah wie eine Werkzeug-
tasche, und hochging in die Bezirksstelle, in die Abteilung M. Oben
wurde die Tasche ausgepackt, man hat gesehen, *wo was hingeht*: das
geht in die *Technik*, das geht in die *operative Diensteinheit*, wo die
Fahndung ausgeschrieben ist, zum Beispiel in die KD Land.

Je nachdem, wie das Fahndungsersuchen lautete, kamen die Briefe in
geschlossenem Zustand, in geöffnetem Zustand, im Originalzustand,
mit Auswertung. Das entscheidet die Diensteinheit, die die Fahndung
einleitet. Um die Briefe zu schließen, wurden sie mit Originalleim neu
verleimt, kamen unter eine Presse und wurden wieder zugeklebt.

Wenn eine operative Diensteinheit nur die Querverbindung wissen
wollte, die Anschriften oder die Absenderanschriften, dann brauchte
sie ja nicht in den Brief reingucken. Bei operativ relevanten Persön-
lichkeiten wurde dann von vornherein entschieden: Die bleiben zu. Ist
der Brief stark verklebt, *zugenagelt*, dann mußte extra entschieden
werden: soll der Brief geöffnet werden oder nicht. Technisch war es
möglich, solche Briefe zu öffnen. Dazu wurden Lösungsmittel verwendet.

Mitunter wurde auch bei uns oben in der Technik, wo die Briefe geöffnet und geschlossen wurden, sehr lasch und stümperhaft gearbeitet.
Dort durften wir nie rein in diesen Sicherheitsbereich. Da wurde über-
sättigter Naßdampf genommen, der aus einer großen Arbeitsplatte
kam. Wir hatten echte Spezialisten in diesem Bereich, aber die Leute
haben unter Leistungsdruck gestanden. Genau wie wir.

Passierte beim Öffnen eine ganz dicke Panne, war der Brief zum Beispiel eingerissen oder das Papiergefüge durch den Dampf zerstört

worden, dann haben Experten diesen Brief *handschriftlich nachge-
macht*, den Inhalt wieder in einen Umschlag gesteckt und auf die
Außenstelle zum Abstempeln gegeben. Der Stempel mußte identisch
sein mit höchstens einem Tag Differenz. Das war ein Riesenaufwand,
nicht nur in technischer, auch in seelischer Hinsicht; denn das Fäl-
schen von Briefen erfordert Konzentration, Einfühlungsvermögen
und eine schnelle Auffassungsgabe.

Für jede Postsendung gab es bestimmte Durchlaufzeiten und eine entsprechende Zeitvorgabe, die wir einhalten mußten. Wurde schlampig
gearbeitet, lagen manche Sendungen drei, vier Tage.

Für uns was alles verdächtig, auch was nicht verdächtig war.
Auf der Suche nach Auslandsbriefen haben wir auch die Inlandsbriefe
kontrolliert. Denn der Mitarbeiter eines feindlichen Geheimdienstes
konnte nach Ost-Berlin oder Potsdam fahren und einen Geheimdienstbrief einwerfen, der nach Dresden ging.

Ein G-Brief muß in der Masse mitschwimmen, nichts Auffälliges darf
daran sein. Also ist die Suche nach einem solchen Brief mit einem un-
vorstellbaren Arbeitsaufwand verbunden. All diese Mitarbeiter wurden dafür bezahlt, daß sie Sicherheit produzierten. Dabei haben wir
die Post der Bürger nach festen *Auswahlkriterien »gefiltert«.*

1. Kriterium: *Verdächtig ist, was nicht verdächtig ist.* Es gab Briefe,
die waren verdächtig unauffällig. Für uns war alles verdächtig, was
nicht verdächtig war.

2. Keine Überfrankierung, keine Unterfrankierung.

3. Nicht verklebt.

4. Keine Zusatzbemerkung.

Ursprünglich wollten wir wirklich nur Spione fangen.
Die Kategorie für geheimdienstliche Sendungen für Bürger in der DDR
hieß »Netz 3«. Ursprünglich waren wir wirklich angetreten, um ausschließlich Spione zu fangen. Darum kontrollierten wir die Post.
Dazu gehörten auch *Signalkarten*, etwa eine normale Postkarte, Ansichtskarte, keine Glückwunschkarte. Es muß ein kurzer, knapper
Text sein, meistens ohne Anrede, eine Unterschrift, wenn es geht, ein
verschlüsseltes Datum, wobei nur der, für den die Sendung bestimmt
ist, und der Resident wissen, was gemeint ist. Beispiel: »Komme am
soundsovielten. 18.00 Uhr. Unterschrift Heinz.« Oder: »Werter Herr
Soundso, bin mit Ihrem Vorschlag einverstanden.«
»Schönen Gruß aus der Heide, waren auf dem Berg.« Der Spion
wußte, daß der nächste Treff in Heidelberg stattfindet.

**Ich kann sagen, mein Verdienst war,
daß von Dresden kein Brief beim RIAS ankam.**
Der RIAS war für uns ein Feindsender und betrieb ideologisch-politische Diversion, darum sollten alle Briefkontakte zu ihm unterbunden werden. Ich hatte mitunter Berge von 600 Karten an den RIAS oder an Komiker wie Karl Dall, die Einschreiben nicht mitgerechnet. Die Einschreiber mußten weitergehen, weil das postrechtlich Wertsendungen sind, die nicht verschwinden dürfen. Alles andere habe ich zurückgehalten und vernichten lassen.

RIAS gab private Kontaktanschriften durch. Die Hauptverwaltung des MfS gab die Adressen runter an die Bezirksverwaltung, von dort gingen sie an die Abteilung M und kamen schließlich zu uns in die Außenstelle. Dabei gingen mir bei der Fahndung vier bis fünf Tage verloren. Dieser Zeitverlust hat mich jede Woche sehr geärgert, ich habe mich gefragt, wie kann ich verhindern, daß Briefe von Dresden zum RIAS gelangen? Da muß doch was zu machen sein, und ich habe herausgefunden:

1. Die Anschriften kamen immer aus Berlin 62.
2. Nur aus bestimmten Gebieten, z. B. Wartburgstr., Meraner Straße.
3. Immer einmal männlich, einmal weiblich.

Daher habe ich veranlaßt, daß die Deutsche Post uns das »Bund« *Berlin 62* gesammelt hat. Angenommen, die haben Sonntag gesendet. Dann haben wir Montag und Dienstag und Mittwoch reagiert. Wir haben die Briefe vorbeugend nach Kriterien, die ich selber erarbeitet hatte, zurückgehalten. Damit waren wir schneller als Berlin. Donnerstag oder Freitag kamen dann die Anschriften von Berlin runter. Dann ging der Rest der zurückgehaltenen Post weiter. Ich kann sagen: Mein Verdienst war, daß von Dresden kein Brief beim RIAS ankam, außer Einschreiben.

**Ich bin sehr kritisch, aber auf Befehl hätte ich auch
alle Briefe mit blauem Umschlag vernichtet.**
Das war ein merkwürdiger Widerspruch. *Privat* habe ich selber RIAS gehört, Musik, Nachrichten, Wunschrätsel. Denn für mich war das ein Sender wie jeder andere. *Dienstlich* habe ich, wenn jemand ein Autogramm wollte oder einen Musikwunsch hatte, Briefe an den RIAS von der Beförderung ausgeschlossen. Anweisung ist Anweisung. Wenn ich den Befehl bekommen hätte, *alle blauen Briefumschläge zu vernichten*, hätte ich das auch gemacht. Ich bin zwar sehr kritisch, aber wenn die entsprechende schriftliche Weisung dazu kommt, dann wird eben dieser Befehl ausgeführt von uns, die an der Basis sitzen. Damit hat sich das erledigt.

Natürlich war das, was wir da jahrzehntelang und in wachsendem

Ausmaß rund um die Uhr gemacht haben, ein Verfassungsbruch, aber mit dem Problem haben wir uns als Mitarbeiter an der Basis nicht befaßt, sondern uns höchstens wegen der Überstunden geärgert.

Mit Zivilcourage habe ich ganze schlechte Erfahrungen gemacht. Einmal habe ich einen Befehl verweigert und bin dafür bestraft worden. Weihnachten war sehr viel zu tun auf dem Postamt, die Postler kamen nicht mehr nach mit der Arbeit und ich sollte helfen, Briefe von einem Auto abzuladen. Damit war ich nicht einverstanden, denn ich grenze ab zwischen unserer Arbeit als Stasi und der Arbeit der Deutschen Post. Mein Standpunkt ist ganz klar: Die haben *ihr* Brot zu machen, und wir haben *unser* Brot zu machen. Jeder muß sehen, wie er damit zurande kommt. *So habe ich das die ganzen Jahre gelernt.*

Den einzigen Geheimdienstbrief, den wir in zehn Jahren gefunden haben.

Der einzige Geheimdienstbrief, den wir in zehn Jahren gefunden haben, das war reiner Zufall. Am Hauptbahnhof wurden von unserer Dienststelle die Kästen geleert. Einen Geheimdienstbrief erkannten wir an folgenden Kriterien:

1. Absender grundsätzlich aus dem Telefonbuch.
2. Empfängeraufbau so, daß er in der Masse mitschwimmt.
3. Keine Unterfrankierung.
4. Der Inhalt besteht aus einem Bogen DIN A 4.

Der BND hat vorgeschriebene Briefe verwendet, vom Briefumschlag angefangen. Da war der Absender alles tip, top. Beim BND war der Schrifturheber also ein Bundesbürger, nicht der Spion.

Beim *Amerikaner* hat der Spion selber den Brief geschrieben und formuliert, die Geheimdienstschrift aufgebracht und den Umschlag geschrieben. Bei den Amerikanern war also der Schrifturheber der Spion. Der Spion schreibt nur ein einziges Mal an dieselbe Anschrift. Wir mußten aber herauskriegen: *Wie oft* schreibt der Spion überhaupt seinem Auftraggeber? Alle drei Wochen, alle vier Wochen?

Die Deutsche Post leerte die Briefkästen und brachte sie uns direkt und ungestempelt, wir haben die Sendungen auf ihre nachrichtliche Relevanz geprüft. Die Briefkastenleerung kam, ich fahndete das durch nach Äußerlichkeiten, z.B. Frankierung usw. Im Zweifelsfall habe ich im Telefonbuch nachgeguckt. Stimmte der Briefabsender genau mit einer Adresse im Telefonbuch überein, habe ich die Sendung hochgegeben, damit sie heimlich geöffnet werden konnte.

Der Brief an den amerikanischen Geheimdienst ging nach Hamburg. Empfänger war Karl-Heinz Marek mit der Hausnummer 18. Den Mann gab es. Die Anschrift auch. Aber wegen des Doppelnamens war der Brief aufgefallen.

Er war meinem Kollegen verdächtig, weil
1. der Empfängeraufbau korrekt war
2. der Absender im Telefonbuch stand
3. die Briefmarke ganz korrekt oben rechte Ecke saß
4. der Brief, soweit er tasten konnte, nur eine Seite Inhalt hatte.

Der Vorteil bei der ganzen Sache war: Die Briefkastenleerung war noch ungestempelt. Die Sendung ging per Kurier hoch in die Auswertung unserer Abteilung M und zur Überprüfung in die *Schriftkartei*. Der Zufall wollte: Der Absender hatte schon mal geschrieben, und das Mfs hatte Briefumschlag und Brief fotografiert, wie bei vielen DDR-Bürgern.

Plötzlich hatten wir nach über zehn Jahren Postkontrolle rund um die Uhr den ersten geheimdienstlichen Erfolg in Dresden. Der Absender war zwar existent, aber nicht identisch mit dem Schrifturheber.

Aber dieser Erfolg war nicht das Ergebnis systematischer Suche, sondern der zufälligen Kontrolle einer Briefkastenleerung. Der Brief konnte untersucht, nachträglich richtig gestempelt und fristgerecht zugestellt werden.

Das war im schwülen Sommer 1986. In dem Raum zur technischen Untersuchung des Briefes herrschte eine unerträglich hohe Luftfeuchtigkeit. Sie half dem Mitarbeiter dort, die Geheimschrift sichtbar zu machen. Der Brief ging nach Berlin, von dort kam ein Spezialkommando runter nach Dresden.

Die Berliner haben noch einmal die Schriftenkartei der Abteilung durchgeforstet und festgestellt, daß diese Schrift 1984 schon einmal aufgefallen ist als Brief. 1984 hat dieser Spion schon einmal einen Brief geschrieben, der aber nicht erkannt wurde. Gespeichert wurde: Der Absender als DDR-Bürger und der Empfänger in der Bundesrepublik. Der ist bearbeitet, aber nicht erkannt worden. 2900 Oldenburg 1, Christel Katt. Und dann die Hausnummer 7. Das war die erste Kontaktanschrift von dem Spion. Die habe ich mir gemerkt. Der Brief war am Hauptbahnhof eingeworfen worden, wo Tausende von Menschen Tag für Tag verkehren.

Unsere Geheimdienstarbeit ist geprägt von einer faszinierenden Verschwendung.
Jetzt ging es darum, rauszufinden: wer hat diesen Brief geschrieben? Dazu haben wir, die Berliner, von da an zahlreiche Briefkästen in Dresden selber geleert. Jahre haben wir jede Personenbewegung observiert, jeder Briefkasten, egal wer dort geworfen hat: Jeden Bürger hat die Stasi *gefilmt*. Denn unsere Geheimdienstarbeit findet weit im Vorfeld des Verdachts statt und ist darum geprägt von einer irgendwo auch faszinierenden Verschwendung von Menschen und Material.

Gleichzeitig hat eine Arbeitsgruppe der Abteilung II in einem aufwendigen Marathon die handschriftlichen Personalausweisanträge von *Millionen* DDR-Bürgern geprüft.

Schließlich waren unsere Spezialisten erfolgreich und haben eine alte, krebskranke Frau ausfindig gemacht, die für die Amerikaner spionierte, um ihrem alkoholkranken Sohn zu helfen, der im Westen lebte. Allerdings hatten die Amerikaner ihr verschwiegen, daß der Sohn sich inzwischen schon totgesoffen hatte.

Gefängnis ist in der DDR kein Zuckerschlecken gewesen. Sie wurde zu einer langjährigen Freiheitsstrafe verurteilt. Die Amerikaner waren im Umgang mit Spitzeln nicht zimperlicher als die Stasi. Was die Methode angeht, ist Geheimdienst eben Geheimdienst. Auch die Amerikaner arbeiten mit Stasi-Methoden.

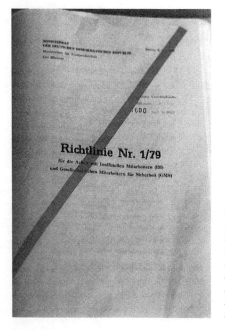

Die streng geheime Richtlinie 1/79 legte fest, wie die Spitzel zu führen waren. Die Stasi-Offiziere durften sie nur beim Referatsleiter einsehen, dann verschwand sie wieder in seinem Panzerschrank, der abends versiegelt wurde.

Briefe sind ein ehrwürdig-altes Kommunikationsmittel. Um sie heimlich mitzulesen, mußte das Ministerium viele Menschen einsetzen. Einfacher war es, wenn Bürger miteinander *telefonierten*, dann reichte es, sich dazuzuschalten. Übrigens »knackte« es dann nicht in der Leitung. Es knackte nie. In der DDR hatten längst nicht so viele Bürger ein Telefon wie in der Bundesrepublik. Wollte das Ministerium trotzdem hören, was die Menschen miteinander besprachen, wenn sie zusammen beim Abendessen saßen oder im Bett lagen, so mußte »Technik eingebaut« werden.

Dazu brach das Ministerium heimlich in die Wohnung ein und installierte eine *Wanze*. Spezialisten bauten sie ein. Andere hörten ab, was den Staat interessierte, wieder andere werteten es aus. In der Regel wurde die Wanze – oft von einer Nachbarwohnung aus – direkt in die Wand gesetzt, dicht unterhalb der Zimmertapete. Reichte dazu die Zeit nicht, dann hefteten die Mitarbeiter dieser Behörde eine Holzleiste unter die Schrankwand, unter die Couch oder an einen anderen Platz. Unsichtbar in der Leiste war die Wanze versteckt. Wanzen wurden in Telefonanschlußdosen und Lichtschaltern untergebracht. Daß sie im Telefon oder Radio untergebracht wurden, blieb eine Ausnahme.

Da die Reichweite eines so kleinen Senders gering ist, mußte meistens in der Nähe ein Stützpunkt mit einem Empfänger geschaffen werden, von dem aus das gesprochene Wort per Telefon an die Behörde weitergeleitet wurde. Gelang es nicht, die Wanze in der Wohnung des bespitzelten Bürgers mit Strom zu versorgen, etwas aus einem Lichtschalter oder einer Telefonleitung, so wurde sie mit einer Batterie gespeist, die nach einigen Wochen diskret ausgewechselt werden mußte.

Der Mann, der zu viel hörte: »Meine Welt waren Wanzen und Telefone.«

Als ich zu ihrem fahre, fällt mir das Sprichwort ein: Der Lauscher an der Wand hört seine eigene Schand. Vielleicht darum hatte ich an einen verkniffenen Finsterling gedacht, der voyeuristisch in dunklen Kellern hockt. Er hörte den Streit am Abendbrottisch. Er hörte das Stöhnen der Ehepaare, wenn sie miteinander schliefen. Ich bin eher negativ eingestimmt auf ihn.

Als wir uns sehen, bin ich überrascht. Ich kann mir nicht helfen. Ich finde ihn sympathisch. Vielleicht liegt das auch daran, daß er so ganz anders aussieht, als ich ihn mir vorgestellt habe. Statt des Fanatikers sitzt mir ein blonder, kräftiger Mann gegenüber, der aufgeschlossen und nachdenklich wirkt. Wir treffen uns auf seinem Segelboot, das er sich gerade herrichtet. Vor der Wende hatte er für so etwas nie Zeit. Während draußen das Wasser schwappt, sitzen wir in der noch leeren Kajüte. Ich habe ihn kennengelernt, weil er von sich aus mit einem seiner Abhöropfer Kontakt aufgenommen hat, um mit ihm über das zu reden, was er getan hat. Einen Mann, den er über viele Jahre abgehört hat. Trotzdem werde ich ihm nicht einfach gutgläubig zuhören.

Überall wird geschwindelt, von uns erfahren sie die Wahrheit.
Ich habe nie ein Geheimnis gemacht, daß ich Mitarbeiter des Ministeriums für Staatssicherheit war. Ich habe natürlich keinem erzählt, was ich konkret mache, daß ich Wanzen und Telefone abhöre. Aber wo ich arbeite, wissen hier ringsherum alle. Und nicht erst seit gestern, schon vorher.

Ich bin aus tiefster Überzeugung in diese Behörde gegangen, etwas Notwendiges zu tun – niemals gern allerdings. Ich habe immer gesagt, das schönste wäre, wenn wir mal nicht mehr gebraucht würden. Das habe ich natürlich anders gemeint, als es jetzt gekommen ist. Aber wer macht so etwas schon gern, der muß ja krank sein. Außerdem wurde ich nicht als Jugendlicher geworben, *ich war richtig berufstätig und hatte keine Ambitionen.* Den Schritt, Geheimdienstler zu werden, habe ich nach dem Motto vollzogen: Du mußt in den sauren Apfel beißen. Es gibt nun mal die Notwendigkeit, den Sozialismus vor seinen Feinden zu schützen, das muß halt sein.

Ich hoffte, daß das, was ich machte, ein Bestandteil der progressiven Seite sei. Ich dachte, es wird ja überall geschwindelt, von uns erfahren sie die Wahrheit. Ich wollte was gestalten, ich wollte nicht bloß mein Geld verdienen, sondern ich wollte am Schluß sagen: Dazu hast du mit beigetragen, und ich wollte eigentlich mal stolz sein darauf.

Die Wahrheit sollte durch die Wolken nach oben dringen zum ZK.
Von der Sicherheitsdoktrin habe ich erst jetzt im Radio erfahren. Wenn man versucht hätte, mir solchen Blödsinn weiszumachen, hätte ich mich so nicht engagiert.

Mein *Hauptbeweggrund,* zur Stasi zu gehen, war der *Widerspruch zwischen* dem, was in ZK-Tagungen und auf *Parteitagen* gesagt wurde, *und der Realität,* die wir ja nun wirklich kannten. Ich habe mir gesagt: *Ich muß mit dafür sorgen, daß der Wahrheit eine Bahn gebrochen wird.* Ich weiß jetzt, daß wir dazu überhaupt nicht beigetragen haben.

Im Gegenteil, wir haben Veränderungen verhindert. *Ich hatte so das Wölkchendenken, ich dachte, es seien nur die vielen Schichten des demokratischen Zentralismus, die unterbinden, daß die Wahrheit durch die Wolken nach oben dringt zur allmächtigen Sonne ZK.* Dagegen sollte meine Wahrheit als Mitarbeiter des Ministeriums ja nun angeblich *direkt* bis hoch gehen. Diese Vorstellung bildete meine Hauptmotivation.

Heute weiß ich, *daß nur der Mann auf der Straße den Druck erzeugt hat.* Den kleinen Basisgruppen, die jetzt untergebuttert und vergessen sind, verdanken wir die Wende, nicht den Blockparteien wie der CDU oder der Bauernpartei oder der Liberalen. Ich hoffte und bildete mir ein, daß das, was ich unter Sozialismus verstehe, sich durchsetzen könnte.

Ich war überzeugt, unsere Arbeit, den Staat mit einem eigenen Ministerium zu schützen, sei sehr nützlich. Meine innere Antriebsfeder, Geheimdienstler zu werden, war der Gedanke: *Wir müssen diejenigen rausfiltern, die tatsächlich böse Feinde des Sozialismus sind.* Das sind, dachte ich, aber auf alle Fälle die allerwenigsten. Für alle anderen müßten wir, um mal das abgedroschene Wort anzuwenden, einen Konsens finden.

Meine Welt waren Wanzen, Telefone, Wählimpulse.

Die Abteilung 26 hat sich unterteilt in verschiedene Bereiche. Dort wurde alles abgehört, was man abhören konnte, außer Funksprüchen, das wurde von der Abteilung III gemacht. Meine Welt waren Wanzen, Telefone, Wählimpulse.

● Wir haben *Telefone* abgehört. Das nannten wir *A-Maßnahme.* Auf dem Band war nur das gesprochene Gespräch. *Wählimpulse* haben wir auch aufgenommen, so daß ich immer wußte, wer angerufen wurde. Die Impulse wurden gezählt und auf einen Bildschirm gegeben, technisch ist das überhaupt nichts Neues. So konnte ich, wenn der Name nicht kam, die Rufnummer ermitteln.

● Wir haben *Wanzen* abgehört. Das waren sogenannte *B-Maßnahmen.*

● *Maßnahme X* war eine Gegenmaßnahme, um festzustellen, ob bei uns Technik eingebaut ist. Wir haben den Raum ausge-x-t.

● In Ausnahmefällen gab es *D-Maßnahmen. Fotos oder anderes Bildmaterial* diente dem Ministerium für Staatssicherheit als Beweismittel. Das waren oft die Fälle, wo der Staatsanwalt die Ausnahmeregelung auch *wirklich* erteilt hatte.

Ich erinnere mich an einen hoch angebundenen Kirchenangestellten, der heute noch in Amt und Würden ist und Pornos gemacht hat. Er war verheiratet und hat sich regelmäßig im Hotel ein Zimmer gemietet, um dort zwei Damen in aufregenden Stellungen zu fotografieren. Die haben ganz schön Betrieb gemacht. Wir haben ihn dabei fotografiert, ihm die Ergebnisse vorgehalten und damit unter Druck geworben. Damit wir ihn nicht kompromittieren, hat er sich in eine ergiebige Quelle verwandelt.

Ein bestimmtes Mitdenken ist erforderlich.

Ich war nicht spezialisiert, z.B. auf Telefone. Diese Art von Spezialisierung gab es bei uns überhaupt nicht. Ich habe mich informell aufgrund bestimmter *Themenkomplexe* etwas spezialisiert.

Das war aber eine praktische Frage. Mein Chef hat gesagt: *Ein be-*

stimmtes Mitdenken ist erforderlich, damit wir überhaupt die Sache erfassen, von der die abgehörten Bürger reden. Es soll ja etwas Verwertbares rauskommen. Das war mehr eine Spezialisierung, die sich aus der Praxis heraus ergab.

Es gab Wanzen mit Mikrotechnik. Sendertechnik hatten wir auch. Je primitiver die Technik, um so besser, klarer und deutlicher war die Qualität für den *Auswerter*, wie wir uns nannten.

Ich bekam die Einbaupläne, aus denen hervorging, wo die Wanze sitzt z.B. im Schlafzimmer am Kopfende des Bettes an der Wand – unter der Tapete. Das mußte ich wissen, weil ich mitverantwortlich dafür war, daß die Bürger, die unsere Behörde abhörte, unsere Technik nicht finden. Ich saß am anderen Ende und bekam mit, wenn die Leute im Wohnzimmer nach der Wanze suchten.

Unser Ministerium hatte keine speziellen Stellen, Wanzen wurden überall eingebaut, meistens in die Wand und Tapete rübergezogen. Dieser winzige Punkt, der dann *unter der Tapete* rausgeschaut hat, war für die Leute nicht sichtbar. Selbst wenn sie gesucht haben. Ich habe Bürger abgehört, die ihre Wohnung plötzlich für die Renovierung vorgerichtet haben. Selbst die haben unsere Wanzen nicht gefunden. Unsere Behörde hat mit großer Vorbereitung und sehr solide gearbeitet. Wir haben mit unseren Mitteln dafür gesorgt, daß die Spezialisten einige Stunden allein in der Wohnung des Bürgers waren und ungestört arbeiten konnten. Sie hatten Zeit, die Wanze fachgerecht, sauber und ordentlich in die Wand einzubauen. Manchmal haben sie das aus der Nachbarwohnung heraus gemacht. Die Techniker haben gebohrt. Die hatten große Erfahrung, daß sie die Wand nicht völlig durchbohrten und kein Krümelchen Putz runter fiel.

Sicher, manchmal mußte es *schnell* gehen, und die Wanze wurde ins Radio eingebaut, z.B. in Wohnungen, wo sehr viel Begängnis war. Manchmal haben wir auch die Schrankwand als Platz für die Wanze gewählt. Da wurden von unseren Spezialisten Holzleisten vorbereitet, die bloß unter die Schrankwand geheftet zu werden brauchten. Verborgen in der Leiste war die Wanze, weil ja kaum mal einer unter die Schrankwand guckt.

»Bei Herrn Leiberg heute alles belanglos«

Wir haben *Sprechproben* gemacht, so daß ich als Auswerter einschätzen konnte, ob ich alles verstehe. Es gab drei verschiedene Aufzeichnungstechniken.

1. Die alte Technik arbeitete so, daß *ununterbrochen* gesendet wurde, egal, ob normale Sprechfrequenzen drauf waren oder nicht. Der Sender hat auch gesendet, wenn Ruhe war. Gegebenenfalls hatten wir ein leeres Band.

2. Später gab es Sender, die haben nur gesendet, wenn Normalfrequenzen zu hören waren, 500 bis 2500 oder 3000 Hertz. Da ging die *Steuerung, ob etwas aufläuft oder nicht, vom Sender aus.*

3. Die stationäre Technik, die das aufgenommen hat, war früher so gebaut, daß sie alles aufgenommen hat. Aber schon in den letzten Jahren war es so, *daß die stationäre Technik in unserer Behörde sortiert hat* und die Bänder nur dann angelaufen sind, wenn der Sender Normalfrequenz übermittelt hat.

4. In zunehmendem Maße hat unsere Behörde eine neue Variante praktiziert: wir haben *direkt mitgehört*, was der Bürger in seiner Wohnung sagte. Dazu hat unser Ministerium einen Schichtdienst organisiert. Wir konnten wechselweise, wie wir wollten, über Lautsprecher oder über Kopfhörer verschiedene A- und B-Maßnahmen mithören.

Wenn der Bürger in seinem Wohn- oder Schlafzimmer sprach, *klingelte* es bei uns und eine Lampe leuchtete auf, so daß wir uns automatisch zuschalten konnten. In dem Augenblick, wo eine Normalfrequenz (NF) ankam, leuchtete zum Beispiel auf Platz 7.3 ein Lämpchen, es klingelte, und ich wußte als Auswerter, dort muß ich mich zuschalten, dort spricht jetzt jemand in seiner Wohnung. So konnte ich bis zu zwanzig verschiedene Maßnahmen gleichzeitig grob sortieren. Das hat uns, rein vom Praktischen her gesehen, sehr geholfen.

Wenn mehrere B-Maßnahmen zur gleichen Zeit liefen, also verschiedene Bürger in verschiedenen Wohnungen gleichzeitig sprachen, dann konnte ich zwar als einziger, der in unserer Behörde direkt alles mithören mußte, nicht unbedingt mehr sagen, was jeder gesprochen hat. Aber ich konnte für den anderen Auswerter *einengen.* Er brauchte sich dann nicht mehr zwölf Stunden anhören, was am Tag gelaufen war, sondern nur noch die eine Stunde oder manchmal bloß zehn Minuten oder manchmal auch gar nichts. Denn ich konnte dem Kollegen sagen: »Bei Herrn Leiberg war heute nichts, ich habe mitgehört, alles belanglos.«

Bei einer A-Maßnahme ist es ja noch einfacher. Wenn bei dem Bürger das Telefon klingelt, höre ich es eben dort in meiner Dienststelle auch.

Auch wenn der Bürger sein Radio laut aufgedreht hatte, verstand ich alles.

Wenn die Bürger ein Radio angestellt hatten, dann konnte ich mit Schiebern gewisse Frequenzen bequem herausfiltern, wegdrücken und das Spektrum so einengen, daß ich nur noch hörte, was ich hören wollte. Die Beeinträchtigung, die sich dadurch ergab, war in den allerseltensten Fällen so stark, daß ich nichts mehr verstanden hätte. Denn die meisten Menschen sprechen viel monotoner, als sie selber denken.

Ich habe die Frquenzen eingeengt, alles was drüber oder drunter lag, fiel weg.

Im Bezirk haben wir im Jahr
1000 Telefone und 200 Wanzen abgehört.

In den Köpfen der Leute geistern Zahlen über das Abhören herum, die sind extrem. Hier im Bezirk haben wir durchschnittlich im Jahr etwa 1000 A-Maßnahmen durchgeführt, also Telefone abgehört. Und etwa 200 bis 250 B-Maßnahmen, wobei da schon die Hotels dabei waren.

Ich sage das nicht, um Propaganda für die Stasi zu machen. Mehr war technisch einfach nicht möglich. Denn so toll war die Technik bei uns nicht. Wir waren zehn Mann, die das *ausgewertet* haben für den ganzen Bezirk. Es gab allerdings noch ein Referat, die waren auch zehn in der Abteilung 26. *Das war das Referat, was unsere eigenen Leute überwacht hat.* Das hieß *innere Sicherheit*.

Wir sind im Jahr maximal auf *Auftragsnummern* bis zu 1300, 1400 gekommen. Viele Auftragsnummern wurden mehrfach vergeben. Daher müssen wir davon 300, 400 abziehen. Einen Bürger hat unsere Behörde mal im Frühjahr, dann wieder im Herbst abgehört. Andere Aufträge waren zwar da, wurden aber nie realisiert. Dafür gab es verschiedenste Gründe. Also mit 1000 Aufträgen kommt man hin.

Ich hatte als Auswerter in der Abteilung 26 *im Durchschnitt am Tag 10 Aufträge*, davon vielleicht acht A-Aufträge und zwei B-Aufträge. Es können auch mal zwanzig gewesen sein. Was sich hinter unserem Lauschangriff auf den Bürger an Arbeit versteckte, war sehr unterschiedlich. Es gab Aufträge, da führte der Bürger, den wir abhörten, am Tag ein einziges Telefongespräch. Es gab Aufträge, da hörten wir am Tag fünfzig Telefongespräche mit.

Wir haben B-Maßnahmen eingebaut, wo die Menschen von früh bis abends zu Hause waren und immer nur gesprochen haben. Andere Bürger waren am Tag nur eine halbe Stunde im Zimmer, trotzdem war das für uns effektiv, weil sie in diesem Zimmer die Sachen beredeten, für die sich unser Ministerium interessiert hat.

Für Spionage haben wir uns
ebenso interessiert wie für Andersdenkende.

Auftragsgebunden haben wir aus dem, worüber die Bürger redeten, sehr verschiedene Informationen herausgefiltert. Für Spionage haben wir uns ebenso interessiert wie für Andersdenkende. Wo viel verboten ist, gibt es viel zu überwachen. Es gab im wesentlichen vier große Kategorien, vier Richtungen, in die die Maßnahmen unserer Behörde liefen:

1. *Spionage* und alle anliegenden Dinge, wie Weitergabe von geheim-zuhaltenden Informationen. Verbindungsaufnahme usw. Wenn ein Bürger nach den §§ 96, 97, 98 des Strafgesetzbuches von uns geheim-dienstlich bearbeitet wurde.

2. *Andersdenkende*, wir nannten das *Politische Untergrundtätigkeit* (PUT), da fiel automatisch mit rein, was Kirche war. Das ist natürlich sachlich falsch, weil man die Kirche nicht automatisch mit Unter-grundtätigkeit vergleichen kann. Aber das Kind mußte ja einen Na-men haben.

3. *Die 213er* bildeten die dritte große Kategorie, d. h. diejenigen, die ausreisen wollten.

4. *Sicherheitsüberprüfung von inoffiziellen Mitarbeitern.*

Wir haben viele Künstler abgehört.
Künstler haben es ja nun mal an sich, es ist ja auch ihr Arbeitsgegen-stand, sich mit der Gesellschaft auseinanderzusetzen und zu kritisie-ren. Natürlich fielen die dann automatisch sehr oft mit unter PUT. Wir haben viele Künstler abgehört. Bei Künstlern wollte das Ministerium herausbekommen (vgl. »Ich bin eigentlich doch irgendwo ehrlich ge-wesen«, S. 91 ff.):

● Welche *Verbindungen* haben die Leute? Möglichst, wenn's geht, ins westliche Ausland, um ihnen nachweisen zu können, daß sie vom Feind gesteuert sind. Das wäre der Idealfall gewesen.

● Welche *Aktivitäten* planen diese Leute? Wenn ein Künstler Dinge unternahm, mit denen er sich unter der Masse eine Popularität ver-schaffte, die unserer Führung nicht genehm war, wollte das Mini-sterium so etwas wissen, um heimlich Mittel und Möglichkeiten zu finden, dem vorzubeugen oder entgegenzutreten.

Die Mitarbeiter wollten von uns oft rein praktische Hinweise für ihre eigene Arbeit haben, Hinweise für die weitere Materialbearbeitung. Sie erwarteten nicht nur Hinweise, die dazu dienten, gezielt etwas Be-stimmtes zur Person zu erfahren, sondern Informationen, *an welcher Stelle er jetzt wieder etwas machen und den Künstler weiter bear-beiten kann.* Das Abhören bringt wenig direkt Verwertbares. Aber es bringt viele *praktische Hinweise*, aus denen ein operativer Mitarbei-ter *Rückschlüsse ziehen kann für weitere Maßnahmen* gegen den Bürger. Dazu ein Beispiel:

In einer Wohnstube unterhalten sich welche darüber, daß sie in vier-zehn Tagen nach Schwerin fahren und da diesen und jenen Menschen treffen. Wenn dieser Mensch interessant ist, dann versucht der Mitar-beiter dort irgendwie etwas zu erfahren und kann dort einen Blauen erscheinen lassen oder andere Maßnahmen einleiten.
Oder wir bekommen Kenntnis von gewissen Gewohnheiten eines

Menschen, z. B., er macht jeden Abend mit seinem Hund einen Spaziergang. Das wäre vielleicht ein Hinweis für eine konspirative Wohnungsdurchsuchung. Da wird unter dem Strich nicht irgendwann mal dem Mann angelastet, daß er mit seinem Hund spazieren geht, sondern für den Geheimdienst ist die Tatsache interessant, daß jeden Abend die Wohnung leer ist.

Im Bereich Kirche habe ich viele Telefone abgehört.

Im Bereich Kirche habe ich viele A-Maßnahmen überwacht, also Telefone abgehört. Das Ministerium hat dort aus technischen Gründen fast gar keine B-Maßnahmen gemacht, also keine Wanzen eingebaut. Denn wenn wir in der Dresdener Kreuzkirche eine B (Wanze) einbauen, verstehen wir nichts, weil es so hallt und viele Leute reden. Das sind so viele Fremdgeräusche, das nutzt uns dann gar nichts. Darum haben in den Kirchen unsere Blauen mit kleinen Tonbandgeräten *Aufzeichnungen* für uns gemacht.

Dieses Material bekamen nicht wir in die Hand, sondern die operativen Mitarbeiter der Abteilung XX werteten es selbst aus. Bei uns ist es ab und zu mal gelandet, wenn die Qualität schlecht war und der Blaue sich nicht mehr richtig erinnern konnte: Nach dem Motto: *Ihr habt geübte Ohren.*

Es heißt jetzt immer, die Kirche habe die Wende herbeigeführt. Das stimmt nicht. Es waren Leute aus der Kirche, die ihren Raum, im wahrsten Sinne des Wortes ihren Raum geöffnet haben, sich aber inhaltlich kaum damit identifiziert oder damit befaßt haben. Sie haben die Leute reingelassen; das war schon sehr viel. Ich habe durch mein Mithören selber erlebt, daß die Opposition bei Kirchenleuten erst sehr viel Widerstand überwinden mußte, auch bei unserer Kirchenleitung hier in Dresden.

Durch die vielen A-Maßnahmen, die wir gemacht hatten, weiß ich: Die Ziemers, die es überall in der Kirche gab (Ziemer: Superintendent in Dresden an der Kreuzkirche), *hatten mit der Kirche genauso viel zu kämpfen* wie mit dem Staat.

Ich hab's ja nun durch. Die vielen, vielen staatstragenden Kirchenleute wurden nicht gestürzt, heimsen aber jetzt den Ruhm solcher Ziemers mit ein. In Wahrheit waren sie gegen das, was sich in ihrer Gemeinde abgespielt hat. Ich habe sie als Auswerter am Telefon gehört und kenne ihren Opportunismus.

Die entscheidenden Köpfe, die etwas bewegt haben, waren einfache Kirchgänger und Leute, die nicht aus dem kirchlichen Bereich kamen. Nur waren die Kirchenleute bekannter und hatten einen entsprechenden Namen. Daher machte es sich gut, wenn sie nach außen die entscheidenden Sprecher waren.

Ich habe das nicht als Kirche gesehen, sondern als inneren Widerstand unter dem Dach der Kirche. Dort ging alles hin, was sich für Kritik interessiert hat. Insofern ist es schon eine falsche Auslegung, zu sagen, das waren (Abhör-)Maßnahmen gegen die *Kirche*.

Ich war kein Voyeur, aber unsichtbarer Gast:
Bei Bürgern, die ich häufig lange und intensiv belauscht und nie gesehen habe, hatte ich den Drang, mir vorzustellen: *Wie sieht die Person wohl aus, die ich so gut kenne?*
Ich habe jahrelang Frau Blumenthal abgehört und mir von ihr ein Bild aufgebaut: Eine ältere hysterische Dame, fordernd, reizbar, empfindlich, mit labilem Selbstwertgefühl und einem starken Bedürfnis nach Bestätigung, gepflegt, aufrechter Gang, lebhafte Gestik, Haare straff nach hinten. Ich wußte, wo sie wohnt.
In dieser Wohngegend bin ich mal langgelaufen, als es dort gerade Bananen gab, sah eine Frau auf der Straße und dachte: »Die Dame sieht aus wie Frau Blumenthal.« Sie ging in den Gemüseladen, ich hinterher. Ich wußte, Frau Blumenthal wohnte dort schon lange und war bekannt. Plötzlich sagte die Frau hinter dem Verkaufstisch: »Ach, Frau Blumenthal, was kann ich für Sie tun?« Das Bild, das ich mir beim Abhören gemacht hatte, und die reale Person paßten genau zusammen. Durch mein Abhören bin ich in die Imtimsphäre der Menschen eingedrungen, habe das Leben ganzer Familien über längere Zeit verfolgt und festgestellt, daß ich überhaupt nicht vom äußeren Eindruck ausgehen kann, den ich von einem Menschen habe. Vielleicht ist das bei uns in der DDR besonders stark so gewesen.
Ich habe dabeigesessen und die Menschen kennengelernt, in der Küche, im Wohnzimmer, im Schlafzimmer.
Die ersten Tage hatte ich einen bestimmten Eindruck, zum Beispiel von einem Ehepaar. Ich habe gedacht: Na, das ist ja ein schrecklicher Kerl, wie der seine Frau behandelt. Sofort hatte ich das Ehepaar polarisiert und mir gesagt: Der Mann ist schlecht, die Frau ist gut. Ich mußte mir ja alles mit anhören, ich mußte ihre *Stimmen unterscheiden*, ihre *Gewohnheiten kennenlernen*. Daher war ich gezwungen, mir besonders in der ersten Zeit alles, was sie in ihren vier Wänden reden, sehr genau anzuhören.
Ich bekam einen ersten Eindruck, gerade so, als würde ich die Menschen besuchen, nur noch ein bißchen besser, weil sie ja nicht wissen, daß ich sie besuche. Würde ich sie besuchen, würden sich ja von ihrer besten Seite zeigen, sonst würden sie Minus machen. Ich war kein Voyeur, das liegt mir nicht, aber *ich war ihr unsichtbarer Gast, der mit ihnen am Küchentisch saß und mit ihnen im Bett lag. Mein Ohr war immer dabei.*

Ich habe festgestellt, daß ich in den meisten Fällen meinen ersten Eindruck von den Menschen korrigieren mußte, weil er falsch war. Erst allmählich habe ich verstanden: Warum ist der so? Was sind seine eigentlichen Motive? Durch meine Tätigkeit für das Ministerium bin ich gegen alle Leute sehr skeptisch geworden, die zunächst einen ganz besonders guten Eindruck machen. Ich war ja dabei und weiß es: *Die Bürger, die moralisch so gut aussahen, stramme* SED-*Mitglieder oder Angehörige der Blockparteien, waren meistens die unmoralischen.* Meistens hatten sie ziemlich tückische Ecken.

Lange habe ich im Auftrag unserer Behörde ein Ehepaar abgehört, wo der Mann immer sehr mürrisch und mir sehr unsympathisch war, weil er der Frau das Wort abschnitt: »Halt die Klappe jetzt, du Schlampe« und dergleichen. Bis ich mitbekam, wenn sie abends im Bett lagen: Eigentlich war sie der Kopf. Die Frau hatte sehr unlogische Ansichten und wollte immer ihren Willen durchsetzen, es sollte immer nach ihrer Nase gehen, beim Kochen, Gästen gegenüber, bei Anschaffungen. Der Mann war viel zu weich gegenüber seiner Frau und hat sich mit seiner mürrischen Art gegen die dominante Frau gewehrt.

Ich entsinne mich an ein anderes Ehepaar, das ich jahrelang abgehört habe. Die Frau sagte eines Abends vor dem Einschlafen zu ihrem Mann einen Satz, der mir sehr zu denken gegeben hat. Denn er erklärte, warum die Stasi *so stark* sein und sich so ausbreiten konnte: »Die Stasi ist ein giftiger Pilz, der sich mit seinem Myzel (Wurzelgeflecht aus Pilzfäden) überall in den Köpfen der Menschen festheftet.« Ich fand, die Frau hatte recht. Es ist ein eigenartiger Vergleich, aber dieses Bild trifft zu: Das Myzel sind die *Mitläufer*, die vielen SED-Mitglieder in den Leitungsfunktionen, die CDUler, die Liberalen. Sie haben mitgemacht und hatten teil an der Macht. Das Myzel aus Mitläufern, Jasagern, Wendehälsen ist riesengroß, und der *giftige Pilz Stasi* ist nur klein. Aber das Myzel ist *der eigentliche Pilz*. Und der sichtbare Pilz ist nur die *Frucht*. Jede Diktatur braucht Mitläufer.

In die Intimsphäre reinzuhören: das sehe ich als praktische Arbeit, als Job. Wenn ich zwanzig solcher Maßnahmen habe, interessiert mich absolut nicht mehr, wenn ein Ehepaar miteinander schläft. Vielleicht ist es für einen jungen Mann, der auf sexuellem Gebiet noch keine Erfahrung hat, ganz interessant, das mitzuhören. Aber für uns war das unbedeutend. Ich drückte dann den Daumen auf den Tonkopf und hörte mir das nicht an; die Zeit hatte ich gar nicht. Das stand mir sowieso alles bis zum Hals.

Mich interessierte nur noch das, was mein Auftraggeber wissen wollte, z.B. beim §213, wenn der Herr Meier zur Frau Müller sagte: »Gela, also morgen um 23.00 Uhr setzen wir uns ins Auto und fahren rüber.« Alles andere war für mich uninteressant. Denn ich hatte an manchem Tag einen Stapel von dreißig, vierzig, fünfzig Tonbändern vor mir liegen und mußte fertig werden.

Ich habe manchmal von mir aus was *zusätzlich mit ausgewertet*, weil ich der Meinung war, das müssen die nun mal wissen, auch wenn es nicht in ihren Kram paßt. Das war eine ganz wesentliche Motivation. Manchmal habe ich auch gewisse Dinge geflissentlich *absichtlich überhört*.

Vor der Wende: Ich wollte mich mit meinem Abhöropfer treffen.
Jahrelang habe ich Herrn Pfarrer Bloch (Name geändert) abgehört und konnte ihn allmählich immer besser verstehen, der lief eben rund. Er ist ein guter Pragmatiker. Mir wurde beim Abhören immer klarer, daß Fehler grundlegend politischer Natur gemacht wurden. In vielen Dingen haben wir natürlich andere Meinungen. Er ist ein Kirchenmann, ich bin ein Atheist. Aber ich habe angefangen mitzufühlen und wollte mich mit meinem Abhöropfer treffen.

Denn ich habe festgestellt, daß er ein ernstzunehmender Mensch ist, nicht nur die glitzernde Persönlichkeit, die in der Kirche steht und von der Kanzel predigt. Ich kannte ihn gleichsam privat, ohne ihn je gesehen zu haben. Ich habe ihn von mir aus für die Stasi eingeschätzt, das war schon eine halbe Liebeserklärung. Ich wünschte direkt, er könnte seine Akte sehen.

Durch Leute wie ihn, Menschen mit Zivilcourage und Charakter, wuchs in mir das Gefühl, es muß sich etwas ändern in unserem Land. Ich hatte noch keine abgeschlossene Meinung wie heute, kam aber immer mehr zu der Überzeugung, was ich mache, reicht nicht aus. *Ich kam immer mehr mit meinem Gewissen in Konflikt*, daß ich zwar arbeitete wie verrückt, *aber nichts erreiche*. Und dort war jemand, der offen war für alle. Das ging mir an die Substanz.

Schon eine ganze Zeit vor der Wende wollte ich zu ihm Kontakt aufnehmen, was ja damals sehr schwierig war. Da hat mir eigentlich nur ein dummer Zufall den Weg zu ihm verbaut. Ich wußte durch meine Abhörarbeit, wann und wo er Sprechstunde hat. Und dort wollte ich hin. Ich wollte ihn normal als Besucher sprechen, weil ich wußte, dort war ich relativ unbeobachtet und er saß da abhörtechnisch wunderbar sicher. In der Zeit wurde in der Kirche gerade gebaut. Frau C. machte Pförtnerdienst, damit nicht alle auf einmal zu ihm kamen, sondern immer nur einer mit ihm sprach. Ich habe so getan, als ob ich Tourist wäre und die Kirche nur besichtigen wolle. Ich hatte aber Angst, daß die Frau von mir einen Personalausweis verlangt und dort einträgt, daß ich an dem und dem Tag dort war. Sonst hätte ich schon 1987 mit ihm Kontakt aufgenommen. Ich hätte ihm gesagt, daß ich sein Abhörer bin. Und dort hätte ich ihm die Zusammenarbeit angeboten. Ich hätte mich natürlich, wenn er Interesse gezeigt hätte, mit ihm geeinigt, daß ich mich ihm überprüfbar mache. Es wäre sehr heikel gewesen. Wenn er zur Stasi gesagt hätte: »Also so jemanden schicken Sie mir nicht wieder auf den Hals!«, wäre ich aufgeflogen. Aber wie soll man es anders machen? Risikolos ist sowas nie. Irgendwann muß der erste Schritt getan werden, auch auf die Gefahr hin, daß ich dann vorm Militärgericht stehe. Das wäre mir ja dann passiert.

Ich war der Mann, der zuviel hörte.
Was unter PUT, Politische Untergrundtätigkeit, zusammengefaßt wurde, *ging ja nicht spurlos bei mir vorbei.* Die Bürgerbewegung in der DDR hat mich verändert. Ich war sehr gut informiert. Es wäre eine absolut dumme Phrase, zu sagen, ich hätte es nicht besser gewußt. *Ich habe ja auch ein bißchen mitgedacht* und mir darum die Mühe gemacht, die Dinge so zu schreiben, daß wer das liest, erkennen muß: Warum engagiert dieser Mensch sich in dieser oder jener Form? Ich war ja schon fast selber engagiert. Denn so glatt ging das nicht an mir vorbei. *Ich war der Mann, der zuviel hörte.*
Wenn ich unsere inoffiziellen Pausengespräche aufgezeichnet hätte und jetzt den Leuten vorspielen würde, zum Beispiel vom *Bündnis 90,* würden die niemals glauben, daß das Gespräche von der Staatssicherheit waren. Auch bei uns war ein ständiger Widerspruch, selbst in diesem Organ. Ich habe durch Zufall noch ein paar Durchschläge, wo ich mich an meine Leitung gewandt habe. Das war schon fast Aufruhr. Und nicht erst kurz bevor wir aufgelöst wurden, sondern schon davor. Ich habe ursprünglich, als der offene Protest losging, gedacht: Naja, das sind Leute, mit denen muß man zusammenarbeiten, aber die sind auf dem verkehrten Dampfer.
Wir hatten den Auftrag, *Entkräftendes* im Sinne einer Straftat zu liefern oder eben Beweise. Ob es nun Wirtschaft war oder Kirche, aus allen Bereichen kamen immer mehr Fakten und Zusammenhänge ans Tageslicht, *die ich nicht nur im Sinne des Auswerters zu bewerten hatte, sondern auch als Mensch.* Ich sagte mir: Diese Karre läuft gegen den Baum, hier muß ich etwas tun.
Das, was die Leute sagten, war auch meine Meinung. Ich fand es schlimm, daß *die falschen Leute* die Wahrheit sagen. Denn ich war immer noch der Auffassung, das seien Leute, die sich darüber *freuen,* diese Gesellschaft kritisieren zu können, weil sie damit anhand realistischer Tatsachen die Bürger hinter sich kriegen. Ich meinte, es müßte umgekehrt sein und wir müßten von oben aus die Wahrheit sagen, weil sie uns ja am meisten wehtut.
Es war für mich eine ganz schlimme und ganz, ganz bittere Erkenntnis, begreifen zu müssen, das gerade diese Art Motivation total fehl

am Platze war. Ich fühle mich um die Zeit betrogen, die ich für den Geheimdienst gearbeitet habe, und bin heute noch nicht darüber weg. Ich hatte ganz andere Vorstellungen. Ich hatte mal an unseren Leiter der Bezirksverwaltung geschrieben, daß ich allmählich den Verdacht hege, unsere Informationen werden nicht nur mißachtet, sondern auch *mißbraucht*. Den Durchschlag habe ich, nebenbei bemerkt, noch. Das Schlimme ist eingetreten: Dieser Verdacht hat sich voll bestätigt.

Ich habe mal dieses Buch in der Hand gehabt: *Ich liebe euch doch alle. Befehle und Lageberichte des MfS*. Was ich dort gelesen habe an Einschätzungen über Dinge, wo ich teilweise selbst geheimdienstlich dran gearbeitet habe – ich könnte heulen.

Mittlerweile redet man den Leuten im Volk ein, wir seien alles böse Leute. Ich habe immer gedacht, die Leute spinnen sich was zusammen, habe über dieses dumme Gerede gelacht und gedacht: Mein Gott, wenn die Bürger wüßten, wie es wirklich ist.

Jetzt kann ich es nicht mehr von der Hand weisen. Die Menschen haben recht. Warum ich ursprünglich zur Stasi gegangen bin, spielt keine Rolle; nur noch die Tatsachen zählen. *Im Endeffekt hat das, was wir dort gemacht haben, nur der konservativen, negativen Seite dieses Kräfteparallelogramms der Macht gedient.* Es mußte schiefgehen. Die Wahrheit wurde dazu benutzt, um diesen Apparat so lange wie möglich am Leben zu halten. Ich habe nichts Positives bewirkt. Überhaupt nichts. Ich muß jetzt feststellen, alles, was ich gemacht habe, war tatsächlich Schnüffelei. Und es hat der gesamten Entwicklung der DDR zum Negativen gereicht.

**Unser Staat trat als Kunstdieb auf,
und wir haben ihn dabei gedeckt.**
In Pirna haben wir einen Fall kriminellen Kunsthandels mit Akribie bearbeitet und versucht, rauszukriegen, wer dort unter dem Deckmantel staatlicher Kunsthandel in seine Taschen wirtschaftete und Kunstgegenstände gegen Valuta außer Landes schmuggelte und in alle Himmelsrichtungen hin verschob. Dazu liefen Abhörmaßnahmen in Pirna und hier in Dresden. Am Schluß kam raus: Der Kunstdieb war unser Staat; krimineller Kunsthandel von Staats wegen. Leute der Führungsspitze haben sich bereichert. Ich nehme an, auch unser Leiter der Bezirksverwaltung des MfS. Unser Staat trat als Kunstdieb auf, und wir haben ihn dabei gedeckt.

Wir haben jahrelang dran gearbeitet. Immer wenn es ganz interessant wurde und wir schon fast dran waren, hieß es plötzlich: Von höherer Ebene abgeschaltet. Solche Ringelspiele haben die mit uns betrieben. Jetzt ist mir klar: *wir haben uns selbst geheimdienstlich bearbeitet.*

Darum konnte kein Ergebnis rauskommen. Es wurde im Grunde genommen nur überwacht, daß dem kriminellen Staat keiner dazwischenkommt.

Beim Sturm auf die Stasi stand ich mit draußen unter der Masse, die forderte, daß aufgemacht wird.
Ich war ein paarmal mit eingeteilt in diese Gruppen, die zur Sicherung aufgestellt wurden, weil wir ja immer damit rechnen mußten, daß nach der Demo Bürger in die Bautzener Straße hochkommen und dort eindringen. Wir hatten nicht den Auftrag, die Leute zu erschießen oder zu verprügeln. So einen Auftrag hätten wir uns auch gar nicht gefallen lassen. Wir sollten mit denen diskutieren. Aber so weit kam es hier in Dresden nicht. Die haben sich nur ein, zweimal zu uns getraut. Beim zweiten Mal ist ihnen schon geöffnet worden.
Meine konkrete *26er-Arbeit* war schon beendet. Ich bin aus kritischem Bewußtsein selber mitmarschiert Anfang Dezember 1989. Dieses Gerede, daß ich bei den Demonstrationen gehört habe, wir von der Stasi hätten gedacht, daß die Menschen auf der Straße alles böse Feinde sind, hat mir wehgetan. Es hat's vielleicht gegeben, daß Leute auf die Straße geschickt wurden, um welche zu provozieren. Aber zu denen habe ich nicht gehört. Ich habe es ehrlich gemeint. Ich hatte an dem Tage um 14.00 Uhr Arbeitsbeginn und stand mit draußen unter der Masse, die forderte, daß aufgemacht wird. Ich habe das ganz ehrlich gemeint und nicht, weil ich auf Arbeit wollte. Ich bin erst von der Straße runter, als es hieß, die Stasi marschiert mit und will die Leute aufmischen. An die Variante hatte ich überhaupt nicht gedacht. Ich bekam Angst, mich erkennt einer und prügelt mich. Die Staatssicherheit hier in Dresden wurde nicht erstürmt im Sinne des Erstürmens. Das Tor öffnete sich, die Wachen haben den Bürgern von innen aufgemacht.

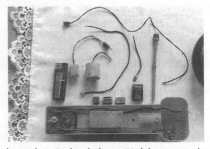

Wanzen befanden sich in Lichtschaltern, Holzleisten, in der Haltevorrichtung einer Notleuchte, wie z. B. in Laboratorien. Als Maßstab daneben ein Feuerzeug.

Der folgende Fall zeigt nicht nur einen jungen Mann, der ziemlich gierig auf Westgüter und bereit ist, dafür bei einem Schwulen die Hoffnung zu nähren, er würde mit ihm zusammenziehen. Er zeigt auch, wie die Eltern dieses jungen Mannes, beide in der SED, ihren Sohn im Regen stehen ließen, als er durch einen Ausreiseantrag ihren Ruf untergrub, ehrbare, staatstreue Kommunisten zu sein. Sie entzogen ihm den Rückhalt, den er gebraucht hätte, um sich gegen das Ministerium, von dem er sich erpreßt fühlte, zu wehren.

Schließlich können wir an diesem Fall die Methode der Druckwerbung studieren, eine uralte Polizeimethode, Menschen zu Spitzeln zu krümmen, indem sie in eine mißliche Lage gebracht werden, aus der sie sich vermeintlich oder tatsächlich nur mit Hilfe des Polizeiministeriums befreien können. Einerseits hatte sich die Stasi die verlogene Maxime des Feliks Edmundowitsch Dserschinski für die Tschekisten zueigen gemacht: »Reine Hände, kühler Kopf, heißes Herz.« Andererseits arbeitete sie mit »tatsächlichen oder scheinbaren Benachteiligungen« (Richtlinie 1/79, S. 45), um einen Spitzel zu krümmen. Das Ministerium inhaftierte den jungen Mann kurzfristig mit dem Ziel, sein »Gewissen anzusprechen, Schuldgefühle zu wecken bzw. Unsicherheit zu erzeugen« (S. 45). Er war jung, charakterschwach und hatte weder Rückhalt bei seinen Eltern noch bei seinen Kollegen. Die Rechnung ging auf.

Spitzel Andreas:
»Vorher bekam ich Geschenke von
einem West-Schwulen, jetzt Geld von der Stasi«

Andreas Hübner ist zwanzig Jahre alt und ein einfacher Mann vom Dorf. Er träumt von schicken Klamotten und einem VW Golf GTI. Die Welt, in der er sich auskennt, reicht bis zur Kreisstadt. Er spricht schnell und stoßweise wie ein Maschinengewehr. Dadurch klingt seine Stimme etwas monoton. Er hat schwarzes Haar, trägt einen dünnen Schnurrbart und das Gesicht voller Pubertätspickel.

Daß sich ein östlicher (oder westlicher) *Geheimdienst* überhaupt für diesen schlichten jungen Mann interessiert und ihn als Spitzel gewinnen will, scheint mir nur in einer Diktatur möglich.

Die *Richtung*, in die Andreas dann von der Stasi gejagt wurde, ist typisch für eine ideologisch geschlossene Gesellschaft mit ihren Denkverboten. In jedem anderen Staat würde ein Mensch wie Andreas den Geheimdienst *nur aus Filmen* kennen.

Andreas ist infolge einer »Druckwerbung« (Stasi-Jargon) 1986 Spitzel geworden und hat bis zum 28. Dezember 1989 für die Stasi gearbeitet. Typisch ist, daß Andreas mit *Anhänglichkeit und Hochachtung* von dem Stasi-Offizier Günter Se. spricht, der seine Wohnung durchsucht, ihn vernommen, inhaftiert und zum Spitzel gekrümmt hat. Vielleicht hängt das mit der *Erleichterung* zusammen, wenn der Bürger endlich zum Spitzel geworden ist. Dem akuten Konflikt mit der Staatsmacht folgt der *regressive Genuß* und die Erleichterung: ich habe meine Lektion gelernt, ich stehe *auf der Seite der Macht* und bekomme sogar Geld von ihr.

Auf unserem Müllplatz fand ich eine alte Westzeitung.
Damit fing alles an.

Meine Eltern waren beide in der Partei. Meine Mutter Parteisekretär. Wir kannten nicht mal West-Fernsehen. Das war bei uns zu Hause verboten bis Oktober 1989. Wenn ich West-Fernsehen geguckt habe, dann bei Kumpels oder Fremden. Zu Hause gab es sowas nicht.

Ich habe 1984 einen Ausreiseantrag gestellt. Meine Mutter war zur damaligen Zeit Bürgermeisterin, mein Vater Lehrer. Am Rande unseres Dorfes gibt es einen Müllplatz. Dort kam der Müll von der *Transitautobahn* hin. Im Gegensatz zu gewöhnlichen Müllkippen war der Platz mit dem *Westmüll* bewacht, und zwar Tag und Nacht. Da lief ein Rentner rum mit seinem Hund. Aber es gab Tricks, um reinzukommen.

Wir wußten ungefähr, wann die Müllkübel an der Transitautobahn wieder geleert werden. Dann konnten wir hingehen. Es wurde ja vom Bulldozer gleich wieder zugeschoben. Aber wenn ich sofort hinterher da war, habe ich gefunden, was ich suchte. Das war wie Schatzsuche. Da haben wir Jugendlichen aus dem Dorf alle gewühlt, und hin und wieder fand ich gute Sachen. Die Westler haben viel weggeschmissen, was für uns noch wertvoll war. Von dem Müllplatz haben Nachbarn von mir sogar *Teppiche* runtergeholt und *Feuerzeuge, Glas,* alte *Tassen, Babysachen, Bücher.* Ich habe da noch eine sehr schöne alte Bibel aus dem vorigen Jahrhundert gefunden mit goldenen Seiten so an der Seite runter. Die riecht bloß nicht gut. Aber ich empfand das nicht als Müll.

Eines Tages fand ich auf dem Müllplatz eine Tageszeitung aus dem Westen, schon ganz zerfleddert. Aber da waren Bekanntschaftsanzeigen drin. Ich habe hingeschrieben. Der Mann hieß Walter Mayer und lebte in München.

Zu der Zeit waren ja *Westzeitungen* der Renner. Wann haben wir schon mal eine Westzeitung in der Hand gehabt, wo wirklich Wahrheiten drinstanden? Die von drüben haben die Zeitung gelesen und schmissen sie in den Papierkorb an der Autobahn. Für sie war es *Müll*, für uns ein *Schatz.*

Walter hat mir Pakete geschickt und so dieses und jenes. Ich habe mit Walter abgemacht, daß ich jeden Brief, den ich von ihm bekomme, lese und gleich *verbrenne.* Daran habe ich mich gehalten. Ich habe die Briefe gelesen und jeden Brief von ihm verbrannt.

Der machte mir ein wunderbares Angebot. Er fragte mich, ob ich nicht in den Westen ziehen wolle. Er bot mir auch Arbeit an. Ich bekam einen Haufen Pakete und viele Klamotten. Sowas war ja damals bei uns rar. Wenn ich gute Sachen haben wollte, mußte ich in den Exquisit-Laden gehen. Der schickte mir alles. Ich brauchte bloß zu schreiben, schon habe ich es gekriegt.

Wir haben auch zusammen telefoniert. Nach Möglichkeit von der Post. Wir haben eine Zeit ausgemacht, ich bin zur Post und habe gewartet. Wenn er gesagt hat, abends um sieben, dann kam das Gespräch auch kurz nach sieben oder kurz vor sieben. Wenn ich dann was wollte, brauchte ich das bloß zu sagen. Ich habe das sofort gekriegt.

Da habe ich mir in den Kopf gesetzt: Du gehst in den Westen, habe einen Ausreiseantrag gestellt und fertig war die Laube. Schon nach dem zweiten Brief habe ich beantragt, aus der DDR ausreisen zu dürfen. Ich sah das als eine Möglichkeit, den Weg in die Freiheit zu gehen. Ich hatte den Westen nie vorher kennengelernt. Ich wollte sehen, wie der Westen wirklich ist. Ich kannte ihn nur aus dem Fernsehen. Für Geld war dort alles zu kriegen, gesetzt den Fall, man hatte das Geld, das war das Größte. Und auch reisen zu können. Walter schrieb mir, daß er im Urlaub in Spanien war. Spanien!

Mein Brieffreund wollte sich in eine Frau umwandeln lassen.

Nachdem er mir drei, vier Briefe geschrieben hatte, habe ich rausgekriegt: Er war ein *Homosexueller*. Ich habe mit denen weiter nichts zu tun. Aber ich wollte den ganz gerne kennenlernen.

In der Kreisstadt gab es auch einen, von dem sie sagten, er sei homosexuell. Aber der tat einem ja nichts. Wenn ich mit ihnen nichts zu tun hatte, war mir das praktisch egal. Trotzdem war es für mich ein Schock. Ich konnte das nicht begreifen. Aber ich habe gedacht, *ich bleibe da dran an dem*. Denn *ich habe von ihm Pakete gekriegt*, immer kurz hintereinander. Ich habe damals zum Beispiel eine Jeansjacke und eine Jeanshose bekommen, und Jeans waren hier nicht billig. Das war damals der Renner. Das war mir schleierhaft, daß der sich davon was versprochen hatte, wenn ich rüberkomme.

Durch die ganze Schickerei, wo ich ja alles kriegen konnte, was ich wollte, hatte ich allmählich das Gefühl, er wollte ein Zusammenleben mit mir, er wollte mich überzeugen, auch homosexuell zu sein.

Er schrieb in einem der nächsten Briefe, daß es drüben die Möglichkeit der *Geschlechtsoperation* gibt, also sich *vom Mann zur Frau umwandeln* zu lassen. Das wollte der alles machen. Und er läuft im Haus schon in *Frauenkleidern* rum und übt schon. So schrieb er mir. Er hat sich als Frau empfunden, war aber ein Mann. Er hat mir geschrieben, er bekäme schon Spritzen, damit ihm *Brüste wachsen*. Er trug schon einen BH. Ich habe darüber gelacht. Da kamen mir Zweifel, ob der ganz klar ist. Ich kannte ihn ja nur vom Schreiben. Er hatte eine wunderbare Handschrift.

Mit meiner Mutter habe ich mich darüber ausgetauscht und ihr auch die Briefe gezeigt. Die hat gesagt: »Laß die Finger davon, der will dich *einkaufen* mit seiner D-Mark. Wenn du rüberkommst in den Westen, *gehst du unter*«. Später hat die Stasi genau das gleiche gesagt.

Mir aber war das egal, was der schrieb und in was der sich umwandelt. Ich hab' mir gedacht, wenn ich rüberkomme und meine Ausreise genehmigt wird, dann komme ich in ein Aufnahmelager. *Ich brauche nicht hin zu diesem Menschen*. Ich habe mich an Bundeskanzler Helmut Kohl gewandt, um meine Ausreise zu beschleunigen. Es sollte vorangehen. Ich berief mich auf die KSZE-Akte von Helsinki und schrieb, ich wolle so schnell wie möglich ausreisen aus der DDR. Ich habe den Brief an Walter Mayer in München geschickt. Und der hat den Brief dann weitergeleitet. Sonst wäre der Brief ja nie angekommen. Wir wußten ja alle: Die Stasi-Offiziere stehlen unsere Post. Seitdem hat die Stasi sich mit mir beschäftigt. Aber davon habe ich zunächst nichts bemerkt.

Plötzlich stand die Stasi bei uns in der Küche.

Eines Tages, es war genau um die Mittagszeit. Auf dem Dorf ist es nicht üblich, daß man die Tür immer zuschließt. Wir haben die Tür immer auf. Das war ein Fehler.

Ich hatte zur damaligen Zeit eine eigene Altbauwohnung ohne fließend Wasser. Deshalb konnte ich mir dort nichts kochen. Am Wochenende habe ich in Gaststätten gegessen.

Ich hatte meine Mutter besucht und saß gerade mit ihr in der Küche beim Mittagessen. Sie hatte mir mein Lieblingsgericht gekocht: Süßsaure Linsen mit Würstchen, damit ich mal wieder warm esse. Mein Vater war noch in der Schule und unterrichtete. Ich durfte nicht mehr nach Hause kommen, wenn er da war. Er hatte mich wegen des Ausreiseantrages rausgeschmissen aus dem Elternhaus, denn er ist ein angesehener Lehrer und mußte meinetwegen zum Rat des Kreises und dort eine Stellungnahme schreiben. Er hat im Auftrage der Partei versucht, mich im Guten zu überzeugen, daß ich meinen Ausreiseantrag zurücknehme. Er sollte die Schüler im Sinne des Sozialismus erziehen. Seine Familie mußte Vorbild sein.

Entweder du ziehst deinen Ausreiseantrag zurück *und gibst es mir sofort schriftlich*. Oder du wohnst ab sofort nicht mehr bei mir im Haus. Er hat sich mit mir auf keine Diskussion eingelassen.

Ich habe geheult. Es war zwar erst fünf Uhr, aber schon fast dunkel draußen. Wo sollte ich über Nacht hin? Es war Winter um Null grad. Draußen regnete es seit Tagen ununterbrochen. Da bin ich zu einer älteren Dame, einer Bekannten von uns, und habe dort auf dem Dachboden geschlafen. Später habe ich eine Wohnung bekommen.

Ich bin nur zu meiner Mutter gegangen, weil mein Vater nicht da war. Meine Mutter schnitt mir gerade die Würstchen klein, als es an der Küchentür klopfte. Die waren schon im Haus drin. Wer weiß, wie lange die schon im Flur gestanden haben. Zwei Männer in Zivil betraten die Küche, der eine groß und schlank. Sie stellten sich vor: Staatssicherheit, wiesen sich aus. Wo *Andreas Hübner* ist, wollten sie wissen. Ich sagte: »Hier.« »Wir müssen Sie mitnehmen zur Klärung eines Sachverhalts.« Plötzlich stand die Stasi bei uns in der Küche.

Ich habe einen fürchterlichen Schreck gekriegt. Ich hatte keine Ahnung, was für einen Sachverhalt die meinten. Auf die Idee, ihnen zu sagen: machen Sie das schriftlich, bin ich nicht gekommen. So bin ich nicht erzogen worden. Ich habe gelernt, zu gehorchen.

Mit ist auch nicht der Gedanke gekommen, erst einmal meine Linsen aufzuessen. Ich habe meinen Löffel fallenlassen, bin aufgestanden und ohne etwas zu fragen mit den beiden Männern mitgefahren, im Stasi-Trabant in die Kreisstadt auf die Dienststelle des Mfs. Unsere Kreisstadt z. hat 12 000 Einwohner.

Ich saß im Auto der Stasi und hatte Angst. Keiner sprach ein Wort. Ich stand unter Schock. Die Kreisdienststelle der Stasi war ein dreistöckiges Haus, das ich vorher nie betreten hatte. Ich wurde erst in einen Warteraum mit einem Leninbild geführt. Der lag gleich im Parterre. Die Tür hatte außen eine Klinke. Innen aber nicht. Ich durfte rauchen. Der Raum hatte Fenster. Aber die waren von außen vergittert. Der Raum war mit einem Tisch und vier Stühlen möbliert. Da habe ich gewartet, bis die beiden wiederkamen.

Jetzt hatten sie einen Schreibblock und eine Mappe dabei. Nach einer Weile klopfte es an die Tür und jemand brachte uns Kaffee auf einem Tablett. Statt *Mittagessen* zu Hause bei meiner Mutter, gab's jetzt plötzlich einen *Kaffee* von der Staatssicherheit in einem Zimmer ohne Klinke.

Sie erzählten mir: »Wir haben von Ihrem Ausreiseantrag Kenntnis erhalten. Bitte erzählen Sie uns doch mal, warum Sie die Deutsche Demokratische Republik verlassen wollen. Erläutern Sie uns Ihre Gründe.« Ich war verängstigt. Der Gedanke wäre mir nie gekommen, die Fragen der Stasi nicht zu beantworten.

Ich habe ihnen von meinem *Bekannten* erzählt, den ich durch die Zeitung kennengelernt habe und der mir auch schon geschrieben hatte, daß er für mich Arbeit hätte, weil es kein Problem sei im Westen, als Tischler schnell Arbeit zu bekommen. Wohnen könne ich bei ihm.

Sie haben mir erzählt, wie *gut* mein Leben in der DDR ist. Ich sollte eine *Stellungnahme* schreiben und den Ausreiseantrag *zurücknehmen*.

Ich habe gesagt: »Das mache ich nicht. Warum!?«

Meine Vernehmung dauerte ungefähr zwei Stunden. Einer namens Schmitt hat mitgeschrieben, und der andere namens Günter Se. hat die Fragen gestellt. Anschließend wurde ich mit dem Stasi-Trabant wieder nach Hause gefahren.

Vor lauter Angst konnte ich nicht die Kaffeetasse anheben.

Mein Vater war zum Glück nicht da. Ich bin gleich zu meiner Mutter hin. Ich konnte nicht normal die Tasse Kaffee anheben, *so eine Angst hatte ich.* Die Staatssicherheit! Ich wußte, daß sowas existierte. Aber ich hatte niemals mit denen oder mit der Polizei zu tun.

Ich erzählte ihr alles, und meine Mutter meinte: »*Siehste Andreas, das hast du davon,* du hast ja den Vater gehört, aber du mußt ja immer mit dem Kopf durch die Wand.«

Aber an meinem Entschluß auszureisen, habe ich weiter festgehalten. Mir gingen Walters Briefe durch den Kopf. Er hat mir den Himmel auf Erden versprochen. Ein *freies Land*, hier kann sich jeder bewegen, wie er will. Die *Kleidung* hat mich gelockt: West-Klamotten waren für uns tabu zu Hause. Eine gute Flasche *Rasierwasser*, das war schon so, als ob man ein Wertstück besaß.

Ich habe mir gesagt, *auf das alles verzichten?* Jetzt hast du das gemacht, und jetzt stehst du das durch.

Ich mußte hoch zum Chef. Da saß die Stasi und wartete auf mich.

Die Stasi kam zu mir in den Betrieb, wo ich als Tischler arbeitete. Wir waren dort sechs Leute und ein Meister. Ich habe sie nie *kommen* sehen. Der Meister bekam einen Anruf. Dann mußte ich hoch ins Sekretariat zum Chef.

Dort war schon Kaffee parat gestellt, Club-Zigaretten lagen auf dem Tisch. Das war im Betrieb ungewöhnlich. Die Stasi trank bereits Kaffee. Der eine war Leutnant *Günter Se.*, groß und schlank. So um die fünfunddreißig. Seine Frau arbeitete bei der Post. Der andere war ein Unterleutnant. Der hieß *Schmitt*.

Mir wurde auch Kaffee angeboten. Mein Chef saß dabei, der Betriebsdirektor. Er hat nichts gesagt. Er saß lediglich dabei. Die ganze Zeit hat er nie ein Wort gesagt. Seine Gegenwart war mir unangenehm. Trotzdem habe ich zur Stasi nicht gesagt: »Also wissen Sie, ich finde das unerhört, das ist hier ein staatlicher Betrieb. Was suchen Sie hier drin? Sie reden mit mir über meine *Privatsachen* hier im Betrieb. Der Betriebsdirektor sitzt dabei. Ich finde das unmöglich.«

Sie fragten: »Haben Sie es sich überlegt? Nehmen Sie Ihren Ausreiseantrag zurück?«

Sie wollten, daß ich ihnen die ersten *Briefe*, die ich von Walter aus

München bekommen hatte, zum Lesen gebe. Das war unerhört. Meine Post. Zum Glück ging das schlecht. Die Briefe hatte ich ja *verbrannt*.

In der Zwischenzeit war ich krank gewesen und hatte längere Zeit im Krankenhaus gelegen.

Sie erzählten mir, daß ich das alles drüben bezahlen müßte. Das könnte ich mir gar nicht leisten. *Im Westen würde ich untergehen.* Die Stasi redete wie meine Mutter. Manchmal habe ich schon selber gezweifelt. Weil ich wirklich viel krank bin. Ich habe gedacht, wenn du das eines Tages alles bezahlen mußt und nichts verdienst drüben, dann gehst du vor die Hunde.

Stasi-Offizier Se. meinte: »Geben Sie uns schriftlich, daß Sie Ihren Ausreiseantrag zurückziehen, dann ist die Sache erledigt.« Ich habe mich aber nicht überzeugen lassen. »Nein, das mache ich nicht.« Da haben sie gesagt: »Ist gut, mehr wollten wir nicht.« Das klang geheimnisvoll, vieldeutig und machte mir Angst.

Sie kamen drei, vier Mal in den Betrieb. Immer wegen derselben Sache. Immer unangemeldet. Die Abstände zwischen den einzelnen Besuchen der Stasi betrugen mal eine Woche, mal vierzehn Tage. In der Zwischenzeit wußten die auch, daß Walter homosexuell war. Jetzt redeten sie mir ein, was mir im Westen alles passieren konnte, wenn ich mich mit dem einließ. Daß der mich mißbraucht oder für Video-Filme nimmt. Sowas wurde mir vorgedröhnt. Manchmal habe ich wirklich gezweifelt und gedacht, sie hätten recht.

Allmählich war das auch im Betrieb rum. Meine Kollegen wußten nicht nur, daß ich einen *Ausreiseantrag* gestellt hatte. Alle sprachen auch davon: »Der Andreas schreibt sich mit *Homosexuellen*.« Wahrscheinlich wird mein Betriebsleiter das rumerzählt haben. Der saß immer daneben und hörte, was die sagten. Der brauchte es bloß seiner Sekretärin zu sagen, und schon war es Tagespräch.

Aber meine Gedanken waren ganz woanders: Das hatte ich mir schon parat gelegt. Wenn es klappt und rüber, dann nach dem Westen, aber niemals zu dem hin. Kein Kontakt mit dem. Ich hatte selber Angst, daß der mich sexuell mißbraucht. Ist ja möglich. Man weiß ja nie, an wen man gerät. Ich habe ungefähr vier, fünf Briefe von Walter bekommen und drei, vier Pakete. Danach plötzlich nichts mehr. Sendepause. Jetzt war Ruhe. Ich habe nichts unternommen. Ich hatte mich damit *abgefunden*, daß der Kontakt weg war. Aber meinen Ausreiseantrag wollte ich nicht zurücknehmen.

Mein Personalausweis wurde mir abgenommen.
Ich durfte den Landkreis nicht verlassen.
Ich hatte zu dem Zeitpunkt keinen richtigen Personalausweis mehr.

Der wurde mir ja weggenommen. Ich hatte bloß noch so einen PR 12, mit dem man sich nur im Kreisgebiet bewegen konnte. Der PR 12 war bloß eine Karte mit Paßbild. Mir wurde gesagt, sobald ich den Kreis verlasse, muß ich mich hier *abmelden* und da *anmelden*, weil man wahrscheinlich Angst hatte, daß ich flüchte. Das war eine Art Bezirksarrest.

Ich bin am Wochenende zu einer Tante nach Plauen gefahren. Dazu mußte ich mich in B. abmelden und in Plauen anmelden. Reisen nach Polen und nach Berlin wurden mir untersagt, gänzlich.

Morgens um sechs: Herr Hübner, wir müssen Sie mitnehmen.

Jeden Morgen um halb sechs fuhr mein Bus. Dann war ich zehn nach sechs in P. an meiner Arbeitsstelle. An diesem Tag fuhr ich wie jeden Morgen zur Arbeit. Ich stieg wie gewöhnlich aus dem Bus. Ich hatte an diesem Tag meine Jahresendprämie bei mir, über 2000 Mark. Die wollte ich in meiner Mittagspause auf der Bank einzahlen. Da standen wieder zwei Herren von der Stasi und sprachen mich an: »Herr Hübner, wir müssen Sie mitnehmen zur Klärung eines Sachverhalts.« Die Behörde fing mich von der Straße weg. Die Leute haben es gesehen und weggeguckt.

Diesmal waren das andere Offiziere, Fremde, die ich nie vorher gesehen hatte. Sie spielten mit getrennten Rollen. Ich habe nicht geschrien und keine Passanten um Hilfe gebeten. Ich habe nicht gesagt, dann müßt ihr das schon mit Gewalt machen. Ich bin mitgegangen, bin in das Gebäude der Kreisdienststelle gefahren worden und mußte fünf oder zehn Minuten warten. Was weiß ich, ob die Papiere geholt haben oder weiß der Teufel was. Ungefähr nach zehn Minuten verließen sie mit mir das Haus, und wir stiegen wieder in den Trabi. Sie haben nicht mit mir gesprochen. Die sagten mir nicht, wo es hingeht.

Wir fuhren nach Potsdam raus. Auf der Fahrt habe ich plötzlich gewußt, wo es hingeht: Ins Linden-Hotel. Der Stasi-Knast in Potsdam hieß bei uns Lindenhotel.

Vom »Lindenhotel« der Stasi träume ich heute noch.

Wir waren ungefähr neun, halb zehn da. Das rote dunkle Gebäude in Potsdam werde ich nie vergessen. Noch heute träume ich nachts vom Lindenhotel und schrecke hoch, schweißgebadet.

Mir wurde meine Uhr und alles abgenommen. Streichhölzer, Schlüssel. Sogar meine Brille mußte ich abgeben. Ich nehme an, damit ich mir nicht die Pulsadern aufschneide. Denn ich war an dem Tag, als sie mich nach Potsdam geholt haben, ziemlich fertig.

Ich mußte mich total nackt ausziehen. Alles, meine Socken, Taschentuch, das wurde alles total umgekrempelt. Ich habe Sträflingskleidung gekriegt. Graue Hose und graue Jacke mit gelben Streifen und ein rotkariertes Hemd.

Ich wurde in eine Zelle gebracht. Auf dem Weg dorthin habe ich keinen Menschen gesehen. Nur Lärm habe ich gehört. Ich wußte, nebenan waren auch Türen. Da waren auch Menschen hinter.

Die Zelle war klein, das hat mir Angst gemacht. Sie hatte zwar ein Fenster, aber das Fenster war aus Glasbausteinen. Ich konnte da nicht rausgucken. Nicht einmal den Himmel konnte ich sehen. Vor dem Fenster muß der Hof gewesen sein. Ich hörte Autos fahren und Krach. Von der Schule aus waren wir im KZ Buchenwald. Die Zellentüren hier sahen genauso aus, wie ich es dort gesehen hatte. Graue Türen, ein Türspion mit einer Luke darunter für den Essensnapf.

Ich habe gelegen. Ich fühlte mich wie tot.

Der Boden der Zelle war mit Linoleum ausgelegt, ein Hocker war drinnen, ein Waschbecken, ein Wandklappbett und ein Aschenbecher stand auf dem Tisch. Also rauchen konnte man. Bloß keine Streichhölzer. Ich habe Zigaretten dabei gehabt und hielt immer eine in Brand, weil ich ja keine Streichhölzer hatte. Wenn ich eine aufgeraucht hatte, habe ich die nächste angeraucht.

Beim Verhör:
Meine eigene Post habe ich erst bei der Stasi zu lesen bekommen.
Ich wurde zum Verhör geholt. Da ging so eine alte Wendeltreppe steil hoch, ein ganz schmaler Gang, da paßte gerade einer rein. Oben an der Decke waren gedämpfte rote Birnen drinnen.

Der Vernehmer schaltete das Tonband ein, und ich mußte mich vor das Mikrofon setzen. Mir gegenüber saßen zwei Herren und stellten Fragen. Ich sollte erklären, warum ich so viel Geld rumschleppe. Ich habe gesagt: »Das ist meine Jahresend-Prämie, die wollte ich zur Kasse bringen. Ich habe nicht gewußt, daß ich *geholt* werde den Morgen.«

Plötzlich knallte der Vernehmer Walters letzte Briefe vor mir auf den Tisch.: »Da. Die können Sie durchlesen. Aber die gibt es nicht mit nach Hause. Wenn Sie überhaupt wieder nach Hause kommen.«

Meine eigene Post. Ich hätte nie gesagt, ok, dann werde ich jetzt Anzeige erstatten, Sie haben das Briefgeheimnis verletzt. Sie haben meine Post unterschlagen. Sie sind ein Verfassungsbrecher. Ich habe also meine eigene Post erst bei der Stasi gelesen. Meine letzten beiden Pakete sind auch dahin gegangen. Da waren so Sticker drin von Homosexuellen und etliche Bücher und Pornohefte über Männer.

Wo ich *die anderen Briefe von Walter* hatte, wollten sie wissen. Aber die hatte ich verbrannt. Offenbar waren sie heimlich in meine Wohnung eingebrochen und hatten nichts gefunden. Vor allem wollten sie von mir wissen, wann und was ich an die *Bundesregierung* geschrieben hatte. Ich sollte den genauen Wortlaut des Briefes wiedergeben. Mittags wurde das Tonband abgestellt. Der Stasi-Mann sprach in das Mikrofon: »Verhör unterbrochen für Mittagspause«, und ging raus. Solange saß bloß ein junger Bengel von vielleicht zweiundzwanzig Jahren bei mir. Es gab Kartoffelsalat, Krautsalat und Bratfisch. Den Fisch habe ich nicht gegessen. Ich esse keinen Fisch.

Nach der Mittagspause fragten sie mich: »Hat es Ihnen geschmeckt?« Ich sagte: »Ja, aber Fisch esse ich nicht.« Dann wurde es ziemlich *laut*: »Sie sind verwöhnt. Hier wird gegessen, was auf den Tisch kommt. Es gibt heute nichts mehr.« Sie haben mir aber nicht gesagt, daß ich über Nacht bleiben muß.

Ich konnte auch nicht mehr wörtlich sagen, was ich in dem Brief an den Bundeskanzler geschrieben hatte. Ich wußte nur noch den Zusammenhang. Die wollten es aber Wort für Wort wissen. Also sind sie mit mir nicht einig geworden.

Ich wurde zur Zelle runtergebracht. Der Wärter sagte: »Sie bleiben hier! Wir können Sie achtundvierzig Stunden lang festnehmen. Also bleiben Sie hier.« *Ich hatte Angst. Ich habe gedacht, das ist für immer. Das ist mein Ende.* Ich habe gedacht, ich komme hier nie wieder raus. Die machten mir Angst, daß sie ohne weiteres einen Haftbefehl vom Staatsanwalt kriegen und daß ich dann für immer sitze, für zwei Jahre. Davor hatte ich mächtig Angst. Ich tauge nicht zum Helden. Die Staatsanwälte haben ja der Stasi aus der Hand gefressen. Mein Opa hat mir erzählt, das war bei Hitler auch so. Und die Juristen, die bleiben uns erhalten. Eine braune oder rote Krähe hackt der anderen kein Auge aus. Im Westen soll nicht ein einziger Nazi-Richter verurteilt worden sein. Warum sollte das hier anders sein?

Meine Uhr war mir weggenommen worden. Ich wußte nicht, wie spät es war. In meiner Zelle war ein Klappbett. Da habe ich vielleicht eine Stunde gelegen. Plötzlich rasselte der Schlüssel im Schloß, die Tür ging wieder auf. Der Wärter, in Armeekleidung: »Ziehen Sie sich an. Sie müssen mit hoch.« Ich mußte wieder nach oben zum Verhör.

Die beiden Vernehmer saßen am Tisch, das Tonband wurde eingeschaltet: »So, Herr Hübner, jetzt werden Sie uns den genauen Wortlaut des Briefes an den Bundeskanzler aufschreiben.« Das ging die Nacht durch, drei, vier Mal. Die fragten immer denselben Scheiß. In der Nacht, immer denselben Trödel. Ich hatte in der Zwischenzeit *so viel Angst, ich hatte gedacht, bloß hier wieder raus. Wenn ich nur wieder heil hier rauskomme.*

Nachdem ich wieder hingebracht worden war in die Zelle und für mich alleine war, habe ich gedacht: *ich unterschreibe alles, alles was die wollen, bloß daß ich hier wieder rauskomme.* Ich war fest entschlossen, den Ausreiseantrag zurückzunehmen. Ich hätte zu dem Zeitpunkt alles unterschrieben, was die wollten, fix und fertig, wie ich war. Das hatte ich oben beim Verhör schon gesagt, bloß, die wollten genau den Wortlaut des Briefes haben. Und den konnte ich nicht mehr geben. Dazu war ich in dem Moment viel zu verschreckt.

Morgens beim Wecken ging das Licht an, und dann hörte man Krach nebenan. Bei der ersten Vernehmung an diesem Tag haben sie mich gefragt: »Herr Hübner, sind Sie bereit, den Ausreiseantrag zurückzunehmen?« Ich habe sofort »ja« gesagt, ohne Zögern. Da wurde mir der Zettel vorgelegt. Das war alles schon fix und fertig gemacht, ich brauchte das bloß zu unterschreiben. Die haben mich soweit gekriegt, daß ich unterschrieben habe. Ich war wie ein Lamm.

Ich mußte alles unterschreiben, das ganze Protokoll. Ich mußte auf der Tonbandkassette unterschreiben und 35 Schreibmaschinenseiten durchlesen und unterschreiben. Auf dem letzten Blatt des Protokolls mußte ich unterschreiben, daß ich während des gesamten Aufenthaltes in der Untersuchungshaft ordentlich und vernünftig behandelt worden bin und reichlich zu essen gekriegt habe.

Ich kam aus dem Stasi-Knast und habe mich geschämt.

Mittags bin ich aus dem Knast entlassen worden. Der Vernehmer gab mir einen Passierschein, den mußte ich beim Pförtner abgeben und habe dafür meinen Ausweis zurückbekommen, den PR 12.

Das grüne Gefängnistor öffnete sich vor mir, und ich stand mitten in der Stadt, in der Einkaufsstraße. Das Licht blendete. Ich habe mich umgeguckt, ob keiner sieht, woher ich gekommen bin. *Es war mir peinlich, daß ich aus dem Stasi-Gefängnis kam.* Ich habe mich geschämt.

Ich bin zu meiner Mutter gefahren, habe durchs Küchenfenster gesehen, daß mein Vater nicht da ist, bin ins Haus gehuscht und habe ihr erzählt, ich komme aus dem Stasi-Knast in Potsdam. Inzwischen hatten meine Eltern sich meinetwegen gestritten, und meine Mutter war verbissen. *Sie hat bloß gesagt: »Das hast du selber so gewollt.«*

Am nächsten Morgen bin ich ganz normal arbeiten. Ich bin dann zum Chef hoch, ich mußte ja erklären wo ich gewesen bin. Denn ich war weder krankgeschrieben noch hatte ich Urlaub. Aber mein Chef meinte: »Sie brauchen sich nicht dazu zu äußern. Ich weiß über alles Bescheid.« Ich habe gefragt: »Muß ich für den Tag im Knast Urlaub nehmen?« Er hat den Kopf geschüttelt. Meinen Kollegen habe ich nur erzählt: »Ich war in Potsdam bei der Staatssicherheit.«

Die Stimmung im Betrieb war keineswegs gedrückt, die Kollegen haben gelacht und gescherzt wie immer. Ich habe gedacht, daß die mich fragen, daß die mehr wissen wollen. Aber die haben sich nicht dafür interessiert. Oder sie wollten mit der ganzen Sache nichts zu tun haben, um Ärger zu vermeiden.

Ich hätte jetzt zur VP gehen können und Anzeige wegen Verfassungsbruchs und Diebstahls meiner Post erstatten. Ich hätte noch einmal an den Kanzler schreiben können. Aber ich war viel zu verängstigt. Ich bin aufgeschreckt: Immer wenn ein Auto kam, habe ich gedacht: jetzt kommen sie schon wieder und holen mich. Ich war fix und fertig und konnte oft die Nacht kein Auge zumachen.

Wie geht es Ihnen, Herr Hübner?

Vierzehn Tage, drei Wochen passierte gar nichts. Eines Abends klopfte es. Der Stasi-Offizier Günter Se. stand vor meiner Wohnungstür, diesmal alleine, und erkundigte sich: »Wie geht es Ihnen, Herr Hübner?« Er fragte mich im Plauderton so dieses und jenes, ob ich noch im Dienstleistungs-Kombinat arbeite. Der stellte sich blöd: Er tat, als wenn der Kontakt zwischen ihm und mir nie bestanden hätte, als wenn er mich nie eingeschüchtert und vernommen hätte. Der tat praktisch so, als wenn er von der ganzen Sache mit Potsdam nichts wußte. Aber ich habe es ihm nicht geglaubt und ihm das auch gesagt. Er meinte: »Das wird nicht über mich entschieden, wer wohin gebracht wird. Ich war an dem Tag noch gar nicht auf Arbeit. Ich wußte davon nichts.« Ich habe ihn nicht weggeschickt. Ich wollte wissen, was die Stasi jetzt *noch* von mir wollte.

Schließlich fragte er mich: »Sind Sie bereit, mit mir und dem MfS zusammenzuarbeiten? Wir wissen das zu würdigen. Wir sind nicht kleinlich.« Natürlich habe ich spätestens jetzt geahnt, woher der Wind weht: ich sollte als Stasi-Spitzel arbeiten. Vorher hatte ich Geschenke von einem *Schwulen* bekommen, jetzt bot mir die *Stasi* Geld an. Ich fragte ihn: »Was verstehen Sie darunter?«

»Ich meine eine Zusammenarbeit im Sinne unseres Staates, damit Ruhe und Frieden herrscht. Ich formuliere Ihnen das schriftlich. Das können Sie sich das nächste Mal durchlesen. Ich melde mich wieder, und dann reden wir darüber. Überlegen Sie es sich in der Zwischenzeit in aller Ruhe. Wenn Sie bereit sind, uns zu helfen, dann sind wir auch bereit, Ihnen weiterzuhelfen.«

Sein Angebot machte mich neugierig, und ich habe gesagt, ich wolle es mir überlegen. Nicht nur das Geld hat mich gereizt. Ich habe gedacht, jetzt kann ich mal *hinter die Türen gucken* und *wissen, was andere nicht wissen*. Es war die Aussicht auf eine Art Machtgefühl. Und das ist ja auch der Fall gewesen. Ich habe Sachen erfahren, die nie ein anderer zu hören gekriegt hat. Das hat mich gelockt.

Nach zehn, vierzehn Tagen kam er wieder unangemeldet abends zu mir nach Hause. Ich habe selber meine Verpflichtungserklärung für das MfS geschrieben und mit meinem Decknamen unterzeichnet: Norman Schreiber. Ich habe einen Freund in Ost-Berlin, der heißt Norman Müller. Ich wollte schon immer so sein wie der. Er sagte: »Müller gibt es so viele, aus Müller machen wir Schreiber.« Sämtliche Berichte unterschrieb ich mit diesem Namen. Er gab mir eine Telefonnummer, unter der konnte ich ihn anrufen, und auch dort mußte ich mich mit Norman Schreiber melden.

Falls ich in Schwierigkeiten käme, auch wenn ich von der Polizei mitgenommen werden sollte: ich sollte niemals auf die Idee kommen und sagen: ›Ich habe einen guten Bekannten bei der Staatssicherheit.‹, sondern stattdessen alles über mich ergehen lassen. Die Stasi würde das nachträglich regeln. Und so kam es auch.

Wir haben uns immer außerhalb des Ortes am Friedhof getroffen. Das ist eine ganz abgelegene Ecke. Wir durften nicht beide zusammen gesehen werden.

Ich bin da zu Fuß hingegangen. Ich sollte immer auf der rechten Seite gehen. Er fuhr mit seinem Trabi vor, ich bin eingestiegen. Vier, fünf Kilometer hinter der Bahn blieb er stehen.

Hauptsächlich interessiert haben ihn die Zeugen Jehovas. Ich sollte in die evangelische Kirche gehen und mich umhorchen, ob da Literatur angeboten wird, die verboten ist. Also habe ich mich im *Jugendclub* umgehorcht: Wer geht in die Kirche? Ich fand dann auch jemanden, der auch ein Kirchgänger war. Der hat mich mitgenommen. In den *Kirchen* standen Literatur-Tische. Ich habe sämtlichen Scheiß mitgenommen. Woher soll ich wissen, was verboten ist? Die *Zeugen Jehovas* haben Blätter verteilt bei uns, das war streng verboten. Die haben auch geworben dafür. Ich sollte mich auch in *Gaststätten* umhören, was erzählt wird, wer sich mit Naziliteratur beschäftigt.

Die Berichte für die Stasi habe ich bei mir zu Hause geschrieben. Was die Stasi damit gemacht hat, weiß ich nicht. Über alles mußte ich berichten: mit *wem* ich in die Kirche gegangen bin, *was* da gemacht wurde. Wenn ich nicht zum Treff konnte, dann habe ich die Nummer angerufen und abgesagt, aber das kam sehr selten vor. Nach dem dritten Treff bekam ich 150 Mark. Zwischendurch habe ich irgendwann mal eine gute Flasche DDR-Cognac zum Geburtstag gekriegt.

Mein Bruder ist ein Brauner, den habe ich vor der Stasi gewarnt.
Dann ging es bei uns im Dorf verstärkt los mit den *Skinheads*. Im Jugendclub boten viele Naziliteratur, Medaillen und Orden zum Verkauf an. Ich schrieb auf, wer sowas machte. Die Namen kannte ich mehr oder weniger. Die Stasi hat ihnen die Sachen weggenommen und sie zur Verantwortung gezogen. Die Skinheads wollten Hitlers Geburtstag feiern. Ich habe Zeit und Ort ermittelt und der Stasi ge-

meldet. *Mein Bruder ist auch ein Brauner.* Ihn habe ich durch meine Mutter rechtzeitig warnen lassen. Meine Mutter wußte, daß ich Stasi-Spitzel bin. Nur meinen Decknamen kannte sie nicht. Abends kam ein Polizeiauto vorgefahren, die Volkspolizei hat so getan, als ob sie eine gewöhnliche Kontrolle machen, und alle mitgenommen.

Mit meinem Tip an die Stasi habe ich etliche in den Knast gebracht. Aber keiner hat Verdacht geschöpft, daß ich für die Stasi arbeite.

Als in Ost-Berlin im Herbst 1989 die Demos waren, sollte ich im Auftrag der Stasi gucken, *wer* aus meinem *Dorf* und der *Kreisstadt* daran teilnimmt. Zehn, fünfzehn Mann habe ich erkannt und gemeldet.

Ich bin festgenommen worden mit dem ganzen Haufen, soll mich angeblich abfällig gegen die Polizei geäußert haben. Die Strafanzeige kam, ich mußte in der Kreisstadt vorsprechen. In der Zwischenzeit habe ich mit Günter Se. telefoniert und dann nie wieder von der Sache gehört. Die Stasi hat ihr Wort gehalten. Auf Günter Se. konnte ich mich immer verlassen.

Als ich auch nach Leipzig und Dresden fahren sollte, um Demonstranten zu bespitzeln, habe ich zu Günter Se. gesagt: »Nein, da fahre ich nicht hin. *Da sitze ich ja mehr in der Bahn als sonst was.*« Bei jeder Demo ist es sowieso schon zu heiß, denn wer da rumstand, kam mit.

Vorher war ich der nette Kollege, jetzt bin ich das Stasi-Schwein mit dem Pickelgesicht.

Am Donnerstag, den 28. Dezember 1989, rief Günter Se. mich an und teilte mir mit, daß die Staatssicherheit aufgelöst wird und wir uns nicht mehr sehen werden. Ich bin umgezogen und habe den Kalender mit meinen Eintragungen über die Stasi-Treffs weggeworfen. Den muß jemand gefunden haben. Im Januar kam raus, daß ich Zuträger, also Stasi-Spitzel war. Seitdem werde ich auf der Arbeit beschimpft: Vorher war ich für alle der nette Kollege, jetzt bin ich das Stasi-Schwein mit dem Pickelgesicht.

Im nachhinein sehe ich ein, daß es vielleicht *richtig* war, daß die Stasi mich davon abgehalten hat, in den Westen zu gehen. Die Stasi wollte mein Bestes. Sonst wäre ich in, weiß der Teufel was, reingeschlittert. Wahrscheinlich hat mein Brieffreund Walter in München schon auf den Tag gelauert, an dem ich rübergegangen wäre, und sich was Bestimmtes davon versprochen. Nachdem man mich gefragt hatte, ob ich für unseren Staat arbeiten will im Sinne des Guten, bin ich *mit Stasi-Offizier Günter Se. gut ausgekommen.* Ich kann über diesen Menschen nicht klagen. Auf keinen Fall.

War das Ministerium für Staatssicherheit ein Geheimdienst wie jeder andere?

1. Die Stasi *unterschied* sich *organisatorisch* von westlichen Geheimdiensten. Sie arbeitete zugleich nach *innen* und nach *außen* und nahm dabei *Polizeiaufgaben* wahr. Sie war Verfassungsschutz, Spionageabwehr, Auslandsspionage und politische Polizei in einem. Was in westlichen Demokratien wenigstens formal getrennt ist, war hier unter einem Dach zusammengefaßt.

Widersprüche und abweichende Meinungen konnten sich nur privat artikulieren, also mußte der Geheimdienst herauskriegen, was das Staatsvolk für Einstellungen hegte. Die Stasi mußte unliebsame Bürger kaltstellen und der Staatsmacht die Gedanken und Gefühle des Volkes erzählen. Nur durch Spitzel wußte die Spitze, was das Volk dachte und wollte. *Die Stasi ersetzte die fehlende Öffentlichkeit.*

Je umfassender das Ministerium für Staatssicherheit die Gedanken auskundschaftete, desto mehr verunsicherte es die Bevölkerung. Die Menschen verstanden die Stasi als eine politische Polizei.

2. Die Stasi *unterschied sich nicht* in den geheimdienstlichen *Methoden*, die sie anwandte. Vieles, was die Bürger der Stasi anlasten, ist typisch für jeden Geheimdienst. Wer in das Visier eines Geheimdienstes gerät, wird mit Stasi-Methoden behandelt.

Das erste Gebot der Stasi war, wie das aller Geheimdienste: Du sollst nicht merken! Das zweite Gebot hieß: Aber nachher wirst du dann schon sehen.

Die Arbeitsmethoden der Geheimdienste ähneln sich mehr und mehr. Sie nennen sich *Nachrichtendienst*, so als würden sie sich nicht von einer gewöhnlichen Zeitungsredaktion unterscheiden.

Sie produzieren aber keine Nachrichten, sondern Informationen, die vor der Öffentlichkeit *verborgen* werden sollten. Und die wenigen Empfänger können sie, wenn überhaupt, nur nachträglich prüfen.

Die Bezeichnung »Nachrichtendienst« oder »Verfassungsschutz« ist also selbst eine geheimdienstliche Legende, eine Halbwahrheit, die uns irreführen soll. Das wesentliche Merkmal dieser Organisationen ist, daß sie *geheim* arbeiten. Dabei brechen sie immer wieder Gesetz und Verfassung.

Die Geschichte der Stasi ist wie die anderer Geheimdienste die Geschichte einer *faszinierenden Verschwendung* von Menschen, Mitteln, Steuergeldern. Geheimdienste arbeiten ineffektiv und erreichen oft das Gegenteil von dem, was sie wollen. Diese Mängel sind strukturell bedingt und für alle Geheimdienste typisch.

Beispiel 1, die Stasi:
Geheimdienste stehen im Zielkonflikt zwischen Quellenschutz und Loyalität gegenüber ihrem Auftraggeber.
Der angeblich größte geheimdienstliche Erfolg der Hauptabteilung Aufklärung des MfS führte in eine politische Katastrophe. Der Stasi war es gelungen, den Spitzel Günter Guillaume in der Nähe des Bundeskanzlers Brandt zu plazieren. Während die Bundesregierung mit der DDR wichtige Verträge aushandelte, war die Gegenseite über alle Einzelheiten schon im voraus informiert. Die Verträge mit der DDR hat das nach mir vorliegenden Informationen nur unwesentlich beeinflußt. Aber Guillaume war eine so wunderbare Quelle, daß die Stasi ihn nicht zurückzog, als er bereits im Visier des Verfassungsschutzes war. Guillaume wurde verhaftet. Willy Brandt trat zurück. Die Stasi hatte den Architekten der Entspannungspolitik zu Fall gebracht. Ein glattes Eigentor.

Beispiel 2, die CIA:
Wenn Geheimdienste Gefahren übertreiben, werden sie dafür mit üppigen Jahresetats belohnt.
Vor einem Senatsausschuß in Washington enthüllte der demokratische Senator Daniel Moynihan 1990: Beinahe vierzig Jahre lang richteten die US-Regierungen ihre *Rüstungsanstrengungen* nach *falschen Zahlen* des US-Geheimdienstes CIA.
Die Folge: Die USA vergeudeten Milliarden Dollar für übertriebene Rüstungsausgaben.
1989 schätzte die CIA das *Bruttosozialprodukt der UdSSR* auf 51% des Bruttosozialproduktes der USA. In Wirklichkeit beträgt es allenfalls 33%.
Ein CIA-Vertreter räumte ein: Die Geheimdienstzahlen hätten »höchstwahrscheinlich an der oberen Grenze« gelegen. Nutzen von den falschen Zahlen hatte die CIA (mehr Planstellen) und die Rüstungsindustrie.

Beispiel 3, der BND:
Wenn ein Geheimdienst seinem Auftraggeber nichts meldet, schützt er seine Quellen und macht nichts falsch.
Der westdeutsche Geheimdienst BND hat mit gigantischem Geldaufwand die DDR ausspioniert. Inzwischen wurde sichtbar, wie wirkungslos seine Arbeit war:
● Er hat dem Bundeskriminalamt nicht geholfen, dort abgetauchte ehemalige RAF-*Terroristen* zu fassen. Die Gründe dafür liegen im Dunkeln.
● Er hat den *größten Postraub aller Zeiten* nicht verhindert. Stasi-

Spitzel haben westdeutsche Paketsendungen jahrelang ungehindert systematisch aus der Bundesrepublik in die DDR umgeleitet.

Der BND hat entweder untätig zugesehen – vielleicht um seine Quellen zu schützen – oder nichts bemerkt, obwohl dem bundesdeutschen Postministerium seit langem klar war, daß hier ein systematischer Postraub stattfand.

In der Außenstelle M/4 des MfS in Freienbrink wurden die Pakete von Stasi-Offizieren geröntgt, kamen in den Auflöseraum und wurden ausgeplündert. Der Inhalt wurde gestapelt, die Kartons in der Papiermühle zu Klopapier verarbeitet. Etwa 5% der Paketsendungen waren wertlos und gingen als »Irrläufer« zurück in die Bundesrepublik.

Einen Teil der gestohlenen Waren verkaufte der Devisenbeschaffer Schalck-Golodkowski in den Westen, wie berichtet wird, unter anderem eine komplette Sendung Monopoly-Spiele (vgl. *Der Spiegel*, Nr. 8/90). Der Schalck ist offenbar für den BND eine so gute Quelle, daß er sich in der Bundesrepublik frei bewegen darf. Hier beißt sich die Katze in den Schwanz.

Rechtfertigungsstrategien.

Geheimdienste rechtfertigen ihr Dasein:

1. Mit dem Verweis auf die *Existenz der anderen Geheimdienste* und
2. mit dem Versprechen an die Adresse der Staatsführung, daß sie rechtzeitig warnen werden, wenn die *nationale Sicherheit* bedroht ist.

Würde unsere Autoindustrie so aufwendig und umständlich arbeiten wie einer der großen Geheimdienste Stasi, BND oder CIA, dann würde ein Volkswagen vermutlich eine halbe Milliarde Mark kosten.

Der Geheimdienst Stasi, volkswirtschaftlich total unproduktiv, war der *personell und technisch am besten ausgerüstete Betrieb* der gesamten DDR. Zuletzt arbeiteten über 85 000 hauptamtliche Geheimdienstler und über 100 000 *aktive* Spitzel für diesen aufgeblähten Apparat.

Die Stasi ist, wie andere Geheimdienste, *unaufhörlich gewachsen*. Denn Geheimdienstler sind zuallererst Bürokraten, und sie sind Bürokraten, die zudem in einem parlamentarisch kaum kontrollierbaren Rahmen arbeiten. Sie nehmen sich vor, Sicherheit zu produzieren. Aber ihre *Erfolge* sind nicht meßbar. Sie müssen sogar geheim bleiben. Und ihre *Mißerfolge* können sie hervorragend darauf zurückführen, daß sie immer noch zu wenig Personal und Technik haben.

Das Wappen des
Ministeriums für Staatssicherheit.

LIENHARD WAWRZYN
lebt als Drehbuchautor und Regisseur
in Berlin

LOTHAR BAIER

Die große Ketzerei
Verfolgung und Ausrottung der Katharer
durch Kirche und Wissenschaft

»Das materialreiche und mit großem Engagement geschriebene
Buch, mit dem Lothar Baier, ohne sie zu glorifizieren, Partei für
jene ergreift, die abweichender Meinung waren, ist ein Muster-
beispiel für eine Methode anschaulicher und zugleich reflektierender
Geschichtsschreibung.«
Helmut Scheffel, Frankfurter Allgemeine Zeitung
WaT 108. 208 Seiten mit zahlreichen Abbildungen

Gleichheitszeichen
Streifschriften über Abweichung und Identität

»In Zeiten wütender Vernunftkritik hält Lothar Baier an aufkläreri-
schen Positionen fest, ohne sich an orthodoxe Standpunkte zu
klammern. In jedem dieser Texte steckt die Überzeugung, daß wir
nicht zuviel, sondern zuwenig Vernunftgeschichte erlebt haben. Im
Nebel der Postmoderne, in der Athmosphäre in intellektueller Belie-
bigkeit und Gleichgültigkeit leisten diese ›Streitschriften‹ wichtige
Orientierungsarbeiten.«
Sibylle Cramer, Frankfurter Rundschau
WaT 124. 120 Seiten

Firma Frankreich
Eine Betriebsbesichtigung

Spätestens jetzt, da die Firma Frankreich Anstalten macht, mit der
Firma BRD zu fusionieren, müssen wir uns fragen, wer da als
Compagnon kommt, mit welchen Absichten und mit welchen
Folgen für das übrige Europa.
WaT 155. 144 Seiten

Volk ohne Zeit
Essay über das eilige Vaterland

Nachdem den Deutschen als Kriegsverlierern ein für alle Mal verboten
wurde, sich mit der Eroberung fremder Länder zu beschäftigen, ver-
wandelten sie sich zu Imperialisten der Zeit: Das *Tempo* der technologi-
schen Entwicklung entscheidet heute über den Weltrang und *nicht* die
kostspielige und langwierige Modernisierung zu großer Territorien – wie
bei den Siegern von einst. Als Herren der Zeit gehen die Deutschen nun
daran, mit der DDR eine Kolonie ganz besonderer Art zu erschließen.
Ob die Vereinigung die deutsche Zeitrechnung durcheinanderbringt
oder als Zeitraffer wirkt, ist allerdings noch nicht entschieden.

LESEN SIE WEITER:

Lothar Baier, Wilfried Gottschalch,
Reimut Reiche, Thomas Schmid, Joscha Schmierer,
Barbara Sichtermann, Adriano Sofri
Die Früchte der Revolte
Über die Veränderung der politischen Kultur durch
die Studentenbewegung
WaT 162. 160 Seiten

Vito Fumagalli   Der lebende Stein
Stadt und Natur im Mittelalter
WaT 164. 136 Seiten

Heinrich von Berenberg (Hrsg.)
Der eiserne Besen
Eine Innenansicht des heutigen England
WaT 165. 160 Seiten

Yann Richard   Die Geschichte der Schia in Iran
WaT 167. 160 Seiten

Lucien Febvre   Der neugierige Blick
Leben in der französischen Renaissance
WaT 171. 144 Seiten

Ernst R. Piper   Der Aufstand der Ciompi
Über den ›Tumult‹, den die Wollarbeiter im Florenz der
Frührenaissance anzettelten
WaT 175. 128 Seiten mit Abbildungen

Pierre Vilar   Spanien
Das Land und seine Geschichte von den Anfängen bis zur Gegenwart
WaT 176. 160 Seiten mit Abbildungen

Carlo Ginzburg   Der Käse und die Würmer
Die Welt eines Müllers um 1600
Mit einem Vorwort des Autors
WaT 178. 240 Seiten

*Schreiben Sie uns eine Postkarte, dann schicken wir Ihnen – kostenlos – unseren
jährlichen Almanach ZWIEBEL:*
Verlag Klaus Wagenbach, Ahornstraße 4, 1000 Berlin 30